SEFI ATTA

De tuin van gebroken geluk

Een jeugd in Lagos

SIRENE

Oorspronkelijke titel *Everything Good Will Come*
Originally published in the USA by Interlink Books, an imprint of Interlink
Publishing Group, Inc.
© 2004 Sefi Atta
© 2009 Nederlandse vertaling Uitgeverij Sirene bv, Amsterdam
Vertaald door Ineke Willems
Omslagontwerp Studio Jan de Boer
Foto voorzijde omslag © Bill Phelps / Corbis
Foto achterzijde omslag © Mark Whiddon
Uitgave Sirene mei 2009

www.sirene.nl
www.sefiatta.com

ISBN 978 90 5831 491 8
NUR 302

Voor mijn liefste Gboyega, en onze liefste Temi

1971

Van het begin af aan geloofde ik wat me werd verteld, ook regelrechte leugens, over hoe je je moest gedragen, al strookte niet alles met mijn wensen. Op de leeftijd dat andere Nigeriaanse meisjes zich meesters toonden in het *ten-ten*spel, waarbij je samen een bepaald ritme stampt en je je tegenstander te snel af probeert te zijn met een onverwacht opgetrokken knie, bracht ik mijn mooiste ogenblikken door op een steiger, waar ik deed alsof ik viste. Het ergste wat me dan kon overkomen, was dat mijn moeder vanuit haar keukenraam riep: 'Enitan, kom eens helpen.'

Dan rende ik terug naar het huis aan de Lagos Lagoon. Ons erf strekte zich uit over ruim vierduizend vierkante meter en was omgeven door een hoge houten omheining die splinters in onvoorzichtige vingers dreef. Ik speelde (onvoorzichtig) aan de westkant omdat de oostkant grensde aan de mangroven van Ikoyi Park, waar ik een keer een waterslang langs had zien glijden. Heet, heet waren de dagen zoals ik me ze herinner, met de zon als een trillende eidooier en af en toe een zuchtje wind. Het begin van de middag was om te eten en te slapen; zwaar eten, diep slapen. Op het eind van de middag na mijn huiswerk zat ik op onze steiger, een kort houten platform dat ik in drie passen kon overbruggen als ik mijn passen zo groot maakte dat de spieren tussen mijn dijen werden aangespannen.

Op de met schelpen begroeide rand zat ik te wachten tot het water aan mijn voeten likte en dan wierp ik mijn hengel uit, gemaakt van een tak, een stuk touw en een kurk van een van mijn vaders lege wijnflessen. Soms kwamen vissers dichtbij langsroeien in een ritme dat me meer plezier deed dan het kauwen op gefrituurde pens, hun huid beroet, bijna grauw van door de zon gedroogd zeezout. Ze spraken het zangerige taaltje van de eilandbewoners, zaten in hun kano's naar elkaar te jodelen. Ik kwam nooit in de verleiding om in de lagune te springen zoals zij deden. Het water stonk naar rauwe vis en zag zo vuilbruin dat het volgens mij naar azijn moest smaken. Bovendien wist iedereen dat de stroming mensen kon meesleuren. Meestal doken de lichamen dagen later op, gezwollen, stijf, rottend. Echt waar.

Het was niet zo dat ik grootse dromen van visvangst had. Ze kronkelden me te veel, en ik zou niet kunnen toezien hoe een ander levend wezen stikte. Maar mijn ouders namen met hun geruzie alle andere plekken in beslag, en hun nadrukkelijke aanwezigheid was onverdraaglijk. Muren konden me niet behoeden voor het geschreeuw. Een kussen kon me er niet voor behoeden als ik mijn hoofd eronder wegstopte, net zomin als mijn handen, waarmee ik mijn oren afdekte voordat ik mijn hoofd onder het kussen stopte. Vandaar de steiger, mijn toevluchtsoord, tot mijn moeder op een dag besloot dat hij moest worden afgebroken.

De priester van haar kerk had in een visioen vissers zien inbreken in ons huis: ze kwamen in het donker, *labalaba*. Ze waren ongewapend, *yimiyimi*. Ze stalen kostbaarheden, *tolotolo*.

De volgende dag al vervingen drie bouwvakkers onze steiger door een hekwerk van prikkeldraad, terwijl mijn moeder hen in de gaten hield net zoals ze onze buren in de gaten hield of 's avonds door de ramen naar buiten keek om te zien of er geen boze geesten waren of naar onze voordeur staarde, lang nadat mijn vader was vertrokken. Ik wist dat hij woedend zou zijn. Hij was naar een juridische conferentie en toen hij thuiskwam en haar nieuwe hek zag, rende hij schreeuwend als een waanzinnige naar buiten. Niets, niets zou mijn moeder tegenhouden, zei hij, tot ze alles in ons huis had vernield vanwege die kerk van haar. Wat wás ze voor een vrouw? Wat was ze voor een zelfzuchtig, liefdeloos mens?

Hij hield van dat uitzicht. Hele zondoorstoofde avonden in het briesje op de veranda, genietend van het uitzicht, zo herinner ik me hem, even lui als de rieten stoel waarin hij zat, meestal in het droge seizoen, dat het grootste deel van het jaar duurde, zelden in de kille harmattan die van kerst tot nieuwjaar woei, en nooit in het zompige regenseizoen, dat onze veranda in de zomervakantie in een glijbaan veranderde. Ik zat op de traptreden naar hem en zijn twee vrienden te kijken: oom Alex, een beeldhouwer die zijn pijp rookte en zo een geur van gesmolten kokos verspreidde, en oom Fatai, die me aan het lachen maakte omdat zijn naam bij zijn duikelaarsgezicht paste. Net als mijn vader was hij advocaat en alle drie hadden ze in Cambridge gestudeerd. De drie musketiers in het hart der duisternis, noemden ze zich daar; zij vormden een hecht trio en vrijwel iedereen hield zich op een afstand. Soms maakten ze me bang met hun verhalen over West-Nigeria (dat mijn vader het Wilde Westen noemde), waar mensen autobanden over andere mensen gooiden en die in brand staken omdat ze niet bij dezelfde politieke factie hoorden. Oom Alex gaf de Britten de schuld van de gewelddadigheden: 'Zij met hun godvergeten Gemenebest. Dat komt hierheen en snijdt ons land in stukken alsof het zo'n godvergeten scone is. Aan de linkerkant van de godvergeten weg rijden...'

De dag dat de Burgeroorlog uitbrak, kwam hij het nieuws vertellen. Oom Fatai kwam niet lang na hem binnen en ze luisterden met gebogen hoofd, als in gebed, naar de radio. Na al die jaren had ik uit hun verhitte debatten over federalisten, separatisten en godvergeten Britten, alle kennis vergaard over de gebeurtenissen in mijn land die een zevenjarige kon bevatten. Ik wist dat onze eerste premier was vermoord door een generaal-majoor, dat de generaal-majoor zelf binnen de kortste keren ook was vermoord en dat er inmiddels een andere generaal-majoor aan het hoofd van ons land stond. Een tijdlang bleef het toen rustig, maar nu leek het erop dat de Biafranen ons land in tweeën probeerden te splitsen.

Oom Fatai verbrak de stilte. 'Ik mag lijden dat onze jongens ze in de pan hakken.'

'Waar heb je het in godsnaam over?' vroeg oom Alex.

'Als ze slaag willen,' zei oom Fatai, 'kunnen ze het krijgen.'

Oom Alex prikte met een vinger tegen de borst van oom Fatai en duwde hem bijna omver. 'Ga jíj ze soms slaag geven? Nou?' Mijn vader probeerde tussenbeide te komen, maar oom Alex zei waarschuwend: 'Hou je erbuiten, Sunny.'

Uiteindelijk verzocht mijn vader oom Alex om te vertrekken. Op weg naar buiten gaf hij een klopje op mijn hoofd, en dat was de laatste keer dat we hem bij ons thuis hebben gezien.

In de maanden daarna luisterde ik naar radiojournaals over hoe het onze troepen verging tegen de Biafranen. Ik hoorde de slogan: 'Nigeria één, is de taak van iedereen.'

Van mijn vader moest ik me onder mijn bed verstoppen als het luchtalarm klonk. Soms hoorde ik hem praten over oom Alex; over hoe hij op voorhand had geweten dat er een burgeroorlog zou uitbreken; over hoe hij zich bij de Biafranen had gevoegd en was gestorven terwijl hij aan hun kant vocht, ondanks zijn gruwelijke hekel aan wapens.

Ik hield van mijn oom Alex. Als ik dan toch moest trouwen, besloot ik, zou het met een man als hij zijn, een kunstenaar, iemand die te hevig betrokken was of helemaal niet.

Hij had mijn vader de bijnaam Sunny gegeven; mijn vaders echte naam was Bandele Sunday Taiwo. Nu noemde iedereen mijn vader Sunny, zoals ze mijn moeder Mama Enitan noemden, naar mij, al heette ze eigenlijk Arin. Ik was hun eerste kind, hun enige kind nu, na de dood van mijn broer. Hij leefde van de ene sikkelcelcrisis naar de andere. Mijn moeder sloot zich bij een kerk aan om hem te genezen; ze zwoer het anglicaanse geloof af en misschien ook wel zichzelf, want toen mijn broer op een dag weer een toeval had, ging ze met hem naar haar kerk om hulp. Hij stierf, drie jaar oud. Ik was vijf.

In mijn moeders kerk droegen ze witte gewaden. Ze liepen er rond op blote voeten en dansten op het ritme van een trom. Ze werden gedoopt in een rivier van wijwater en dronken ervan om hun geest te reinigen. Ze geloofden in geesten: kwade geesten die door anderen waren gestuurd om ravage aan te richten, en wedergeboren geesten, wie geen lang leven op aarde beschoren was. Hun bezweringen: onvermoeibare verering en verheerlijking. De aanblik van mijn moeder die haar armen hemelwaarts gooide en zich gedroeg zoals ik haar dat nooit had zien doen in een anglicaanse kerk, kon ik nog verdragen, maar als de priester naar me toe zou komen en zijn ogen zou wegdraaien, zoals hij deed wanneer hij een visioen kreeg, was het afgelopen met me, dat wist ik zeker.

Hij had een uitstulpend voorhoofd en een uitdrukking op zijn gezicht alsof hij iets smerigs rook. Hij kondigde zijn visioenen aan tussen de bezweringen door, die klonken als Yoruba voor vlinder, mestkever en kalkoen: labalaba, yimiyimi, tolotolo. Hij rook naar wierook. De dag dat hij voor me stond, hield ik mijn ogen op de zoom van zijn gewaad gericht. Ik was een wedergeboren geest, zei hij, net als mijn broer, en mijn moeder moest me komen brengen om me te laten reinigen. Ik was te jong, zei ze. Mijn tijd zou snel komen, zei hij. Kalkoen, kalkoen, kalkoen.

De rest van die dag sjokte ik rond met de waardigheid van een zieltogende bejaarde en hield mijn buik net zo lang in tot ik kramp kreeg: de dood deed pijn, wist ik. Ik wilde mijn broer zo niet zien, als geest. Mijn vader hoefde maar te vragen hoe het met me was, of ik bezweek al. 'Ik ga dood,' zei ik.

Hij wilde een nadere verklaring.

'Je gaat daar niet meer heen,' zei hij.

De zondagen erna bracht ik thuis door. Mijn moeder ging naar haar kerk en mijn vader bleef evenmin thuis. En Bisi, ons dienstmeisje, sloop naar de buren voor een rendez-vous met Akanni, de chauffeur, die zijn *juju*-muziek altijd oorverdovend hard zette, of hij kwam naar haar, en dan trokken ze zich terug in de bediendevertrekken en lieten mij achter bij Baba, onze tuinman, die 's zondags werkte.

Tijdens de Burgeroorlog nam Bisi me wel nu en dan mee om Akanni's verhalen aan te horen over wat er ver weg aan het front gebeurde. Over hoe Biafraanse soldaten op landmijnen stapten, waardoor hun benen uiteenspatten als geplette tomaten. Over hoe Biafraanse kinderen hagedissenvlees aten om in leven te blijven. De Zwarte Schorpioen was een van Nigeria's krijgshelden. Hij had een ketting met amuletten om zijn nek, waardoor kogels op zijn borstkas afketsten. Ik was oud genoeg om naar die verhalen te luisteren zonder bang te worden, maar nog te jong om ze iets anders dan spannend te vinden. Toen de oorlog drie jaar later was afgelopen, miste ik ze.

In die tijd begonnen de televisie-uitzendingen niet voor zes uur 's avonds. Het eerste uur ging op aan het journaal en daar keek ik nooit naar, behalve die ene dag dat de Apollo op de maan landde. Sindsdien zeiden kinderen op school dat je Apollo kon krijgen, een vorm van conjunctivitis, als je te lang naar een eclips keek. Tarzan, Zorro, Little John en de hele familie Cartwright uit *Bonanza* waren er om me met hun gerechtigde, zoete wraak te vertellen wat ik verder over de wereld moest weten. En ik sympathiseerde, zonder enig benul van de vooroordelen die de beelden me voorschotelden, met Tarzan (die afschuwelijke inboorlingen!), dacht dat indianen verschrikkelijke mensen waren en leerde de vrolijke deuntjes van buitenlandse multinationals uit mijn hoofd: 'Mobil houdt uw motor – piep, piep – soepel aan de gang.' Als er een film van Alfred Hitchcock begon, wist ik dat het tijd was om naar bed te gaan. Of een met Doris Day. Ik kon dat liedje van haar niet uitstaan, 'Que Sera'.

Met een ongehoord aantal pijntjes naderde ik de puberteit, sloot het laatste jaar van de lagere school af en zette de lange wacht in tot ik naar de middelbare school kon. Die begon pas in oktober, dus de zomervakantie strekte zich langer voor me uit dan normaal. De regen stroomde en droogde weer op, en elke dag verliep als de vorige tenzij er iets ongewoons gebeurde, zoals de middag dat Baba leguaneneieren vond, of de ochtend dat een hondsdolle hond onze nachtwaker beet, of de avond dat Bisi en Akanni ruzie hadden. Ik hoorde hen schreeuwen en rende naar de bediendevertrekken om te kijken.

Akanni moest hebben gedacht dat hij Mohammed Ali was.

Schaduwboksend bewoog hij rond Bisi. 'Hoe heet ik? Hoe heet ik?' Bisi deed een uitval en sloeg hem in het gezicht. Hij greep haar kraag en scheurde haar bloes open. 'Mijn bloes? Maak je nou mijn bloes kapot?!' Ze spuugde hem in het gezicht en greep hem bij de gouden ketting om zijn hals. Samen wentelden ze zich in het stof en hielden niet op met schoppen tot Baba languit bij hen op de grond kwam liggen. 'Hou op,' zei hij. 'Hou op. Alsjeblieft.'

De meeste dagen waren zo opwindend niet. Het wachten begon me ernstig de keel uit te hangen, toen twee weken voor het einde van de vakantie alles veranderde. Het gebeurde op de derde zondag van september in 1971, laat in de middag. Ik speelde met mijn katapult en raakte per ongeluk Baba, die het gras maaide. Hij joeg met zijn machete achter me aan, en ik kwam vast te zitten in de prikkeldraadomheining, waardoor mijn mouw scheurde. Volgens de tradities van de Yoruba kondigt de natuur iemands overgang naar leven, volwassenheid en dood aan. Het gekraai van een haan, plotselinge regenval, een volle maan, seizoensverandering. Voor zover ik me herinner, zijn dergelijke voorboden mij niet ten deel gevallen.

'Net goed,' klonk een meisjesstem.

Er verscheen een neus in het gat in de omheining, gevolgd door een bruin oog. Ik maakte mijn mouw los van het prikkeldraad en wreef over mijn elleboog.

'Als je ook zo rondrent,' zei ze. 'Als een kip zonder kop. Net goed dat je blijft haken.'

Ze leek helemaal niet op de kinderen van de familie Bakare, onze buren. Ik had hen gezien door het grote gat in onze omheining, en ze waren even donker als ik, en jonger. Hun vader had twee echtgenotes die buiten kooksessies organiseerden. Ze zagen er altijd zwanger uit; hij trouwens ook, in de wijde gewaden die hij droeg. Hij werd Ingenieur Bakare genoemd. Hij was een vriend van oom Fatai, en oom Fatai noemde hem Alhadji Bakare, omdat hij op bedevaart naar Mekka was geweest. Voor ons was hij Chief Bakare. Hij had zijn inwijding in het hoofdmanschap vorig jaar groots gevierd, en niemand had die nacht een oog dichtgedaan door het lawaai van zijn juju-band, dat dwars door onze muren heen dreunde. Typisch Lagosvolk, had mijn vader gezegd. Vieren feest tot ze erbij neervallen, of tot hun buren dat doen.

'Ik ben Sheri,' zei ze, alsof ik haar had gevraagd hoe ze heette.

'Ik heb jou nog nooit gezien,' zei ik.

'Nou en?'

Ze heeft een scherpe tong, dacht ik, terwijl zij uitbarstte in ge-giechel.

'Mag ik mee naar jouw huis?' vroeg ze.

Ik keek de tuin rond, want mijn moeder wilde niet dat ik met de kinderen van Bakare omging.

'Kom maar.'

Ik verveelde me. Ik wachtte bij de prikkeldraadomheining, mijn gescheurde mouw was vergeten en zelfs Baba, die achter me aan was gegaan. Kennelijk was hij mij ook vergeten, want hij was bij het andere hek gras aan het maaien. Even later liep ze ons erf op. Zoals ik al had gedacht was ze een halfbloed. Ze droeg een roze rok en haar witte topje reikte tot net boven haar navel. Met haar korte afrokapsel leek haar gezicht op een zonnebloem. Ze had roze lippenstift op, zag ik.

'Hoe oud ben jij?' vroeg ik beschuldigend.

'Elf,' zei ze.

'Ik ook.'

'O ja? Zo'n klein meisje?' zei ze.

Ik was tenminste een fatsoenlijke elfjarige. Zij kwam amper tot mijn schouders, zelfs op haar hoge hakken. Ik zei dat ik in januari twaalf werd, en ze kaatste terug dat ik dan toch nog jonger was dan zij. Zij was twee maanden eerder jarig, in november. 'Ik ben de oudste. Zie je wel? Zo is het maar net. Mijn broertjes en zusjes noemen me thuis Sister Sheri.'

'Echt niet.'

'Echt wel,' zei ze.

Een briesje ritselde door de hibiscusbladeren. Ze nam me van top tot teen op.

'Heb je gisteravond de executies op tv gezien?'

'Welke executies?'

'Van die gewapende overvallers.'

'Nee.'

Die mocht ik niet zien; mijn vader was tegen de doodstraf.

Ze glimlachte. 'O, dat ging mooi. Ze schoten ze dood op het strand. Bonden ze vast, bedekten hun ogen. Een, twee, drie.'

'Dood?'

'*Pafuka*,' zei ze en ze liet haar hoofd opzij zakken. Ik stelde me het tafereel voor op het strand waar de executies werden gehouden. Gewoonlijk stonden de foto's de dag erna in de krant.

'Waar komt je moeder vandaan?' vroeg ik.

'Engeland.'

'Woont ze daar?'

'Ze is dood.'

Ze zei het alsof ze vertelde hoe laat het was: drie uur precies, vier uur dood. Kon het haar dan niet schelen? Ik schaamde me voor de dood van mijn broertje, alsof ik een mank been had waarmee mensen me konden plagen.

'*Yei*,' riep ze uit. Ze had een heel circus van vliegende vissen in de baai ontdekt. Ik keek ook hoe ze opsprongen en wegdoken. Ze kwamen zelden aan de oppervlakte. Ze verdwenen en het water werd weer kalm.

'Heb jij broers en zussen?' vroeg ze.

'Nope.'

'Dan ben je een verwend nest.'

'Nee hoor, dat ben ik niet.'

'Wel waar. Dat ben je wel; ik zie het aan je gezicht.'

Ze wendde zich van me af en begon op te scheppen. Zij was de oudste van de Bakarekinderen. Zij had zeven broers en zussen. Zij ging over twee weken naar kostschool, in een andere stad, en zij...

'Ik ben aangenomen op het Royal College,' zei ik om haar de mond te snoeren.

'Eh! Dat is alleen voor meisjes!'

'Het is nog steeds de beste school in Lagos.'

'Alleen meisjes is saai.'

'Het is maar hoe je het bekijkt,' zei ik, mijn vader citerend.

Aan de andere kant van de omheining hoorden we Akanni's juju-muziek. Sheri stak haar achterste uit en begon te wiegelen. Ze zakte laag door haar knieën en kwam wiegelend weer omhoog.

'Vind je juju-muziek leuk?' vroeg ik.

'Yep. Mijn oma en ik dansen er altijd op.'

'Dans jij met je oma?'

'Ik woon bij haar in huis.'

De enige grootouder die ik had gekend was mijn vaders moeder, die nu dood was, en ik was bang voor haar vanwege de grijswitte waas over haar pupillen. Mijn moeder zei altijd dat ze die als straf voor haar slechtheid had gekregen. De muziek stopte.

'Dit zijn mooie bloemen,' zei Sheri en ze bekeek ze aandachtig alsof het chocolaatjes op een presenteerblad waren. Ze plukte er een en stak hem achter haar oor.

'Staat die?'

Ik knikte. Ze zocht er meer uit en begon ze een voor een te plukken. Binnen de kortste keren had ze vijf hibiscusbloemen in het haar. Ze plukte haar zesde, toen we van de andere kant van het erf hoorden schreeuwen. Baba denderde op ons af met zijn machete in de aanslag. 'Hé, jullie! Ga daar weg!'

Toen Sheri hem in het oog kreeg, gilde ze. We renden om het huis heen en hinkten over het grind van de oprijlaan.

'Wie was dat?' vroeg Sheri terwijl ze over haar borst wreef.

Ik ademde snel in en uit. 'Onze tuinman.'

'Hij maakt me bang.'

'Baba doet niks. Hij vindt het leuk om mensen te laten schrikken.'

Ze tuitte zuinig haar lippen. 'Zijn benen zijn zo krom als die van een krab en zijn lippen zo rood als de kont van een aap.'

Slap van de lach rolden we over het grind. De hibiscusbloemen tuimelden uit Sheri's afrohaar en ze schopte in de lucht, zich volledig overgevend aan haar geschater waardoor ook aan het mijne maar geen eind wilde komen. Zij kwam het eerst bij zinnen en veegde met haar handen langs haar ogen.

'Heb je een beste vriendin?' vroeg ze.

'Nee.'

'Nou, dan ben ik dat.' Ze klopte zich op de borst. 'Elke dag, tot we naar school gaan.'

'Ik kan alleen op zondag spelen,' zei ik.

Mijn moeder zou haar wegjagen zodra ze haar zag.

Ze schokschouderde. 'Volgende week zondag, dan. Kom maar naar mij toe als je wilt.'

'Goed,' zei ik.

Wie zou erachter komen? Ze was grappig en ook onbeleefd, maar dat was waarschijnlijk omdat ze thuis geen goede opvoeding kreeg.

Van achter ons hek riep ze: 'Vanaf nu noem ik je *aburo*, mijn kleine zusje, en ik maak je in met ten-ten, wacht maar af.'

Dat is een stom spel, wilde ik zeggen, maar ze was al achter de betonnen zuil verdwenen. Had niemand haar ooit gezegd dat ze geen hoge hakken mocht dragen? Of lippenstift? Al die dingen? Had ze geen respect voor een oude man als Baba? Zij was het verwende nest. Met die scherpe tong van haar.

Baba harkte het gras bijeen toen ik terugkwam in de achtertuin.

'Ik vertel je moeder over d'r,' zei hij.

Ik stampvoette van frustratie. 'Maar ze is mijn vriendin.'

'Hoe kan ze je vriendin nou zijn? Je hebt 'r net ontmoet, en je moeder kent 'r niet eens.'

'Die hoeft haar ook niet te kennen.'

Hem kende ik mijn hele leven al. Hoe kon hij me verraden? Hij trok een gezicht alsof de gedachte aan Sheri hem een vieze smaak bezorgde. 'Je moeder zal 'r niet moeten.'

'Vertel het alsjeblieft niet. Alsjeblieft.'

Ik knielde en drukte mijn handpalmen tegen elkaar. Daarmee wist ik hem uiteindelijk altijd te vermurwen.

'Oké dan,' zei hij. 'Maar ik wil jou of haar niet meer in de buurt van die bloemen zien.'

'Nooit meer,' bezwoer ik hem en ik krabbelde overeind. 'Zie je? Ik ga al naar binnen. Ik kom er niet meer bij in de buurt.'

Ik liep achterwaarts naar binnen. Baba's benen leken echt op krabbenpootjes, dacht ik terwijl ik haastig de zitkamer door liep. Ik stootte mijn scheenbeen tegen een stoel en legde de weg naar mijn kamer verder hinkend af. God strafte meteen.

Mijn koffer lag onder mijn bed. Hij was van nepleer en zo groot dat ik erin paste als ik me heel klein maakte, maar nu zat hij vol. Ik trok hem onder het bed uit. Het duurde nog twee weken voor ik van huis ging, en ik was een maand te vroeg begonnen met pakken: een klamboe, lakens, sloffen, een zaklamp. En als rekwisieten voor een denkbeeldige televisiereclame: schuimbad, tandpasta en maandverband. Ik vroeg me af wat ik met dat laatste aan moest.

Voor de spiegel liet ik mijn vingers langs de groeven tussen mijn vlechten glijden. Sheri's afro was zo luchtig dat het meedeinde als ze praatte. Ik greep een kam van mijn tafel en begon mijn vlechten uit te halen. Tegen de tijd dat ik klaar was, deden mijn armen zeer en viel mijn haar in mijn gezicht. Ik pakte een rode stift uit de bovenste la en kleurde mijn lippen in. In elk geval was mijn huid glad, anders dan de hare. Haar huid zat onder de uitslag en was bijna blank. Mensen met haar kleur werden op school uitgemaakt voor papaja of banaan.

Op school werd je gepest als je geel zag of dik was; als je moslim of stom was; als je stotterde of een bh droeg of Igbo was, omdat je dan Biafraans was of mensen kende die dat waren. Ik kleurde mijn vingernagels met de stift en verzon intussen andere zonden, toen mijn moeder binnenkwam. Ze droeg haar witte kerkgewaad.

'Zit je hier?' vroeg ze.

'Ja,' zei ik.

In haar kerkgewaad deed mijn moeder me altijd denken aan een pilaar. Ze hield haar rug en schouders recht, dat deed ze als kind al, zei ze. Zij had zich nooit ruw gedragen, had nooit krom gelopen, dus waarom deed ik dat dan wel? Haar vraag maakte altijd dat ik met rechte rug ging lopen tot ik het vergat.

'Ik had verwacht dat je buiten zou zijn,' zei ze.

Ik probeerde mijn haar plat te drukken. Het hare zat in twee keurig ingevlochten rijen, en ze kneep haar ogen samen alsof het zonlicht mijn kamer in viel.

'Ah-ah? Wat is dat nou? Heb jij lippenstift op?'

Ik legde mijn stift neer, eerder beschaamd dan bang.

Ze wenkte me. 'Laat eens zien.'

Haar stem werd zachter toen ze de rode inkt zag. 'Op jouw leeftijd moet je je lippen niet kleuren. En ik zie dat je ook weer aan het pakken bent geweest. Misschien ben je er klaar voor om het huis uit te gaan.'

Mijn blik bereikte het plafond.

'Waar is je vader?'

'Weet ik niet.'

'Heeft hij gezegd wanneer hij terug zou zijn?'

'Nee.'

Ze keek mijn kamer rond. 'Ruim het hier eens op.'

'Ja, mama.'

'En kom me dan in de keuken helpen. En straks wil ik je even spreken. Was je mond voor je naar beneden komt.'

Ik deed alsof ik in beslag werd genomen door de inhoud van mijn kaptafel tot ze wegging. Met een schaar schraapte ik de rode inkt van mijn nagels. Waar wilde ze me over spreken? Baba had het vast niet doorverteld.

Mijn moeder praatte nooit mét mij; zij voerde het woord en verwachtte dat ik luisterde, wat ik altijd deed. Bij het geluid van haar voetstappen alleen al versnelde mijn ademhaling. Ze sloeg me vrijwel nooit, anders dan de meeste moeders die ik kende, die hun kinderen met boomtakken afranselden, maar zij hoefde dat dan ook niet. Ik was weleens met de zijkant van een liniaal op mijn knokkels geslagen omdat ik dagdroomde in de klas, en had me toen afgevraagd of die straf niet makkelijker te verdragen was dan de blik van mijn moeder als ze naar me keek alsof ze me had betrapt terwijl ik met mijn eigen poep speelde. Haar blikken waren moeilijk te vergeten. Liniaalsporen verdwenen uiteindelijk.

Vrome mensen moesten ongelukkig zijn of heel streng of een mengeling van beide, had ik besloten. Mijn moeder en haar kerkvrienden, hun priester met het gezicht alsof hij iets smerigs rook. Ik had geen koorleidster ooit vriendelijk zien kijken, en ook vroeger in onze anglicaanse kerk hadden mensen er over het algemeen diepellendig uitgezien onder het bidden. Ik accepteerde die mensen, net als ik mijn klaarblijkelijk zondige natuur accepteerde. Hoe vaak was ik 's morgens niet opgestaan met het vaste voornemen dat ik vroom zou zijn, om tegen de middag weer te bezwijken voor vrolijkheid, en lachend en onbesuisd rond te rennen? Ik wílde wel vroom zijn; ik had er alleen mijn hoofd niet bij.

Ik was die avond met mijn moeder in de keuken pisangs aan het bakken, toen er olie uit de koekenpan op mijn pols spatte.

'Kijk dan ook uit wat je doet,' zei mijn moeder.

'Sorry,' zei Bisi, die snel opkeek van de pannen die ze stond af te wassen.

Bisi verontschuldigde zich vaak voor iets wat ze niet had gedaan. Ik haalde met een spatel de gebakken pisangs uit de pan en kwakte ze op het aanrecht. Spattende olie, scherpe messen. Uien. Keukenwerk was snertwerk. Als ik groot was, zou ik mezelf gewoon uithongeren om niet te hoeven koken. Dat was in elk geval de globale opzet.

Een geluid van buiten deed me opschrikken. Het was mijn vader, die door de achterdeur naar binnen kwam.

'Tegenwoordig klop ik aan, en niemand die opendoet,' mopperde hij.

De deur ging krakend open en klapte achter hem weer dicht. Bisi haastte zich om zijn aktetas van hem over te nemen, en hij joeg haar weg. Ik glimlachte naar hem. Hij was altijd moe als hij van zijn werk kwam, zeker als hij net in de rechtszaal was geweest. Hij was mager en had een stem die brak, en ik had altijd medelijden met hem als hij klaagde: 'Ik werk me de godganse dag uit de naad voor jouw eten, jouw kleren, jouw school. Het enige waar ik om vraag als ik thuiskom, is een beetje rust. En in plaats daarvan bezorg je me *wahala*. Papa, mag ik een ijsje. Papa, mag ik een Enid

Blyton. Papa, mijn broek is kapot. Papa dit, papa dat. Wil je me soms dood hebben?'

Hij maakte zijn stropdas los. 'Ik zie dat je moeder je haar rol weer laat instuderen.'

Ik pakte nog een pisang en sneed hem overlangs open, in de hoop op nog meer medelijden. Aan het fornuis schudde mijn moeder met een pan en lichtte het deksel op om de inhoud te inspecteren.

'Het kan geen kwaad als ze een handje toesteekt,' zei ze.

Ik haalde de pisang uit zijn schil en sneed hem in plakjes.

Mijn vader opende de koelkast en pakte een flesje bier. Opnieuw schoot Bisi hem te hulp en dit keer stond hij toe dat ze het flesje openmaakte.

'Je zou haar moeten vertellen dat meisjes dat tegenwoordig niet meer doen,' zei hij.

'Wie zegt dat?' zei mijn moeder.

'En als ze dan vraagt waar je die onzin vandaan hebt, zeg je: Van haar vader, en dat hij voor vrouwenemancipatie is.'

Hij klikte zijn hielen tegen elkaar en salueerde. Mijn vader is geen serieuze man, dacht ik.

'Voor de emancipatie van alle vrouwen behalve voor die van de jouwe,' zei mijn moeder.

Bisi gaf hem zijn glas bier aan. Ik dacht dat hij het niet had gehoord, omdat hij begon te drinken. Hij liet het glas zakken. 'Ik heb je nooit gevraagd om voor mij te koken.'

'Och,' zei ze en ze veegde haar handen af aan een theedoek, 'je vraagt me ook nooit om het niet te doen.'

Hij knikte instemmend. 'Het valt niet mee om te concurreren met jouw zucht naar martelaarschap.'

Met veel vertoon controleerde mijn moeder de gebakken pisangs. Ze wees op de pan en ik deed er te veel pisangstukjes tegelijk in. De olie siste en er steeg een walm op uit de pan.

Als mijn vader zulk correct Engels sprak, wist ik dat hij kwaad was. Meestal begreep ik dan niet wat hij bedoelde. Dit keer zette hij zijn lege glas op tafel en greep zijn aktetas.

'Je hoeft niet op te blijven voor mij.'

Mijn moeder ging achter hem aan. Toen ze de keuken uit liepen, sloop ik naar de deur om hen af te luisteren. Bisi draaide de kraan dicht om het gesprek ook te kunnen volgen en ik voer met alle razernij die gefluister maar kon overbrengen tegen haar uit: 'Niet naar andermans privégesprekken luisteren! Jij luistert altijd naar andermans privégesprekken!'

Ze knipte met haar vingers naar me en ik knipte terug met de mijne en hield mijn gezicht bij de kier aan de scharnierende kant van de deur.

De ruzies tussen mijn ouders werden onzinniger, niet minder frequent of minder luidruchtig. Eén verkeerd woord van mijn vader, en mijn moeders razernij barstte los. Hij was een slechte man. Hij was altijd een slechte man geweest. Ze slingerde hem passages uit de Bijbel naar het hoofd. Hij bleef kalm. Op die momenten had ik medelijden kunnen hebben met mijn moeder, als de uitdrukking op mijn vaders gezicht er niet was geweest. Hij keek als een van de jongens op school, die je rok oplichtten en ervandoor gingen. Die keken net zo confuus als de meester ze eenmaal bij een oor hield.

Mijn moeder sloeg met haar blote hand op de eettafel. 'Sunny, wat je buitenshuis ook uitspookt, God ziet erop toe. Je kunt die deur uit lopen, maar je kunt niet ontsnappen aan Zijn oordeel.'

Mijn vader hield zijn blik strak op de tafel gericht. 'Ik kan niet voor Hem spreken, maar ik weet wel dat er met Hem niet te spotten valt. Jij wilt de Bijbel als een schild gebruiken tegen de rest van de wereld? Ga je gang. Op een dag staan we allebei voor onze Schepper. Dan vertel ik Hem alles wat ik op mijn geweten heb. En dan kun jij Hem vertellen wat jij op je geweten hebt.'

Hij liep weg in de richting van hun slaapkamer. Mijn moeder kwam terug naar de keuken. Ik had verwacht dat ze me de mantel uit zou vegen zodra ze zag dat mijn pisangs waren aangebrand, maar dat deed ze niet. Ik haastte me naar het fornuis en keerde ze om.

Een frons mocht haar gezicht dan tegenwoordig in een wurggreep houden, er was een tijd dat mijn moeder glimlachend de wereld in had gekeken. Hoe gekweld ze er nu ook uitzag, er was een tijd dat ze de wereld met een lach tegemoet was getreden. Ik had zwart-witfoto's van haar gezien, met haar haren in een gladde krul geperst en haar wenkbrauwen in boogjes getekend. Ze was een gediplomeerd secretaresse en mijn vader was bezig met zijn laatste jaar universiteit toen ze elkaar leerden kennen. Heel wat mannen zaten achter haar aan. Héél wat, zei hij, tot hij haar één liefdesbrief schreef. Eentje maar, snoefde hij, en de rest maakte geen enkele kans meer. 'Jouw moeder kon dansen als geen ander. Kleedde zich als geen ander. Had een middeltje als geen ander, zeg ik je. Zo smal. Ik kon het met twee handen omvatten, zo, voordat jij kwam en het naar de bliksem hielp.'

Vervolgens deed hij voor wat een worsteling het was om haar nu te omhelzen. Mijn moeder was niet zo dik als hij beweerde. Ze was mollig, op de manier waarop moeders mollig zijn; haar armen wiebelden als pudding. Mijn vader maakte het grapje niet meer, en ik moest me er zelf maar een beeld bij vormen dat zij hem ooit genegenheid had betoond. Als ze dat nu niet meer deed, kwam dat omdat het in de Bijbel stond: God was jaloers.

Na het eten ging ik naar hun kamer en wachtte. Ik wist nog steeds niet waarom mijn moeder me wilde spreken. Mijn vader had de airco aan laten staan, die een zwakke mengeling van muggenspray en aftershave in mijn gezicht blies. Met hun klamboe over me heen onderzocht ik mijn scheenbeen, waar zich een bult had gevormd sinds mijn botsing met de stoel.

Mijn moeder kwam de kamer in. Nu al wilde ik in tranen uitbarsten. Zou Baba het dan toch verteld hebben? Als dat zo was, was hij verantwoordelijk voor de problemen die ik nu had.

Mijn moeder ging tegenover me zitten. 'Weet je nog, van toen je met me naar de kerk ging, dat sommige zusters een week oversloegen?'

'Ja, mama.'

'Weet je waarom ze dat deden?'

'Nee.'

'Omdat ze onrein waren,' zei ze.

Meteen keek ik naar de airco. Mijn moeder ging verder in het Yoruba. Ze vertelde me gruwelverhalen over bloed en baby's en waarom het een geheim was.

'Ik trouw nooit,' zei ik.

'Je trouwt wel,' zei ze.

'Ik wil nooit kinderen.'

'Die wil je wel. Alle vrouwen willen kinderen.'

Seks was smerig, zei ze, en ik moest mezelf nadien altijd wassen. Er schoten tranen in mijn ogen. Het vooruitzicht om jong te sterven leek ineens zo veel beter.

'Waarom huil je?' vroeg ze.

'Weet ik niet.'

'Kom hier,' zei ze. 'Ik heb voor je gebeden en er overkomt je niets.'

Ze gaf een klopje op mijn rug. Ik wilde vragen: Stel dat ik begin te bloeden onder het ochtendappèl? Stel dat ik moet plassen tijdens de seks? Voorheen had ik vage beelden van een man boven op een vrouw. Nu de beelden scherp waren gesteld, wist ik niet meer wat waarin ging en wat waaruit kwam. Mijn moeder pakte me bij de schouders en trok me overeind.

'Waar denk je aan?' vroeg ze.

'Niks.'

'Was je gezicht,' zei ze en ze duwde me naar de deur.

Voor de badkamerspiegel controleerde ik mijn gezicht op veranderingen. Ik trok de huid onder mijn ogen omlaag, deed mijn mond wijd open en stak mijn tong uit. Niets.

Er was een tijd dat ik amper kon wachten om volwassen te zijn, vanwege mijn moeders garderobe. Ze had schoenen met gespen, met leren bandjes en met kraaltjes erop. Ik schoof er mijn voeten in en hoopte vurig dat de kloof achter mijn hielen zich zou sluiten. Ik liet haar jurken en met zilver- of gouddraad geborduurde sjaals door mijn handen glijden. Kaftans waren in de mode, al waren het gewoon slankere versies van de *agbada's* die vrouwen in ons land al jaren droegen. Haar roodfluwelen kaftan vond ik de mooiste, met kleine ronde spiegeltjes erop die sprankelden als diamanten. De eerste keer dat mijn moeder hem aanhad, was op mijn vaders verjaardag. Ik was die avond licht in het hoofd van de geuren van tabak, whisky, parfum en curry. Ik ging rond met gehaktballetjes aan prikkers op een klein zilveren dienblad. Ik had een hoofddoek om van roze polyester. Oom Alex had me net geleerd hoe ik een pijp moest aansteken. Mijn moeder was zich nog aan het omkleden, nadat ze tot laat had staan koken. Toen ze de zitkamer in kwam, juichte iedereen. Mijn vader nam felicitaties in ontvangst voor de manier waarop hij zijn vrouw verwende. 'Mijn geld gaat naar haar,' zei hij.

Op avonden als die keek ik van begin tot eind toe hoe mijn moeder haar haar in model bracht. Ze ontkroesde het met een hete kam, die knetterend door haar haren ging en een lucht van pommade afgaf. Ze klaagde over het gedoe. Het duurde te lang en haar armen deden er zeer van. Soms verbrandde de kam haar hoofdhuid. Ze droeg het haar liever ingevlochten, en op de dagen dat mijn broer ziek was liet ze het zoals ze ermee opstond. 'Het is mijn huis,' zei ze dan. 'Als het hen niet aanstaat, vertrekken ze maar.'

Ze wilde mijn vader in verlegenheid brengen, dat zag je zo. Mensen denken dat een kind dat niet begrijpt, maar ik had zelf ruzies gehad met vrienden van school en dan sprak ik geen woord met hen tot ze hun verontschuldigingen hadden aangeboden, of in elk geval tot ik was vergeten dat ze dat niet hadden gedaan. Ik begreep het, en ik begreep het goed genoeg om het beeld dat mijn ouders van mijn onschuld hadden, te beschermen. Mijn moeder had rust nodig, zei mijn vader dan. 'Ik weet het,' was steevast mijn antwoord. Mijn vader was nooit thuis, klaagde mijn moeder altijd. Dan hield ik mijn mond.

De hele week verheugde ik me erop om naar Sheri's huis te gaan. Soms ging ik bij de hibiscus staan wachten in de hoop dat ze kwam opdagen. Ik wachtte nooit lang genoeg. Ik dacht niet meer aan seks, zelfs niet aan de bult op mijn scheenbeen, die was afgeplat tot een blauwe plek. Deze week gingen de ruzies tussen mijn ouders over personalia.

Mijn vader was zijn rijbewijs en autoverzekeringspapieren kwijt. Hij zei dat mijn moeder ze had verstopt. 'Ik heb jouw personalia niet verstopt,' zei ze. Hij vroeg of ik ze had gezien. Ik had zijn personalia niet gezien, zei ik. Uiteindelijk zocht ik met hem mee naar de kwijtgeraakte personalia en begon me al in te beelden dat ik ervoor verantwoordelijk was, toen hij ze vond. 'Waar ik al had gezocht,' zei hij. 'Zie je wel?'

Ik had genoeg van die twee. Nadat mijn ouders zondagmorgen waren vertrokken ging ik voor het eerst op bezoek bij de buren, tegen mijn moeders orders in, maar het was de moeite waard om een vriendin van mijn leeftijd in de buurt te hebben. Er woonden hier vooral jongens, vier aan de overkant van de straat, die al begonnen te lachen als ze me zagen en dan deden alsof ze moesten overgeven. Naast hen woonde een Britse jongen die apportspelletjes speelde met zijn Duitse herder Ranger. Of hij hield lawaaierige fietsraces met de vier van de overkant, op wie hij andere keren Ranger losliet, als ze hem hadden gepest omdat hij blank was en niet tegen peper kon: '*Oyinbo* peper, als jij peper eet, word je schijtbleek!' Er woonden nog twee jongens verderop in de straat, een stuk ouder, en hun moeder had de kiezen gevuld van de helft van mijn klasgenoten.

Bij jongens moest er altijd lawaai en gedonder aan te pas komen. Ze vingen kikkers en sprinkhanen, gooiden stenen tegen de ramen, staken vuurwerk af. En thuis had je Bisi. Zij was een meisje, want ze was nog niet oud genoeg om te trouwen, maar ze was net zo lomp. Als Baba een kip slachtte ging ze altijd kijken, ze sloeg de hooiwagens in mijn badkuip plat en liep me de hele dag te commanderen met een knip van haar vingers. En voor mijn moeder speelde ze mooi weer, beefde ze en zette ze een hoog stemmetje op. Ik schopte een steen weg bij de gedachte aan haar. Ze was een bedriegster.

De meeste huizen in de rustige straat waar we woonden leken op het onze, met bediendevertrekken en een grote tuin, maar niet zo eenvormig als in de overheidsbuurten hier vlakbij, die door de Dienst Openbare Werken waren gebouwd. Wij woonden in een bungalow die was overgroeid met goudkleurige trompetbloemen en bougainville, de Bakares in een twee verdiepingen tellend gevaarte met aquamarijnkleurige luiken voor de ramen, zo vierkant dat ik het op een kasteel vond lijken. Op de lage heg van verdorde pitangastruiken langs de oprit en de mangoboom bij het huis na, was hun hele erf van beton.

Ik liep de oprit op, me bewust van het knerpende geluid van mijn voeten op het grind. Mijn blik werd gevangen door de ene, aangevreten mango aan de boom. Vogels waren eraan begonnen en nu maakten de mieren het af. Zoals ze over het oranje vruchtvlees scharrelden deden ze me denken aan een bedelaar die ik voor mijn moeders kerk had gezien, behalve dat zijn zweer roze was geweest en er pus uit had gesijpeld. Niemand die bij hem in de buurt kwam, zelfs niet om hem geld te geven; dat gooiden ze op de vuile aardappelzak voor hem.

Een jonge vrouw met twee in het oog springende moedervlekken op haar wang deed open.

'Ja?'

'Is Sheri thuis?' vroeg ik.

'Ligt te sjlapen.'

In de zitkamer waren de gordijnen dicht en de meubels stonden erbij als stomme schaduwen. De Bakares hadden hetzelfde soort stoelen als de meeste mensen die ik kende, nep-Lodewijk XIV, noemde mijn vader ze. Het was elf uur 's ochtends en het huis was in diepe rust. Eerst dacht ik dat de 'sj'-vrouw me weg zou sturen, maar toen stapte ze opzij. Ik ging achter haar aan de smalle houten trap op, een stille gang door en twee deuren voorbij, tot we bij de derde bleven staan. 'Sjerieie?' riep ze.

Iemand kreunde. Ik wist dat het Sheri was. In een gele nachtpon deed ze haar deur open. De 'sj'-vrouw liep traag de gang weer uit.

'Waarom slaap je nog?' vroeg ik aan Sheri.

Bij ons thuis noemden ze dat luiheid. Ze was gisteren naar een feest geweest, haar ooms veertigste verjaardag. Ze had aan één stuk door gedanst. Haar stem klonk nog niet als de hare. Er lagen kleren op de vloer: witte kanten bloezen, kleurige sjaals en hoofddoeken. Ze had liggen slapen op een lap stof die over de kale matras lag, en een andere lap gebruikt om zich toe te dekken. Er hing een schilderij van appels en peren boven haar bed, en op het nachtkastje stond een ingelijste foto van een vrouw in traditionele kledij. In een hoek van de kamer waren stoffige schoenen uit een houten kast gebuiteld. De deur ervan hing scheef aan een kapot scharnier, en op de spiegel aan de binnenkant zaten bruine vlekjes. Een tafelventilator op een bureau bracht van tijd tot tijd de kleren op de vloer in beroering.

'Is dit jouw kamer?' vroeg ik.

'Van wie 'm neemt,' zei ze en ze schraapte luidruchtig haar keel. Ze deed de gordijnen open en het zonlicht spoelde de kamer in. Ze wees naar een bundeltje bankbiljetten naast de foto: wat ze voor het dansen had gekregen.

'Ik heb het meeste van de hele familie,' zei ze.

'Waar is iedereen?' vroeg ik.

Ze krabde op haar hoofd. 'Mijn stiefmoeders slapen nog. Mijn broers en zussen slapen nog. Waar mijn vader is, weet ik niet.'

Ze verplaatste haar hand naar haar achterste.

Ik trok mijn neus op. 'Volgens mij moet je in bad.'

Om één uur was het hele huis wakker. Sheri's stiefmoeders hadden voor iedereen *akara* gebakken, bonenballetjes. We knielden voor hen neer om hen goedemorgen te wensen; ze gaven ons een waarderend klopje op ons hoofd. 'Op allebei de knieën,' zei een van hen. Ik zag twee vrouwen die veel op elkaar leken, knap, met waterige ogen en een sjaal van chiffon om het hoofd gewikkeld. In de lach van degene die mij had gezegd dat ik moest knielen, zag ik een gouden tand.

Op de veranda zaten de andere kinderen op stoelen, met een

kom akara op schoot. De meisjes hadden jurken aan, de jongens bloezen met korte mouwen en korte broeken. Sheri paradeerde rond in een mandarijnkleurige lange jurk en maande ze tot kalmte. 'Hou op met dat geruzie.' 'Gani, ga je nou zitten?' 'Ik heb toch gezegd dat je je handen moest wassen?' 'Kudi, wat mankeer jij vanmorgen?' Hier maakte ze een einde aan gekibbel, daar veegde ze een snotneus af. Ik keek ervan op toen ze haar echt Sister Sheri noemden. De vrouwen heetten Mama Gani en Mama Kudi, naar hun eerstgeborenen.

'Hoeveel kinderen wil jij later?' vroeg Sheri terwijl ze zonder pardon een baby in mijn armen legde. Ik durfde niet eens te praten uit angst dat ik hem zou laten vallen. Hij wurmde en voelde even breekbaar aan als een kristallen glas.

'Eentje,' zei ik.

'Waarom geen halve, hè?' zei Sheri.

Ik voelde me niet beledigd. Haar grofheid werd gekortwiekt door de natuur. Als ze geringschattend haar lippen tuitte, benadrukte dat haar hoge jukbeenderen, en haar vuile blik flitste van onder wimpers die zijdeachtig en dik waren als de vleugels van een mot. Ze kende alle botte uitdrukkingen: een snep als een eend, dom als een nul met een stip erin. Als ik zei: 'Nou en?' zei zij: 'Nou-en is mauwen.' Als ik vroeg: 'Waarom?' zei zij: 'Daarom, klaarom.' Maar ze was te grappig om overtuigend te katten. Voluit heette ze Sherifat, maar dat vond ze niets. 'Ik ben niet dik,' legde ze uit toen we gingen eten. Ik had mijn ontbijt al gehad, maar zodra ik de akara zag kreeg ik trek. Ik nam een hap en mijn ogen traanden van de peper die erin zat. Een rilling van genot trok door mijn benen. 'Als we klaar zijn,' zei Sheri, 'laat ik je het balkon boven zien.' Ze kauwde met haar mond open en had genoeg op haar bord voor een volwassen man.

Het balkon had veel weg van een leeg zwembad. Voorbije regenseizoenen hadden schimmel in de hoeken achtergelaten. Het lag hoger dan mijn huis en zoals we daar stonden konden we over heel haar erf en het onze uitkijken. Ik somde de planten in onze tuin op terwijl Sheri zich naar het uitzicht over de baai wendde.

'Die komt uit in de Atlantische Oceaan,' zei ze.

'Weet ik,' zei ik en ik probeerde de tel niet kwijt te raken. 'Bougainville, trompetbloemen...'

'En weet je waar die helemaal naartoe gaat?'

'Ja. Amandelboom, bananenboom...'

'Parijs,' zei ze.

Ik gaf het op. Beneden renden twee kinderen tussen de waslijnen door. Ze speelden het burgeroorlogspel: Halt. Wie is daar? Kom naar voren zodat we je kunnen zien. Boem! Je bent dood.

'Ik wil naar Parijs,' zei Sheri.

'Hoe wil je daar komen?'

'Met mijn privévliegtuig,' zei ze.

Ik lachte. 'En hoe kom je aan een privévliegtuig?'

'Ik word actrice,' zei ze en ze draaide zich naar me toe. In het zonlicht leken haar pupillen net de lamellen aan de onderkant van een paddenstoel.

'Een acteur-ice,' zei ik.

'Ja! En als ik daar aankom, heb ik een rood negligé aan.'

'Ehm... Het is koud in Parijs.'

'Hè?'

'Het is koud in Parijs. Dat heeft papa me verteld. Het is er koud en het regent.'

'Nou, dan doe ik een bontjas aan.'

'En wat nog meer?' vroeg ik.

'Heel hoge hakken.'

'En?'

'Een zonnebril met heel donkere glazen.'

'Van welk merk?'

'Crissun Door,' zei ze glimlachend.

Ik deed mijn ogen dicht en stelde het me voor. 'Er moeten fans zijn. Elke actrice heeft fans.'

'O, die zijn er,' zei ze. 'Ze krioelen om me heen en roepen: "Sheri! *Voulez-vous. Bonsoir. Mercredi.*" Maar daar let ik niet op.'

'Waarom niet?'

'Omdat ik in mijn auto stap en heel hard wegrij.'

Ik deed mijn ogen open. 'Wat voor auto?'

'Een sportauto,' zei ze.

Ik slaakte een zucht. 'Ik wil wel... ik wil president worden.'

'Hè? Vrouwen worden geen president.'

'Hoezo niet?'

'Dat vinden onze mannen niet goed. Wie kookt er dan voor je echtgenoot?'

'Die kookt voor zichzelf.'

'En als hij dat verrekt?'

'Dan stuur ik 'm weg.'

'Dat kun je niet,' zei ze.

'O, jawel. Wie wil er nou zo een als man?'

'En als ze je vermoorden in een coup?'

'Dan vermoord ik ze terug.'

'Wat is dat nou voor droom?'

'De mijne.' Ik grijnsde.

'O, vrouwen worden geen president,' zei ze.

Iemand riep haar van beneden. We keken over de rand van het balkon en zagen Akanni staan met een zonnebril op waarvan de spiegelende glazen de vorm hadden van hartjes.

'Wat?' antwoordde Sheri.

Akanni keek omhoog. 'Is dat niet mijn goede vriendin Enitan, van hiernaast?'

'Bemoei je met je eigen zaken,' zei Sheri. 'Wat moet je?'

Ik glimlachte naar Akanni. Zijn zonnebril was leuk en zijn oorlogsverhalen waren fantastisch.

'Mijn goede vriendin,' zei hij in het Yoruba. 'Jij bent tenminste aardig voor me, niet zoals die herrieschopper Sheri. Waar is mijn geld, Sheri?'

'Ik heb jouw geld niet,' zei ze.

'Je hebt beloofd dat we de winst van gisteravond zouden delen. Ik ben tot vijf uur vanmorgen opgebleven, en nou probeer je me een loer te draaien. Het leven is zwaar voor een arme vent, hoor.'

'Wie vroeg jou wat?'

Akanni knipte met zijn vingers. 'De volgende keer zie je maar wie je rondrijdt.'

'Ook goed,' zei Sheri en ze wendde zich naar mij. 'De sukkel. Kijk die kop van 'm, zo plat als de plaat van een kerkklok. Kom, we gaan naar binnen. De zon brandt.'

'Nu meteen?' vroeg ik.

Ze duwde met haar handen haar haar plat. 'Zie je dan niet dat ik een halfbloed ben?'

Ik wist niet of ik moest lachen of medelijden met haar moest hebben.

'Ik vind het niet erg,' zei ze. 'Ik heb alleen een hekel aan mijn oren, die hou ik onder mijn haar, ze zijn net zo groot als die van hen.'

'Van wie?' vroeg ik.

'Van de blanken,' zei ze. 'Kom nou.'

Ik liep achter haar aan naar binnen. Ze hád heel grote oren, en haar afro deed daar niets aan af.

'Ken jij die sukkel van een Akanni?' vroeg ze toen we de trap af renden.

'Hij komt bij ons thuis.'

'Waarvoor?'

'Op bezoek bij ons meisje, Bisi.'

Sheri begon te lachen. 'Hij neukt haar!'

Ik sloeg een hand voor mijn mond.

'Seks,' zei ze. 'Banaan in tomaat. Daar weet je toch wel van, hè?'

Mijn hand viel weg.

'O, doe die mond dicht voor je er vliegen mee vangt,' zei ze.

Ik moest rennen om haar in te halen.

'Mijn oma heeft me erover verteld,' zei ze.

We zaten op haar bed. Sheri stopte haar oranje jurk tussen haar benen. Ik vroeg me af of ze meer wist dan ik.

'Als je...' begon ik. 'Ik bedoel, met je man. Waar moet die in?

Want ik heb geen...' Ik wees overal en nergens, zelfs naar het plafond.

Sheri's ogen gingen wijd open. 'Heb jij er niet naar gekeken? Ik wel naar de mijne, hoor. Zo vaak.' Ze stond op en haalde een gebarsten spiegel uit een la. 'Kijk maar.'

'Dat kan ik toch niet.'

'Hier, kijk nou maar,' zei ze en ze gaf me de spiegel.

'Doe de deur op slot.'

'Oké,' zei ze en ze liep erheen.

Ik trok mijn broekje naar beneden, zette de spiegel tussen mijn benen. Het zag eruit als een vette slak. Ik gaf een gil toen Sheri begon te lachen. We hoorden hard geklop op de deur en ik liet de spiegel bijna vallen. 'Wie is dat?' fluisterde ik.

'Ik,' zei ze.

Ik hobbelde van haar bed. 'Gemene...'

Ze sloeg dubbel van het lachen. 'Je bent zo grappig, aburo!'

'Stomme trut,' siste ik.

Ze hield meteen op. 'Hoezo?'

'Ik vind er niks grappigs aan. Waarom deed je dat?'

'Sorry.'

'Nou, sorry is niet genoeg.'

Ik trok mijn broekje op en vroeg me af of ik boos was op haar of vanwege wat ik tussen mijn benen had gezien. Sheri versperde de doorgang. 'Jij gaat nergens heen.'

Eerst kreeg ik de aanvechting haar opzij te duwen en naar buiten te lopen, maar ik schoot in de lach toen ik haar zo zag, ze leek wel een ster.

'Goed dan,' zei ik. 'Maar dit is je laatste kans, Sheri-fat. Ik waarschuw je.'

'Ik bén niet dik,' schreeuwde ze.

Ik lachte tot ik dacht dat ik zou barsten. Dat waren haar zwakke plekken: haar volvette naam, en die grote oren van haar.

'Ga nou niet weg,' zei ze. 'Ik vind je leuk. Je bent heel Brits. Je weet wel, bekakt.'

De vrouw op de foto op haar nachtkastje was haar oma.

'Alhadja,' zei Sheri. 'Ze is zo mooi.'

Alhadja had een enorme spleet tussen haar voortanden, en haar wangen waren zo bol dat je haar ogen amper kon zien. Er woonden veel Alhadja's in Lagos. Dit was niet de eerste vrouw die de hadj naar Mekka had volbracht, maar bij vrouwen als zij, die in hun familie en hun omgeving een machtspositie innamen, werd de titel hun naam.

Sheri kende haar eigen moeder niet. Die was gestorven toen Sheri een baby was, en Alhadja had haar grootgebracht, ook al was haar vader hertrouwd. Ze drukte de foto tegen haar borst en vertelde me over haar leven in hartje Lagos. Ze woonde in een huis tegenover de fourniturenzaak van haar Alhadja en ging naar een school waar de kinderen de moeite niet namen om Engels te spreken. Na school hielp ze Alhadja in de winkel en ze had geleerd hoe ze stof moest afmeten. Ik luisterde, me ervan bewust dat mijn leven zich binnen de grenzen van Ikoyi Park afspeelde. Hoe zou het zijn om net als Sheri in het centrum je weg te kennen, te onderhandelen met klanten, gebakken yams en geroosterde pisangs bij een straatventer te kopen, en *Area Boys* en taxichauffeurs die te dicht langs de stoeprand reden, af te blaffen?

Ik ging alleen naar de stad om met mijn moeder naar de grote buitenlandse winkels, Kelwarams en Leventis en zo, te gaan, of naar de drukke markten. Overal was er verkeer, en er waren veel te veel mensen op straat: ze kochten eten bij straatventers, botsten tegen je op, ruzieden en staken over. Soms waren er optochten, met Kerstmis of op andere feestdagen, en dan dansten de demonen in hun raffiagewaden en met hun demonenmaskers op. Sheri had ze allemaal gezien: demonen op stelten, demonen die eruitzagen als een opgerekt accordeon of zo plat waren als een pannenkoek. Het was juju, zei ze, maar haar maakten ze niet bang. Zelfs de *eyo* niet, die als geesten van de dag in hun witte gewaden vrouwen sloegen als ze blootshoofds rondliepen.

Sheri was een moslima, en van het christelijke geloof wist ze niet veel, behalve dat je je verstand kon verliezen als je een bepaald boek van de Bijbel las. Ik vroeg waarom moslims geen varkens-vlees aten. 'Varkens zijn vieze beesten,' zei ze en ze krabde op haar hoofd. Ik vertelde haar over mijn leven, dat mijn broertje dood was en mijn moeder streng.

'Die kerk klinkt eng,' zei ze.

'Als mijn moeder je ooit bij ons thuis ziet, zet ze je buiten de deur. Dan weet je dat vast.'

'Waarom?'

Ik wees naar haar roze mond. 'Dat is slecht, weet je.'

Ze tuitte haar lippen. 'Helemaal niet. En trouwens, denk je dat mijn vader het goedvindt dat ik lippenstift op doe? Ik wacht tot hij weg is, en dan doe ik het pas.'

'Wat gebeurt er als hij terugkomt?'

'Ik haal het eraf. Simpel. Wil je ook?'

Daar hoefde ik niet over na te denken. Terwijl ik lippenstift op mijn lippen smeerde mompelde ik: 'Zeggen je stiefmoeders er niets van?'

'Ik kniel voor ze, ik help in de keuken. Die zeggen niks.'

'En die ene met de gouden tand?'

'Die is gemeen, maar ook aardig.'

Ik liet haar mijn mond zien. 'Is het zo goed?'

'Ja,' zei ze. 'En raad eens?'

'Wat?'

'Je hebt me net gezoend.'

Ik kon me wel voor mijn hoofd slaan. Ze was snel, dit meisje, en hoe ze met de andere kinderen omging! Zo heel veel deed ze niet, maar ze zorgde er wel voor dat ze werd opgemerkt. Ik was onder de indruk van de manier waarop ze Akanni voor haar karretje had gespannen, zodat hij opbleef voor het feest van haar oom. Sheri kwam weg met alles wat ze deed of zei. Zelfs als ze iemand beledig-de, kreeg ze amper een berisping van de stiefmoeders. 'Och, dat kind. Ze is gewoon verschrikkelijk.'

Ze kwamen haar halen om als dj op te treden, en ze stapelde el-pees alsof het vuile borden waren: The Beatles, Sunny Adé, Jackson Five, James Brown. De meeste elpees hadden krassen. Akanni kwam binnen bij 'Say it loud – I'm black and I'm proud'. Hij gleed van het ene eind van de kamer naar het andere en liet zich op de vloer vallen, overmand door de muziek als was hij de echte James Brown. We legden een theedoek op zijn rug en hielpen hem met zoete woordjes overeind. Tegen de tijd dat 'If I had the wings of a dove' weerklonk, zong ik ook hardop mee en roerde de tekst me bijna tot tranen.

Als afscheidscadeautje gaf Sheri me een romannetje mee met de titel *Jacaranda Cove*. De afbeelding op de kaft was nauwelijks meer te zien en de meeste bladzijden hadden ezelsoren. 'Meenemen en lezen,' zei ze. Ik stopte het onder mijn arm en veegde mijn lippen af. Mijn enige zorg was thuis te komen voordat mijn moeder er was. Ik was te ongehoorzaam geweest. Als ze hierachter kwam, kreeg ik de rest van mijn leven straf.

Ons huis leek donkerder dan normaal toen ik er aankwam, al waren de gordijnen in de zitkamer niet dicht. Mijn vader had een keer uitgelegd dat die schemer kwam door de positie van de ramen ten opzichte van de zon. Onze zitkamer deed me denken aan een verlaten hotellobby. De gordijnen waren van goudkleurig damast, de stoelen bekleed met donkerrood fluweel. Naast de schuifdeur naar de veranda stond een piano. Het huis was ontworpen door twee Britten die hulp hadden gekregen van een architect, een kennis van mijn vader. Ze hadden er jarenlang samengewoond, iedereen wist ervan, zei hij. Toen ze naar Nairobi verhuisden, had hij het huis gekocht. Twee mannen die samenwoonden; het huishouden bij de Bakares, met al die kinderen; grootouders, ouders, leerkrachten en nu Akanni, met Bísi nog wel. De wereld was vol seks, dacht ik terwijl ik wegrende van mijn voetstappen. Op mijn kamer las ik de eerste bladzijde van Sheri's boek, toen de laatste. Er stond dat een man en een vrouw elkaar kusten en dat hun hart sneller ging slaan. Ik las het stukje opnieuw en doorzocht het boek naar meer van die passages, die ik allemaal markeerde om later te lezen.

Vlak daarna kwam mijn vader thuis en hij daagde me uit voor

een spelletje *ayò*. Hij won altijd, maar vandaag legde hij het geheim van het spel uit. 'Goed luisteren, want ik heb er genoeg van om elke keer van je te winnen. Eerst kies je het huis waar je in terecht wilt komen, dan kijk je vanuit welk huis je er komt.'

Hij schudde de kralen in zijn vuist en liet ze een voor een in de zes in het houten plateau uitgesneden kuiltjes voor hem vallen. Ik had altijd gedacht dat je vanuit het volste huis moest vertrekken.

'Dus je rekent teruguit?' vroeg ik.

'Precies,' zei hij en hij pakte zijn kraaltjes uit een huis.

'Papa,' zei ik, 'ik heb het niet goed gezien.'

Hij sloeg op tafel. 'Dan moet je de volgende keer maar beter opletten.'

'Valsspeler.'

We waren aan ons vijfde potje bezig toen mijn moeder thuiskwam uit de kerk. Ik zwaaide even naar haar. Ik stond niet op om haar te begroeten, wat ik anders wel deed. Ik was aan de winnende hand en was bang dat ik, als ik bewoog, mijn geluk zou verspelen.

'Ja! Dit keer win ik,' zei ik, heen en weer schuivend op mijn stoel.

'Omdat ik je láát winnen, ja,' zei mijn vader.

Ik haalde de kralen uit een huis en hief mijn hand op. Mijn moeder kwam de kamer weer in.

'Enitan? Van wie heb je dit?'

Ze greep me bij mijn oor en duwde Sheri's boek onder mijn neus.

'Van wie? Geef antwoord.'

'In vredesnaam,' zei mijn vader.

Haar vingers waren net stalen klemmen. De ayò-kralen vielen uit mijn hand en rolden tikkend over de vloer. Sheri van hiernaast, zei ik. Mijn moeder trok me aan mijn oor overeind terwijl ik het uitlegde. Sheri had het me gegeven door het gat in de omheining. Het was een groot gat. Ja, groot genoeg. Ik had het boek niet gelezen.

'Laat eens zien,' zei mijn vader.

Mijn moeder smeet het boek op tafel. 'Ik kijk in haar koffer en ik vind dit... dit... Als ik je ooit met dat meisje zie praten, dan is dit huis te klein, heb je me goed gehoord?'

Ze liet mijn oor los. Ik viel terug op mijn stoel. Mijn oor voelde heet en zwaar aan.

Mijn vader legde het boek met een klap terug. 'Wat is dit allemaal? Mag ze geen vriendinnen hebben?'

Mijn moeder keerde zich tegen hem. 'Jij blijft maar verdeeldheid zaaien tussen dit kind en mij.'

'Je bent haar moeder, niet haar rechter.'

'Ik voed geen criminelen op. Zoek het kwaad en gij zult het vinden.'

Mijn vader schudde zijn hoofd. 'Arin, voor mijn part zeg je de hele Bijbel op.'

'Dit gaat niet over mij.'

'Of blijf je in die kerk van je slápen.'

'Dit gaat niet over mij.'

'Je wordt er niet gelukkiger van.'

'Sta op als ik tegen je praat, Enitan,' zei mijn moeder. 'Vooruit, sta op.'

'Gewoon blijven zitten,' zei mijn vader.

'Opstaan,' zei mijn moeder.

'Blijven zitten,' zei mijn vader.

Mijn moeder klopte op haar borst. 'Ze luistert naar míj.'

Ik deed mijn ogen dicht en verbeeldde me dat ik met Sheri op het balkon stond. We lachten en de zon scheen warm op mijn oor. Hun stemmen stierven weg. Ik hoorde nog maar één stem, die van mijn vader. 'Let maar niet op haar,' zei hij. 'Het is die kerk. Die heeft haar zo veranderd.'

Hij schudde me bij mijn schouders. Ik hield mijn ogen dicht. Ik was moe, zo moe dat ik wel kon slapen.

'Kom,' zei hij, 'dan spelen we verder.'

'Nee,' zei ik.

'Jij bent aan het winnen.'

'Kan me niet schelen.'

Even later hoorde ik zijn voetstappen op de veranda. Ik bleef zitten tot mijn oor niet meer klopte.

De rest van de avond deed ik tegen geen van beiden mijn mond open. Mijn vader klopte op mijn deur voor ik naar bed ging.

'Ben je nog steeds aan het mokken?' vroeg hij.

'Ik ben niet aan het mokken,' zei ik.

'Toen ik net zo oud was als jij had ik geen kamer om mezelf in op te sluiten.'

'Je had geen deur.'

'Die had ik wel. Wat bedoel je?'

'Je woonde in een dorp.'

'Een stadje,' zei hij.

Ik haalde mijn schouders op. Hij was opgegroeid in een stadje buiten Lagos. Hij stond 's morgens vroeg op om water uit een put te halen, ging te voet naar school en maakte zijn huiswerk bij het licht van een olielamp. Mijn vader zei dat hij een groeiachterstand had omdat het eten hem nooit bereikte. Als een priester van de baptisten zijn moeder niet tot het christendom had bekeerd en hem niet onder zijn hoede had genomen, was ik nooit geboren met de overtuiging dat de wereld mij iets verschuldigd was.

Hij wees. 'Is dit de befaamde koffer?'

Hij deed alsof er niets was gebeurd.

'Ja.'

'Ik heb iets om erin te doen.'

Hij haalde een rechthoekig pakje uit zijn zak en gaf het aan mij.

'Een pen?'

'Voor jou.'

Het was een dikke pen met het logo van de marine. Ik schroefde de dop eraf.

'Dankjewel, papa.'

Mijn vader stak zijn hand weer in zijn zak. Hij haalde er een horloge uit en liet het voor mijn neus bungelen. Ik smolt. Het was een Timex. Mijn vader had tegen me gezegd dat hij geen horloges meer voor me zou kopen, nadat het eerste kapot was gegaan en het tweede kwijtgeraakt. De wijzerplaat van dit horloge was even groot als mijn pols. Rode bandjes. Ik hield het tegen me aan.

'Bedankt,' zei ik.

Hij zat op mijn bed, zijn voeten voor zich uitgestrekt, de sokken nog aan. Ik zat ernaast op de grond. Hij wreef over mijn schouder.

'Verheug je je op school?'

'Ja.'

'Je zult niet zo veel verdriet meer hebben als je er eenmaal bent.'

'Ik maak vriendinnen.'

'Vriendinnen die je laten lachen.'

Ik dacht aan Sheri. Op school zou ik meisjes als zij uit de weg moeten gaan, of ik werd nog geschorst.

'Als iemand je pest, sla je haar in elkaar,' zei mijn vader.

Ik rolde met mijn ogen. Wie zou ik nou aankunnen?

'En ga bij het dispuut, niet bij de gidsen. De gidsen zijn gewoon keukenmartelaressen in de dop.'

'Wat zijn dat?'

'Iets wat jij niet wilt zijn. Wil je jurist worden?'

Werken stond nog te ver van me af om erover na te denken.

Hij lachte. 'Zeg het maar, dan neem ik mijn cadeaus wel terug.'

'Ik ben nog te jong om dat al te weten.'

'Te jong! Wie neemt mijn praktijk over als ik er niet meer ben? En dan nog iets, die romannetjes die je leest. Je gaat daar niet achter de jongens aan.'

'Ik vind jongens niet leuk.'

'Mooi,' zei hij, 'want je bent er niet om jongologie te studeren.'

'Pa-ap,' zei ik.

Hem zou ik missen. Schrijven. Ik begon aan een gedicht nadat hij was weggegaan en gebruikte woorden die rijmden op pijn: klein, mijn, zijn. Ik was aan mijn derde couplet bezig toen ik op mijn raam hoorde kloppen. Ik keek naar buiten en zag Sheri die een vel papier vasthield. Haar gezicht verscheen als een kleine maan. Ze zat op haar hurken.

'Doe 'ns open,' zei ze.

'Wat kom jij hier doen?' fluisterde ik.

'Ik kom het adres van je school halen.'

Was ze niet bang? Het was daarbuiten zo donker als indigo.

'In je eentje?'

'Met Akanni. Hij is binnen, bij zijn vriendinnetje.'

Ze haalde een potlood uit haar zak. Ze was net een duiveltje dat me in verleiding kwam brengen. Ik raakte haar maar niet kwijt.

'Eni-tan,' rekte ze mijn naam op.

'Ja,' zei ik.

'Je schooladres,' zei ze. 'Of ben je soms doof?'

1975

Als ik naar mijn moeder had geluisterd zou dat het einde zijn geweest van Sheri en mij, en van de tragedie die ons verbonden zou houden. Maar mijn moeder maakte meer kans om me terug in haar baarmoeder te stoppen dan om onze vriendschap een halt toe te roepen. Sheri had me meegenomen naar de kloof tussen ouderlijke instemming en afkeuring. Ik zou die leren overbruggen met bedrog terwijl ik mijn moeder zo vroom als een van haar kerkzusters in het gezicht keek en achter haar rug om mijn eigen gang ging. Mijn moeder had een naam voor kinderen als Sheri. Het waren *omo-ita*, straatkinderen. Als ze al een thuis hadden, wilden ze er niet verblijven. Wat ze wel wilden was vloekend en vechtend de straat op gaan, streken uithalen.

Nu ik het huis uit was, waren mijn dagen op kostschool balsem voor de ziel. Ik woonde hier met vijfhonderd meisjes en deelde een slaapzaal met twintig. 's Nachts lieten we onze klamboes neer en overdag verstelden we ze als er scheuren in zaten. Als een meisje malaria had dekten we haar toe met dekens, zodat ze de koorts uit zou zweten. Ik hielp meisjes door astma-aanvallen heen, duwde een lepel in de mond van een meisje dat in een stuip raakte, kneep puistjes uit. Het was een wonder dat we onze eigen barmhartigheid overleefden, laat staan het samenwonen. De toiletten, waar de uitwerpselen zich soms dagenlang ophoopten, stonken als rioolputten. Ik hield mijn neus dicht als ik erheen moest. Meisjes die menstrueerden gooiden hun maandverband in open emmers. Toch verkoos ik kostschool boven thuis.

De meisjes van het Royal College kwamen uit allerlei lagen van de bevolking. Op onze slaapzaal alleen al hadden we zowel een boerendochter als de dochter van een diplomaat. De boerendochter had nog nooit een stad gezien voor ze naar Lagos kwam; de diplomatendochter was naar tuinfeestjes op Kensington Palace geweest. Er waren meisjes uit families als de mijne en meisjes uit minder bevoorrechte families, en het kon gebeuren dat je uit de les kwam en merkte dat je kastje was opengebroken. Omdat je wist dat je je spullen nooit meer terug zou zien, sprak je vervolgens een vloek uit over de dievegge: 'Dat je gebukt moge gaan onder eeuwigdurende diarree' of: 'Dat je de rest van je leven ongesteld moge zijn.' Als de dievegge werd gesnapt, werd ze van de trap gegooid.

Ik leerde moslimmeisjes kennen: Zeinat, Alima, Aisha, die vroeg opstonden om Mekka te groeten. Sommige bedekten na school hun hoofd met een sjaal, en tijdens de ramadan meden ze voedsel en water van zonsopgang tot zonsondergang. Ik leerde katholieke meisjes kennen: Grace, Agnes, Mary, die op Aswoensdag een grijs kruisje op hun voorhoofd hadden. Er waren anglicaanse meisjes en methodistenmeisjes. Eén meisje, Sangita, was hindoe; haar trokken we altijd aan haar lange vlecht. Ze was de dochter van de wiskundeleraar en de enige buitenlandse leerlinge op onze school, en met haar schallende 'Laat me met rust!' joeg ze ons allemaal op de vlucht.

Ik leerde meisjes kennen die waren geboren met de sikkelcelziekte, net als mijn broer. Sommige waren elke maand ziek, andere zelden. We noemden hen sikkels. Zo noemden ze zichzelf ook. Eén van hen dacht dat de ziekte een excuus was voor al haar ondeugden: luiheid, te laat komen, onvriendelijkheid. Van haar kwam ik te weten dat ik het sikkelcelgen bij me droeg, wat betekende dat ik nooit aan de ziekte zou lijden maar mijn kind misschien wel, als mijn man ook drager was.

En ik kwam meer te weten over de vrouwen in mijn land; vrouwen uit Katsina en Kaduna, die hun huid beschilderen met henna en in *purdah* leven; vrouwen uit Calabar, die voor hun bruiloft te eten krijgen en worden gezalfd in vetmesthuizen; vrouwen die besneden zijn. Ik hoorde over streken in West-Nigeria waar in elk gezin tweelingen worden geboren omdat de vrouwen er veel yams eten, en over streken in Noord-Nigeria waar bijna elk gezin een kreupel kind heeft omdat de vrouwen er met hun neef trouwen. Geen van die vrouwen leek echt. Het waren net *mami wata*, watergeesten uit de Nigerdelta die uit kreken oprijzen om nietsvermoedende mannen naar hun verdrinkingsdood te lokken.

Oom Alex zei altijd dat ons land niet bedoeld was om één te zijn. De Britten hadden op de kaart van West-Afrika een paar lijnen getrokken en het ontstane vakje een land genoemd. Nu begreep ik wat hij bedoelde. De meisjes die ik op het Royal College leerde kennen, waren onderling zo verschillend. Ik kende de etniciteit van een meisje al voor ze haar mond opendeed. Hausa-meisjes hadden gladder haar vanwege hun Arabische afkomst. Yoruba-meisjes zoals ik hadden meestal een hartvormig gezicht, en veel Igbo-meisjes hadden een lichtere huidskleur; we noemden hen Igbo-geeltjes. We spraken Engels: onze eigen talen lagen even ver uiteen als Frans en Chinees. Namen werden verkeerd uitgesproken en ons Engels kende vele accenten. Er waren Hausa-meisjes die de p niet konden 'uitsfreken', en er waren Yoruba-meisjes die 'Ausa's' zeiden, terwijl 'eieren' zomaar in 'heieren' veranderde. En dan was er de kwestie van de *middlebelters*, die de l en de r verwisselden. Als zij aan een woord als 'lorry' begonnen, wist ik niet hoe ik het had van het lachen.

De accenten waren een onuitputtelijke bron van grappen, net als de stereotypen. Yoruba-meisjes zochten altijd ruzie; Hausa-meisjes waren mooi maar dom en Igbo-meisjes intelligent, maar ja, die waren weer te gespierd. De meeste meisjes hadden ouders van dezelfde herkomst, maar er waren er ook van gemengd bloed en een paar van wie een van de ouders, zoals bij Sheri, buitenlands was. Die noemden we halfbloedjes, zonder er iets kwaads mee te bedoelen. 'Half' omdat ze beide zijden van hun erfgoed opeisten. In ons land had dat geen invloed op je rang of stand.

Vaak wisselden we op het Royal College familieverhalen uit als we water gingen halen bij een kraan op het erf. Ik kwam te weten dat mijn moeders gedrag niet doorsnee was. Wat ik ook te weten kwam, was dat ieder meisje wel een verhaal had: Afi's oma verongelukte toen een fietser haar in haar dorp omverreed; Yemisi's moeder bleef werken tot haar vliezen braken; een nichtje van Mfon rookte cannabis en bracht schande over de familie; Ibinabo's vader trok haar de kleren van haar lijf, geselde haar en liet haar naderhand 'dankjewel' zeggen.

's Morgens kwamen we bijeen in de aula om ons volkslied te zingen en even naar Beethoven of een andere Europese componist te luisteren. Voor de maaltijden dromden we onze eetzaal in en zongen:

De een heeft voedsel maar kan niet eten
De ander kan eten maar heeft geen voedsel
Wij hebben voedsel en kunnen eten
Glorie zij God, Amen

Na de les trommelden we op onze bureaus en zongen weer. We zongen veel, terwijl ons land de ene omschakeling na de andere doormaakte: we gingen rechts rijden en stapten van pond, shilling en penny over op naira en kobo. En buiten de muren van onze school stroomde het zwarte goud uit de olievelden van de Nigerdelta naar Zwitserse bankrekeningen. De corruptie tierde welig, maar niets van dat alles raakte mij, zeker niet in juni 1975. Het was allemaal even vaag als het einde van de Vietnamoorlog. Ik was alleen maar blij dat we de examens van ons vierde jaar achter de rug hadden. Wekenlang had ik net als mijn klasgenoten geen oog dichtgedaan en tot diep in de nacht zitten blokken, met de bittere smaak van koffiebonen op mijn tong. In een klas van meer dan dertig leerlingen was ik geen helder stralende Booker T. Washington, maar evenmin een weinig wakkere Dundee United. Ik had plezier in geschiedenis en Engelse literatuur, en in Bijbelkennis vanwege de parabels. Ik hield van muziekles vanwege de liedjes die onze zwarte Amerikaanse leraar ons leerde, gospelsongs en jazzmelodieën die door mijn hoofd bleven spelen tot ik begon te dromen over kerken en rokerige clubs die ik nog nooit had gezien. Ik was voorzitster van ons dispuut voor junioren, al wilde ik liever een van de meisjes zijn die werden gekozen voor onze jaarlijkse schoonheidswedstrijd. Maar mijn armen waren zo pezig als wingerdranken en mijn voorhoofd voelde als schuurpapier. De zwellingen achter mijn tepels kon je geen borsten noemen en mijn kuitspieren hadden geweigerd zich te ontwikkelen. De meisjes uit mijn klas noemden me *Panla*, naar een magere, stinkende vissoort die uit Noorwegen werd geïmporteerd. Meisjes van overzee mochten zichzelf dan uithongeren op een dieet van bladgroen en slaolie, maar in ons land werden vrouwen geëerd om hun gigantische achterwerk. Ik wilde dikker, dikker, dikker zijn, met een mooi gezichtje, en ik wilde aardig gevonden worden door de jongens.

Damola Ajayi had gesproken als een ware orator, beter dan ik ooit had horen doen. Hij was mager en had grote handen die zijn woorden kracht bijzetten. Warme handen. We waren tegen elkaar aangebotst op de trap naar het podium, en ik had zijn handen beetgepakt om me staande te houden. Ik keek naar het team van het Concord Academy-dispuut terwijl hij zich bij hen voegde. Dat hele team zat rechtop, met dezelfde ernstige uitdrukking op hun gezicht. Net als hij droegen ze een wit colbertje en een blauwgestreepte stropdas. In de bank naast die van hen zat ons team onderuitgezakt in groene overgooiers en geruite bloezen. Achter hen zaten de meisjes van Saint Catherine's in hun rode rokken en witte bloezen. De zaal was een kleurenpalet van uniformen van alle scholen in Lagos.

Hier kwamen we volleyballen en badmintonnen, gaven we toneeluitvoeringen en hielden we schoonheidswedstrijden. Soms keken we er films of hielden er schoolfeesten. De gymtoestellen lieten we ongebruikt, omdat niemand kon uitleggen waar ze voor dienden. Bij de achtermuur hesen een paar jongens zich op twee paarden om naar de meisjes te kijken. Debatteren was de enige manier waarop je tijdens de schoolmaanden in contact kwam met anderen, en als je strenge ouders had, tijdens het hele jaar. Voor toernooien kwamen we samen, ieder met de eigen school-identiteit: de jongens van Concord waren aardig maar saai en de meisjes van Saint Catherine's verwaande *ayangba's*. De jongens en meisjes van het Owen Memorial hoorden in het tuchthuis en de ergsten onder hen rookten cannabis. En wij van het Royal waren wel slim, maar onze school was overvol en smerig.

'Ik bedank onze medeorganisators,' zei ik, 'en iedereen die hier-aan heeft deelgenomen.'

Er werd maar door weinig mensen geklapt. Het publiek begon rusteloos te worden. Gegeeuw verspreidde zich over de banken en leerlingen zakten onderuit. Ons eigen team zag eruit alsof hun mond uitgedroogd was na al dat praten. Het was tijd om er een eind aan te breien.

'Heeft het publiek nog vragen of commentaar?'

Een jongen van Saint Patrick's stak zijn hand op.

'Ja, meneer, u daar achterin?'

De jongen stond op en trok zijn bruine kaki jasje recht. Een ge-dempt geroezemoes trok door de zaal toen hij uitbracht: 'M-m-meneer de voorzitter, w-w-wanneer beginnen de s-s-sociale ak-ker-akker-akkertiviteiten?'

De zaal brulde van het lachen, wat hij buigend in ontvangst nam. Ik hief mijn arm op om ze stil te krijgen, maar niemand lette erop. Al gauw verzwakte het gebulder tot een gegrinnik. Iemand zette de stereo-installatie aan. Ik liep het podium af en iedereen begon stoelen aan de kant te schuiven voor het dansen.

Ons laatste debat had langer geduurd dan ik had voorzien. We hadden verloren van het Concord-team door toedoen van hun voorzitter. Damola was een van de besten in de competitie, en zijn 'met alle respect' werd met gejuich begroet. Ik dolf het onderspit. Hij was ook de zanger van een band die de Stingrays heette en die voor oproer had gezorgd door met kerst op tv te verschijnen. Ou-ders zeiden dat ze op die manier hun eindexamens niet zouden halen. Wij vroegen ons af hoe ze het waagden om een band op te richten, hier, waar ouders alleen maar dachten aan het halen van schoolexamens. Uit wat voor gezinnen kwamen ze? Een meisje van ons debatteam had het antwoord daarop, in elk geval wat Damola betrof: 'Neef van mij woont bij hem in de straat. Z'n ouders laten 'm z'n gang gaan. Rijdt auto. Rookt.'

Zijn hand tikte tegen mijn elleboog. 'Goed gedaan.'

'Jij ook,' zei ik.

Er waren al sporen van een snor op zijn bovenlip, en zijn ogen werden omvat door dikke wimpers. 'Je bent een goede spreker,' zei hij.

Ik glimlachte. Normaal gesproken kon ik me niet neerleggen bij een verbale nederlaag. In een discussie liep mijn hartslag op en stroomde het bloed naar mijn slapen. Buiten het dispuut irriteerde ik mijn vriendinnen met woorden die ze niet begrepen, en pestkoppen op school snoerde ik de mond met een snedig weerwoord tot hun lippen trilden. 'Je hebt een scherpe tong, Enitan Taiwo,' had er pas nog eentje gezegd. 'Wacht maar. Vroeg of laat snij je jezelf er nog mee.'

Ik had Damola niets te zeggen. Als teamaanvoerders moesten we het dansfeest openen. We liepen naar het midden van de zaal. De mensen verdrongen zich om ons heen, waardoor we dichter naar elkaar toe werden geduwd. Damola danste alsof zijn jasje hem te strak zat, en ik probeerde niet naar zijn voeten te kijken om in het ritme te blijven. We kwamen onder een plafondventilator terecht, en na een tijdje raakte ik geamuseerd door de songtekst: 'Rock the boat' het ene moment en 'Don't rock the boat' het volgende.

Het liedje was afgelopen en we zagen twee lege stoelen. Damola was geen mysterie, had ik tegen mijn vriendinnen gezegd, toen die naar het juiste woord zochten voor niemand-weet-wat-er-in-zijn-hoofd-omgaat. Een mysterie verhulde meer dan alleen verlegenheid. Ik telde terug van tien.

'Ik ken je liedje,' zei ik.

'Welk?'

'"No Time for a Psalm".'

Aan de tv gekluisterd had ik de woorden vanbuiten geleerd. 'I reach for a star, it pierces my palm, burns a hole through my life line...'

Volgens mijn vader was het tienergezwelg en moesten ze hun instrumenten eens fatsoenlijk leren bespelen. Die gierden inderdaad een beetje, maar in elk geval probeerden de jongens zich uit te drukken. Wie maalde er om wat wij dachten op onze leeftijd? Tussen kindzijn en volwassenheid was er geen ruimte om je in de breedte te ontwikkelen, en wat onze aard ons ook ingaf, onze ouders maakten vastberaden korte metten met elke vorm van ongehoorzaamheid: 'Hang toch niet zo!' 'Doe je huiswerk!' 'Je wilt ons toch niet te schande maken?' Die jongens hadden in elk geval iets anders te zeggen.

'Wie heeft de tekst geschreven?' vroeg ik.

Ik wist het antwoord al. Ik sloeg mijn benen over elkaar om nonchalant te lijken en zette ze toen weer naast elkaar om niet typisch te zijn.

'Ik,' zei hij.

'Waar gaat het over?'

'Desillusie.'

Damola's neus was een beetje gebogen en van opzij leek hij bijna op een vogel. Hij was niet een van die aardige jongens over wie de meisjes het hadden; een van die saaie jongens die mij negeerden.

'Ben je gedesillusioneerd?' vroeg ik.

'Soms.'

'Ik ook,' zei ik.

We zouden trouwen zodra we onze school hadden afgemaakt, dacht ik. Vanaf dat moment zouden we andere mensen mijden. Onze leeftijdgenoten klitten toch al onnodig samen. Dat wees op gedachteloosheid, net als constant gelukkig zijn. Echt, je hoefde niet helemaal naar de sterren te reiken. Om ons heen waren er genoeg bewijzen dat optimisme gevaarlijk was, en sommigen van ons hadden dat al vroeg begrepen.

Buiten zag het ernaar uit dat het zou gaan regenen. Het was laat in de middag, maar vanwege het regenseizoen was de lucht zo donker dat het avond kon zijn. Er vlogen muggen naar binnen. Ze zoemden rond mijn benen en ik boog me voorover om ze dood te slaan. De stereo speelde een langzaam nummer, 'That's the Way of the World' van Earth, Wind and Fire. Ik hoopte dat Damola me ten dans zou vragen, maar dat deed hij niet.

Ik tikte de maat met mijn voet tot aan het einde toe. Daarna kwam onze conrectrix de zaal in om de stereo uit te zetten. Ze bedankte de jongens en meisjes voor hun komst en kondigde aan dat hun schoolbussen klaarstonden. Het grootste deel van het feest had ik naast Damola gezeten, die van tijd tot tijd een knikje gaf alsof hij boven dit alles verheven was. Samen liepen we naar de poort en ik bleef staan bij de laatste reizigersboom, waar de leerlingen niet voorbij mochten.

'Fijne zomervakantie,' zei ik.

'Jij ook,' zei hij.

Een groepje klasgenoten haastte zich naar me toe. Ze kwamen om me heen staan en staken hun kin naar voren: 'Wat zei-ie?' 'Vind je 'm leuk?' 'Vindt-ie jou leuk?'

Normaal gesproken waren we vriendinnen. We haalden samen water, douchten gezamenlijk, studeerden in tweetallen en wisselden boeken uit. Damola was gewoon een nieuw excuus voor een groepsgiechel. Ik was niet van plan hun iets te vertellen. Een van hen feliciteerde me met mijn bruiloft. Ik zei dat ze zich niet zo moest aanstellen.

'Wat mankeer jij?' vroeg ze.

De anderen wachtten op mijn antwoord. Ik toverde een glimlach tevoorschijn om ze te vriend te houden en liep weg. In de schemering begaven de leerlingen zich in groepjes naar de slaapzalen.

Ons onderkomen, drie naast elkaar gelegen gebouwen van elk drie verdiepingen hoog en met lange galerijen, gaf me het gevoel dat ik in een gevangenis woonde. Toen ik over die galerijen liep, had ik gemerkt dat ze niet recht waren. Hier waren ze wat verzakt, daar vormden ze een flauwe helling, en als ik gespannen was, vanwege een proefwerk of een straf, droomde ik dat ze in golven waren veranderd en dat ik erop probeerde te surfen. Soms viel ik in mijn droom van een galerij, dan viel ik zonder de grond ooit te raken.

Op vrijdag kreeg ik na de les een brief van Sheri. Ik zat in een lokaal. Het regende weer. De bliksem flitste, gevolgd door een donderslag. Er waren ongeveer dertig meisjes hier binnen, die aan en op houten lessenaars zaten. Nu de schoolregels niet langer golden, droegen we vrijetijdskleren en spraken we vrijelijk onze streektalen. Buiten rende een groepje meisjes over het vierkante plein met emmers boven hun hoofd. Eentje zette de hare op de grond om er regenwater in op te vangen. De wind veranderde van richting. 'Doe de ramen dicht,' zei iemand. Een paar meisjes sprongen op om ze dicht te doen.

Door de jaren heen hadden Sheri en ik elkaar brieven geschreven, wisselden we gedachten uit op velletjes papier die we uit onze schriften scheurden en ondertekenden met IN LIEFDE EN VREDE, JE TROUWE VRIENDIN. Sheri zat altijd in de problemen. Iemand noemde haar een slet, iemand gaf haar straf, iemand probeerde haar in elkaar te slaan. Altijd ging het om meisjes. Met jongens leek ze goed overweg te kunnen. Zo nu en dan zagen we elkaar, als ze bij haar vader logeerde. Dan sloop ze naar mijn kamer, klopte op mijn raam en joeg me de stuipen op het lijf. Haar wenkbrauwen waren geëpileerd tot een dun boogje, en ze droeg haar haren in een knot achter op haar hoofd. Ze had rode lippenstift op en zei 'Ciao'. Ze was me veel te ver vooruit, maar al was dat zo, ik ging graag met haar om.

Ze maakte altijd de beste rampen mee: feestjes die op vechtpartijen uitliepen en bioscopen waar het publiek zijn commentaar losliet op het doek. Op een keer was ze met een vriend meegelift die de auto van zijn ouders had geleend. Ze hadden de auto van de oprit geduwd terwijl zijn ouders lagen te slapen, en een uur later hadden ze hem weer terug geduwd. Ze was een brutaaltje, wat ik van mezelf niet kon zeggen. Ik durfde de schoolregels niet te breken en was bang om voor de examens te zakken. Het zat me niet lekker dat ik mager was, en een tijdlang was ik zelfs bang dat ik misschien een hermafrodiet zou zijn, als een regenworm, omdat ik maar niet ongesteld werd. Toen werd ik ongesteld, en mijn moeder slachtte een kip om mijn vruchtbaarheid zeker te stellen.

In haar gebruikelijke ronde handschrift had Sheri op de achterkant van de envelop geschreven: *de-liver, de-letter, de-sooner, de-better* en hem geadresseerd aan: *Miss Enitan Taiwo Esquire, Royal College, Yaba, Lagos, Nigeria, West-Afrika, Afrika, Het Universum.* Haar handschrift krulde dat het een lieve lust was, en de envelop was geopend door mijn klassenlerares, die al onze post controleerde. Brieven van jongens verscheurde ze.

27 juni 1975

Aburo,
Sorry dat ik je zo lang niet heb geschreven. Ik heb het druk gehad met mijn examens, en jij vast ook. Hoe heb je ze gemaakt? Dit semester was niet makkelijk voor me. ik heb hard gewerkt, maar volgens mijn vader toch nog niet hard genoeg. Hij wil dat ik dokter word. Hoe kan ik nou dokter worden als ik gruw van exacte vakken? Nu logeer ik de hele zomer bij hem en krijg ik bijles in natuurkunde, scheikunde en biologie. ik word knettergek, ik weet het zeker...

Iemand deed het licht aan nu het donker werd. De regen tikte in een steeds sneller ritme op het dak en de meisjes hieven een Yoruba-volksliedje aan:

De bananenboom
Op mijn vaders erf
Draagt elk jaar vruchten
Laat mij niet verdorren
Maar maak me vruchtbaar en zegen me
Met rijpheid en kinderen

Een volgezogen mug landde op mijn enkel, zwaar en traag. Ik sloeg hem weg.

Ik zal blij zijn als ik hier weg ben en jou weer zie. Maar ik heb geen zin om bij mijn vader in huis te zijn. Het is er te vol. Mag ik bij jou komen logeren?? Vindt je moeder vast leuk – haha...

Sheri was niet bang voor mijn moeder. Wie kwam er nou achter als ze naar mijn raam sloop? vroeg ze. Maar ik wist dat ze het bij mij thuis nog geen dag zou uithouden, niet met haar liefde voor eten. Tijdens mijn vorige vakantie was voedsel bij ons thuis een wapen geworden. Mijn moeder maakte maaltijden klaar die ze wegsloot in de vriezer, zodat mijn vader niets te eten had als hij van zijn werk kwam. Ik moest samen met haar eten voordat hij terugkwam, of ik honger had of niet. Op een ochtend had ze de suikerklontjes die mijn vader in de koffie deed, verstopt. Hij dreigde haar huishoudgeld in te houden. De suikerklontjes kwamen weer tevoorschijn, maar de rest van het eten bleef in de vriezer. Ik kon niemand vertellen dat dit bij ons thuis gebeurde.

Terwijl de regen afzwakte tot gemiezer las ik het laatste stukje van Sheri's brief. Een paar meisjes zetten de ramen open en op de wind kwam de geur van nat gras naar binnen. Mijn klasgenoten zongen nu een ander liedje, een van de jazzliedjes die we hadden geleerd, en ik zong mee, met mijn gedachten bij Damola.

Always get that mood indigo
Since my baby said goodbye...

De geur van nat gras was overal nu de zomervakantie begon. Ik had vijftien regenseizoenen meegemaakt en ze werden voorspelbaar: doorbuigende palmbomen, huiverende struiken. De snel donker wordende lucht boven de baai, waarvan het water aan de oppervlakte leek te vluchten voor de wind. De regen kwam als een muur over het water aanzetten, de bliksem spleet de hemel in tweeën en dan *klaboem*! Als kind klemde ik mijn armen om mijn bovenlijf en verwachtte ik buiten pure verwoesting te zien. Als de donder klonk stond ik vaak bij mijn raam, met mijn handen boven mijn hoofd, angstig in elkaar gedoken. Tegenwoordig vond ik het lawaai alleen maar vervelend, net als het gekwaak van de kikkers.

Toen ik op een zondagmiddag hoopte dat het voor die dag genoeg geregend had, verscheen Sheri aan mijn raam. Ik schrok zo van haar dat ik mijn hoofd tegen de muur stootte.

'Wanneer ben jij teruggekomen?' vroeg ik, wrijvend over de zere plek.

'Gisteren,' zei ze.

Haar tanden waren klein en wit als een melkgebit. Ze stak haar hoofd naar binnen.

'Wat zit jij binnen te narren?'

'Ik nar niet,' zei ik.

'Wel waar. Je zit altijd binnen.'

Ik lachte. 'Daarom nar ik nog niet.'

Buiten piepte het gras onder mijn voetstappen en doorweekte mijn schoenen, modder spatte tegen mijn kuiten en droogde daar op. Binnen had ik mijn eigen pick-up, al was het er eentje met een nerveuze naald. En ik had er een kleine collectie motownelpees, een poster van Stevie Wonder aan mijn muur en een ware bibliotheek aan boeken als *Little Women*. Ik zat graag in mijn eentje op mijn kamer. Mijn ouders dachten ook al dat ik er zat te mokken.

Deze vakantie had ik hen berouwvol aangetroffen. Ze maakten geen ruzie maar ze waren dan ook zelden thuis, en ik was blij met de stilte. Mijn vader was altijd op zijn werk, mijn moeder in haar kerk. Ik dacht aan Damola. Een paar keer had ik de letters die onze namen gemeenschappelijk hadden, weggestreept om erachter te komen wat we voor elkaar zouden zijn: vrienden, minnaars, vijanden, echtgenoten. We waren minnaars.

'Dit huis is net een kerkhof,' zei Sheri.

'Mijn ouders zijn er niet,' zei ik.

'Ah-ah? Nou, kom op dan.'

'Waarheen?'

'Maakt niet uit. Ik wil hier weg. Ik haat bijles en ik haat mijn bijleraar. Hij praat met consumptie.'

'Zeg dat dan tegen je vader.'

'Die luistert niet. Hij heeft het alleen maar over geneeskunde. *Abi*, kun je je mij voorstellen als een dokter?'

'Nee.'

Ze zou verkeerde diagnoses stellen en patiënten in het rond commanderen.

'Kom nou,' zei ze.

'Landloopster,' plaagde ik.

Ze maakte een zwierig handgebaar. 'Zie je wel? Je nart.'

Ik dacht dat ze naar huis zou gaan, dus rende ik naar de voordeur om haar tegen te houden. Ze zei dat ze niet boos was, maar waarom wilde ik nou nooit eens iets dóén? Ik duwde haar de oprit op.

'Ik kom in de problemen, Sheri.'

'Alleen als je ouders erachter komen.'

'Die komen erachter.'

'Alleen als jij het ze vertelt.'

Sheri had op school al een vriendje. Ze hadden gezoend, en het was net kauwgom kauwen, maar ze nam het niet serieus omdat hij het niet serieus nam. Ik vertelde haar over Damola.

'Jullie zaten daar maar, zonder te praten?' vroeg ze.

'We communiceerden in gedachten.'

'Wat bedoel je daar nou weer mee?'

'We hoefden niet te praten.'

'Jij en je vriendje, *sha*.'

Ik gaf een duw tegen haar schouder. 'Hij is mijn vriendje niet.'

Ze dwong me hem op te bellen. Hardop herhaalde ik zijn nummer, dat we in het telefoonboek hadden gevonden, en mijn hart bonsde zo luid dat het tot in mijn slapen dreunde. Sheri gaf me de hoorn. 'Hallo?' klonk een hoge stem, en prompt gaf ik de hoorn aan Sheri terug.

'Ehm, *yes*, *helleu*,' zei ze, in een armzalige imitatie van een Brits accent. 'Is Damola thuis?'

'Wat zegt ze?' fluisterde ik.

Sheri stak een vinger op om me tot stilte te manen. Toen ze haar accent niet langer vol kon houden, smeet ze de hoorn op de haak.

'Wat was er?' vroeg ik.

Ze greep naar haar buik.

'Wat zei ze, Sheri?'

'Hij... was... er... niet.'

Ik snoof. Was dat alles? Met opeengeklemde kaken keek ik toe hoe ze dubbelsloeg. Ze dreigde nog eens te bellen, alleen maar om de stem van de vrouw weer te horen. Ik zei dat ik de telefoon uit zijn contact zou rukken, als ze dat deed. Ik schoot nu ook in de lach om haar fratsen. Mijn maag verkrampte en ik dacht dat ik zou stikken.

'H-hou op.'

'Kan ik niet.'

'Je moet terug naar huis, Sheri.'

'Waarom?'

'Mijn moeder heeft een hekel aan je.'

'N-nou en?'

We sloegen elkaar in het gezicht om een einde te maken aan het lachen.

'Maak je niet druk,' zei ze. 'We bellen je vriendje niet meer. Communiceer jij maar lekker met 'm, als-ie tenminste niet ergens anders is met z'n gedachten.'

Ze ging naar huis met doorgelopen mascara, waarvan ze zei dat het mijn schuld was. De zondag daarna verscheen ze weer aan mijn slaapkamerraam. Dit keer was Baba bladeren aan het verbranden en ik werd misselijk van de stank. Ik leunde net voorover om mijn raam dicht te doen toen Sheri's hoofd opdook: 'Aburo!'

Ik dacht dat ik erin bleef. 'Wat héb jij? Kun je niet gewoon door de deur komen?'

'O, hou toch op met narren,' zei ze.

'Sheri,' zei ik, 'volgens mij weet je niet wat dat woord betekent.'

Ze droeg een zwarte rok en een strapless topje. Sheri was geen banaan meer. Ze zou elke schoonheidswedstrijd bij mij op school op haar sloffen winnen, maar dan moest ze zich wel gedragen. Zij was *gragra*. Alleen bedeesde meisjes wonnen.

'Je ziet er leuk uit,' zei ik.

Ze volgde de mode op de voet: Oliver Twist-petten, plateauzolen en bellbottoms. Haar grootmoeder kende handelaren in Quayside, die kleding en schoenen uit Europa importeerden.

Ze blikte onder haar mascara door. 'Zijn je ouders thuis?'

'Nee.'

'Ze zijn er nooit.'

'Ik vind het wel goed zo.'

'Nou kom, dan gaan we.'

'Nee. Waarheen?'

'Een picknick. In Ikoyi Park. Je vriendje is er ook.'

Ik glimlachte. 'Welk vriendje, Sheri?'

'Dat vriendje van je, Damola. Ik heb gehoord dat hij er ook is.'

Mijn ogen vulden zich met tranen. 'Akelig klein...'

Ik weerstond de aanvechting om haar een knuffel te geven. Terwijl ze probeerde uit te leggen langs welke kanalen het gerucht was gegaan, dwaalden mijn gedachten af. Ik droeg een zwart T-shirt met een witte tuinbroek erover. Voor de spiegel controleerde ik mijn haar, dat in twee knotjes zat, en raakte even de Fulani-ketting om mijn hals aan. Ik pakte een ring van mijn kaptafel en deed die om mijn teen.

'*Boogie on, reggae woman,*' zong Stevie Wonder. Sheri knipte met haar vingers en verhaspelde de tekst tussen kreunen en uithalen door. Ik keek aandachtig naar de manier waarop ze haar benen bewoog. Niemand wist waar deze nieuwste dans vandaan kwam. Amerika, had een klasgenootje gezegd, maar van waar in Amerika of hoe hij de oceaan was overgestoken om ons land te bereiken, kon ze niet vertellen. Over een halfjaar zou de dans even trendy zijn als onze oma's. Dan leerden we de volgende.

'Doe je geen make-up op?' vroeg ze.

'Nee,' zei ik en ik liet mijn armbanden langs mijn arm omlaag glijden.

'Zo kun je echt niet mee,' zei ze.

'Wel.'

'Narrig.'

Dat was ik echt, zei ze nadrukkelijk. Ik droeg geen make-up, ik ging nooit uit, ik had geen vriendjes. Ik probeerde haar van repliek te dienen. 'Alleen maar omdat ik niet zo'n schaap ben als jullie en met de kudde meeloop en om de haverklap verliefd...'

'O, schei uit. Je grammatica is me te veel,' zei ze.

Onderweg naar het park liepen we op het zanderige trottoir. Ik was van plan om tot een uur of halfzes op de picknick te blijven, als het tenminste niet ging plenzen. Mijn moeder was naar een wake en mijn vader zou pas laat thuiskomen, had hij gezegd. De zon scheen mild en een zacht briesje blies koelte in ons gezicht. Ik merkte dat sommige automobilisten langzamer gingen rijden als ze ons passeerden en hield mijn hoofd afgewend voor het geval een van hen mijn vader zou zijn. Sheri riep ondertussen beledigingen in het Yoruba: 'Wat valt er te zien? Ja, jij. Ga zelf naar de hel. Kom dan, kom dan, of durf je niet?'

Tegen de tijd dat we bij het park kwamen, stroomden de lachtranen over mijn wangen.

'Genoeg,' beval ze.

Ik beet op mijn lippen en rechtte mijn rug. We waren mooi, we waren machtig en we hadden meer lol dan wie dan ook in Lagos. Boven ons scheen de zon en het gras was groen onder onze voeten.

Het gras werd zand en ik hoorde muziek. Ikoyi Park was een bijzondere picknickplek. In tegenstelling tot de onbeschutte, overvolle stranden lag het grotendeels in de schaduw van bomen, die een sfeer van afzondering schiepen. Er stonden palmbomen en casuarina's. Achter een rij auto's zag ik een groepje jongens staan. Ik keek zo aandachtig naar ze dat mijn voet achter een twijgje bleef haken. Mijn sandaal schoot van mijn voet. Sheri liep door naar twee jongens naast een witte Volkswagen Kombi: Damola en eentje met een zwarte pet op. Er kwam een gezette jongen bij staan en met zijn drieën cirkelden ze om haar heen. Ik haastte me ernaartoe, met een hart dat over de muur van mijn borstkas leek te springen.

'We zijn komen lopen,' zei Sheri.

'Zijn jullie te voet?' vroeg Damola.

'Hallo,' zei ik.

Damola glimlachte kort naar me, alsof hij me niet herkende. De andere jongens keerden me de rug toe. Mijn hartslag bonkte nu in mijn oren.

Sheri wiegde met haar heupen. 'Waarom danst er niemand?'

'Heb je zin?' vroeg Damola.

Ik sloeg mijn armen om mezelf heen, gewoon om mijn armen ergens te laten. De rest van mijn lichaam trilde.

'Hoe lang zijn jullie hier al?' vroeg ik de dikke jongen.

De jongens keken elkaar aan alsof ze me niet begrepen.

'Op het feest, bedoel ik,' voegde ik eraan toe.

De dikke jongen haalde een pakje sigaretten uit zijn borstzak.

'Lang genoeg,' zei hij.

Ik liep bij hen vandaan. Die jongens zagen er niet naar uit dat ze zich iets aan hun ouders gelegen lieten liggen. De dikke had vlechtjes in zijn haar, en de jongen met de pet had niet eens een T-shirt aan onder zijn tuinbroek. Damola zelf zag er zonder zijn schooluniform ook anders uit, met afgeknipte mouwen waar zijn armen uit bungelden. Hij was kleiner dan ik me in mijn dromen had voorgesteld en een beetje doffer, maar ik had hem zoveel glans gegeven dat hij me had verblind. Ik deed alsof ik in beslag werd genomen door de hapjes die op de picknicktafel waren uitgestald. Het broodje ei smaakte zoet en zout tegelijk. Ik vond de combinatie lekker en at met smaak. Toen schonk ik een glas punch in voor mezelf. Ik spuugde de slok terug in het glas. Een en al alcohol.

De muziek stopte en begon weer. Sheri danste nog steeds met Damola, toen met de jongen met de pet en met de dikke. Geen wonder dat de andere meisjes haar niet konden uitstaan. Ze was niet loyaal. Ik was haar enige vriendin, had ze me ooit in een brief geschreven. Meisjes waren krengen, ze roddelden over haar en deden alsof ze de onschuld zelf waren. Ik zag haar na het dansen stoeien met de dikke jongen. Hij greep haar bij het middel, en de andere twee lachten om haar geworstel. Als ze de voorkeur gaf aan jongens, moest ze dat vooral doen. Uiteindelijk kreeg ze haar trekken wel thuis. Het was me intussen duidelijk geworden dat jongens de voorkeur gaven aan meisjes als Sheri. Telkens als ik dat merkte, stak het me. Ik wist zeker dat het me ook zou steken als hun bewondering zich wel naar mij uitstrekte. Hoe waagden ze het om ons op ons uiterlijk te beoordelen?

Ik liep naar de branding, waar het zand vochtig en stevig was, en ging op een grote boomwortel zitten. Krabben schoten holletjes in en uit en slijkspringers floepten over het water. Ik zocht de kust af naar mijn huis, maar het water meanderde mijlenver, en vanwaar ik zat kon ik het niet zien.

'Hoi,' zei iemand.

Hij stond verder van het water. Zijn broekspijpen waren opgerold tot zijn enkels en hij had een bril op met een boekenwurmig zwart montuur.

'Hallo,' zei ik.

'Waarom dans je niet?' vroeg hij.

Hij was te klein voor me en zijn stem trilde, alsof hij zijn tranen inhield.

'Ik heb geen zin.'

'Waarom kom je naar een feestje als je geen zin hebt om te dansen?'

Ik moest mijn best doen om niet te fronsen. Het was het standaardverwijt dat meisjes van jongens verwachtten, maar hij had me niet eens eerst ten dans gevraagd.

Hij glimlachte. 'Je vriendin Sheri lijkt het naar haar zin te hebben. Ze trekt daar wel met een stel wilde gasten op.'

Dat waren zijn zaken niet, wilde ik zeggen.

Hij duwde zijn bril hoger op zijn neus. 'Zeg in elk geval hoe je heet.'

'Enitan.'

'Een nichtje van mij heet Enitan.'

Het was tijd dat hij ophoepelde. Hij had zijn eigen naam niet genoemd.

'Wil je dansen?'

'Nee, bedankt.'

'Alsjeblieft?' smeekte hij en hij legde zijn handen tegen elkaar.

Ik bewoog mijn voeten heen en weer in het water. Ik kon met hem dansen en dan naar huis gaan.

'Oké,' zei ik.

Ik herinnerde me dat ik op mijn sandalen was gaan zitten en wilde ze onder me vandaan trekken toen ik een rode vlek op mijn broek zag.

'Wat?' zei hij.

'Sorry. Ik wil niet dansen.'

'Waarom niet?'

'Ik wil gewoon niet.'

'Maar je zei net...'

'Nu niet meer.'

Hij bleef heel stil staan. 'Dat is de moeilijkheid met jullie. Met jullie allemaal. Jullie zijn niet tevreden tot iemand je slecht behandelt, en dan maar klagen.'

Hij liep weg met stokkende passen, waardoor ik wist dat hij polio had gehad. Ik dacht erover hem terug te roepen. Daarop vroeg ik me af waarom hij me zo nodig ten dans had willen vragen. Ik controleerde de vlek op mijn broek.

Het was bloed. Ik ging door de grond. Vanaf dat moment keek ik alleen nog naar het komen en gaan van iedereen. Er dansten nu meer mensen en hun bewegingen waren energiek geworden. Sommige kwamen bij de branding naar me staan kijken. Ik hield mezelf voor dat ze uiteindelijk door zouden lopen. De dag duurde niet eeuwig. Een tijdlang deed zich de vreemde combinatie voor van regen en zonsondergang, waardoor het leek alsof ik door geel getint glas naar de wereld keek. Ik stelde me voor dat er hemelse wezens op aarde zouden neerdalen, en joeg mezelf angst aan door te denken dat dat net vandaag te gebeuren stond. Mijn voeten raakten gerimpeld en gezwollen. Ik keek op mijn horloge: bijna zes uur. Er klonk nog steeds muziek, en de picknicktafel was afgeruimd. Alleen Sheri, Damola en zijn twee vrienden waren er nog. Bij een Peugeot namen ze afscheid van een groepje dat op het punt van vertrekken stond. Ik bedacht net wat ik tegen Sheri zou zeggen, welke formuleringen en gezichtsuitdrukkingen ik zou gebruiken, toen ze naar me toe kwam.

'Waarom zit je hier in je eentje?' vroeg ze.

'Ga jij maar terug naar je vrienden,' zei ik.

Ze deed mijn lange gezicht na, en ik zag hoe rood haar ogen waren. Ze was blootsvoets en zag eruit of ze zo in een boom kon klimmen of languit voorover op het strand kon ploffen; ik wist niet welke van de twee het meest waarschijnlijk was.

'Ben je dronken?' vroeg ik.

'En wat dan nog?'

De lucht rook zoet. Ik keek langs haar heen. De Peugeot was weg. Damola en zijn vrienden stonden in een halve cirkel bij elkaar bij de Kombi. Damola stond in het midden en rookte iets wat eruitzag als een enorme sigaret. Ik had er nooit een gezien, nooit eerder de geur ervan geroken, maar ik wist wat het was: je ogen werden er rood van en jij gek. Van mensen die dat spul rookten kwam niets terecht.

'Wat zijn zij aan het doen?' vroeg ik.

Sheri hief haar armen in de lucht en haar strapless topje nam een duik.

'We moeten gaan,' zei ik.

Ze danste weg en zwaaide naar me over haar schouder. Bij de jongens aangekomen, griste ze de joint uit Damola's handen. Ze hoestte toen ze inhaleerde. De jongens lachten. Ik klotste met mijn voeten in het water. Ik zou ze nog tien minuten geven. Als ze dan niet weg waren, zou ik de schande riskeren en zelf gaan. Ik hoorde Sheri roepen, maar nam de moeite niet om op te kijken.

Toen ik geen stemmen meer hoorde, kwam ik overeind en liep naar het busje. Terwijl ik naderde, kon ik niets door de voorruit zien. Dichterbij gekomen zag ik het hoofd van de jongen met de pet gebogen bij het zijraampje. Op mijn hoede liep ik naar de schuifdeur. Sheri lag op de zitting. Haar knieën waren uiteen gedwongen. De jongen met de pet pinde haar armen tegen de zitting. De dikke jongen lag boven op haar. Zijn handen klemde hij over haar mond. Damola leunde verdwaasd tegen de schuifdeur. Het was een stil moment, een vredig moment. Ook een raar moment. Ik wist niet waarom, al rekte mijn mond zich op in de schijn van een lach voordat mijn handen omhoogkwamen en mijn ogen zich met tranen vulden.

De jongen met de pet zag me het eerst. Hij liet Sheri's armen los en zij gaf de dikke jongen een duw. Hij viel achterover uit het busje. Sheri gilde. Ik bedekte mijn oren. Ze rende naar me toe, haar topje tegen zich aan gedrukt. Vegen lippenstift over haar mond, zwarte vlekken rond haar ogen. De dikke was onhandig in de weer met zijn broek.

Sheri botste hard tegen me op en we vielen allebei. Ik pakte haar bij de schouders en schudde haar door elkaar.

'Sheri!'

Ze begroef haar gezicht tegen mijn tuinbroek. Speeksel drupte uit haar mond. Ze bewerkte het zand met haar vuisten. Ze zat onder het zand en ik ook. Ik sloeg mijn armen om haar heen om haar te kalmeren, maar ze duwde me weg en gooide het hoofd in de nek toen de motor van het busje aansloeg.

'N-nmm,' kermde ze.

Ik kleedde haar aan, zag de rode schaafplekken en kneuzingen op haar huid, op haar polsen, om haar mond, op haar heupen. Ze stonk naar sigarettenrook, alcohol, zweet. Er zat bloed aan haar schaamhaar, dik speeksel liep langs haar benen omlaag. Zaad. Ik waste haar met zand, trok haar slipje omhoog. We begonnen naar huis te lopen. De palmbomen krompen tot bamboescheuten, de koplampen van tegemoetkomende auto's waren net vuurvliegjes. Alles was zo klein. Ik vroeg me af of de grond vast genoeg was om ons te dragen, en of onze tocht zou blijven duren, nooit zou eindigen.

Ze zag er zo kleintjes uit. Zo klein. Boven aan haar rug zaten rode plekken, bleke strepen onderaan, waar vingers aan haar huid hadden gerukt. Ze sloeg haar armen om haar bovenlijf terwijl ik een emmer vulde met warm water. Ik hielp haar in mijn bad. Ik begon haar te wassen en goot een kom water over haar rug. Ze trok een pijnlijk gezicht.

'Te heet?' vroeg ik.

'Koud,' zei ze.

Het water voelde warm aan. Ik deed er meer heet water bij. Uit de warmwaterkraan kwam een miezerig straaltje.

'Mijn haar,' zei ze.

Ik waste het met badzeep. Haar haar was een samengeklitte massa geweest, maar kleefde nu in krullen langs haar wangen. Ik zeepte haar armen in, toen haar benen.

Het water dat daar naar de afvoer liep, ik wilde dat het helder was. Zodra het helder was, hadden we het overleefd. Het bleef echter roze en zanderig, er dreven haren in en vlokken zeepschuim. Het zand zakte naar de bodem en het schuim bleef drijven.

'De rest moet je zelf wassen,' zei ik.

Ze schudde haar hoofd. 'Nee.'

'Dat moet echt,' zei ik.

Ze wendde haar gezicht af. Ik zag haar kin trillen.

'Alsjeblieft,' zei ik. 'Probeer het zelf te doen.'

Ik legde mijn boek op tafel. Dit was haar vierde donut sinds we op de veranda waren gaan zitten, en het viel niet mee om me te concentreren met de smak-slikgeluiden die ze maakte. Koekjes, kokossnoepjes, nu donuts. Als ze op bezoek kwam nam Sheri altijd eten mee, en over wat er gebeurd was had ze geen woord meer gezegd.

'Waar ga je heen?' vroeg ze toen ik opstond.

'Wc,' snauwde ik.

Hoe kon ze zo veel wegstouwen? Nadat ik haar had gewassen, had ik opnieuw moeten leren ademen. Uitademen was het probleem niet, maar inademen. Als ik mezelf er niet aan herinnerde, vergat ik het gewoon. En als ik er niet aan dacht, kwam het ritme vanzelf terug. Ik besefte dat ik al in geen dagen honger had gehad. Of zelfs dorst. Ik stelde me mijn maag voor als een verdorde palmpit. 's Nachts had ik visioenen van vissers die mijn kamer binnen drongen. Ik droomde van Sheri, die op me afrende met haar gezicht opgemaakt alsof ze meedeed aan een maskerade. Dan botste ze tegen me op en viel ik uit mijn bed. Met mijn armen om mijn hoofd snikte ik het uit.

Ik zat op het toilet te wachten tot ik de aandrang zou voelen om te plassen. Wat ik vurig wenste was dat mijn ouders thuis zouden komen. Sheri maakte me zo kwaad dat ik de muren wilde slaan. Ik kwam naar buiten zonder mijn handen te wassen. Ze was aan de volgende donut bezig.

'Je wordt nog hartstikke ziek,' zei ik en ik griste het boek naar me toe.

'Hoezo?' vroeg ze.

'Als je zo blijft eten en eten.'

Ze veegde het vet van haar mond. 'Zo veel eet ik niet.'

Ik legde mijn boek over mijn gezicht. 'En maar eten,' zei ik, om haar te stangen.

'Ik eet niet...'

Ze kwam overeind en slaakte een kreet. Net toen ze dubbelklapte gleed mijn boek van mijn gezicht. Haar overgeefsel gutste over de tafel en spatte in mijn gezicht. Ik proefde het op mijn tong, zoet en slijmerig. Opnieuw sloeg ze dubbel en dit keer kwam er een golf braaksel op de veranda terecht. Ik pakte haar bij de schouders.

'Sorry,' zei ik. 'Hoor je me?'

Er stroomden tranen over haar wangen. Ik duwde haar zachtjes op een stoel en ging in de keuken een emmer en een schrobber halen. Het water kolkte in de emmer, en ik vroeg me af waarom ik zo boos op haar was. Met ingehouden adem groef ik dieper, en de vuist in mijn maag spatte uiteen. Ja. Ik rekende haar dit aan. Als zij die cannabis niet had gerookt, was het nooit gebeurd. Als zij niet zo lang op dat feest was gebleven, was het nooit gebeurd. Slechte meisjes werden verkracht. Dat wisten we allemaal. Makkelijke meisjes, brutale meisjes, ordinaire, vroegrijpe meisjes. Dollen met jongens, ze achternazitten, denken dat ze erbij hoorde. Nu kon ik hun zaad op haar ruiken, en ik werd er misselijk van. Het was haar eigen schuld.

Het sop droop over de rand van de emmer. Ik worstelde met het hengsel. Het water spatte met elke stap door de zitkamer op mijn jurk. Ik haalde me het moment voor de geest dat Sheri voor mijn raam was verschenen. Waarom waren we eigenlijk gegaan? Ik had nee kunnen zeggen. Zonder mij was ze niet gegaan. Eén woord van mij. Ik had nee moeten zeggen. Damola en die vrienden van hem, ze zouden boeten voor wat ze hadden gedaan. Ze zouden zich ons herinneren, onze gezichten. Ze zouden ons nooit vergeten.

Ik liep de veranda op, en ze kwam overeind.

'Ik doe het wel,' zei ik.

Ze sloot haar ogen. 'Misschien moest ik maar naar huis.'

'Ja,' zei ik.

Ze had de laatste donut opgegeten.

Ze kwam niet meer naar mijn huis en ik zocht haar evenmin op, omdat ik hoopte dat de hele ramp in rook op zou gaan als we maar lang genoeg deden alsof. En alsof die picknick niet genoeg schade had veroorzaakt die zomer, alsof de regen niet genoeg had bijgedragen tot onze ellende, werd er een coup gepleegd. Ons staatshoofd werd afgezet. Ik zat te kijken toen onze nieuwe heerser zijn eerste toespraak op tv hield. 'Ik, brigadier...'

De rest van zijn woorden marcheerde weg. Ik fantaseerde dat de vakantie opnieuw begon, dat Sheri zich bij mijn raam meldde. Ik zou haar terug naar huis sturen.

Mijn vader wond zich gedurende de hele toespraak op. 'Wat gebéúrt hier! Die kerels van het leger denken dat ze ons van hand tot hand kunnen laten gaan. Hoe lang houdt dit regime het uit voor er weer een ander is?'

'Luister nou naar wat die man te zeggen heeft,' zei mijn moeder.

De brigadier ontsloeg de ambtelijke top met onmiddellijke ingang. Hij vormde commissies om een onderzoek in te stellen naar de corruptie binnen het ambtelijke apparaat. Mijn vader voer tegen hem uit alsof hij in een persoonlijk debat met hem verwikkeld was.

'Welke kwalificaties heb jíj om de regering te hervormen?'

'Alsjeblieft,' zei mijn moeder. 'Laten we horen wat hij te zeggen heeft.'

Ik zag haar tevreden lachje. Mijn moeder was altijd blij als mijn vader boos was.

'Dat je aan het front hebt gevochten maakt van jou nog geen beleidsman,' zei hij. 'Wat weet jij nou van beleidshervorming?'

'Geef hem een kans,' zei mijn moeder. 'Misschien brengt hij verbeteringen.'

Mijn vader wendde zich tot haar. 'Na een dag hard oorlog voeren gaan ze terug naar hun kazerne. Dat is hun werk. Het leger heeft niets te zoeken in de regering.'

'Och,' zei ze, 'laten we toch maar luisteren.'

Zij volgden het nieuws over de coup; ik stelde me de zomer voor zoals ik had gewild dat die was begonnen. En zo ging het bij ons thuis een paar dagen door. Er werd een avondklok ingesteld in Lagos, van zonsondergang tot zonsopgang, en ik wilde dat die werd opgeheven zodat ik het huis weer voor mezelf had. Ik was niet geïnteresseerd in de politieke omwenteling die in ons land plaatsvond. Elk stemgeluid, zeker het driftige van mijn ouders, deed pijn aan mijn oren, dus toen oom Fatai een week later langskwam, trok ik me terug op mijn slaapkamer om niet weer over de coup te hoeven horen.

Ik dacht dat ze een tijdje samen zouden praten. In plaats daarvan klopte mijn vader al gauw op mijn deur. 'Enitan, kom eens.'

Ik had op mijn bed naar het plafond liggen staren. Ik sleurde mezelf ervanaf. Mijn moeder zat in de woonkamer. Oom Fatai was weg.

'Ja, papa?'

'Ik wil dat je de waarheid zegt,' zei mijn vader.

Hij raakte mijn schouder aan en ik vergat weer hoe ik moest ademen.

'Ja, papa...'

'Oom Fatai vertelde dat een vriendin van jou in moeilijkheden zit.'

Mijn moeder stond op. 'Hou op met haar de hele tijd in bescherming te nemen. Jij neemt haar altijd in bescherming. Neem haar niet mee naar de kerk, doe dit niet, doe dat niet. En kijk wat er gebeurt.'

'Je vriendin ligt in het ziekenhuis,' zei mijn vader.

'Je vriendin is zwanger,' zei mijn moeder. 'Ze heeft een kleerhanger bij zichzelf naar binnen gestoken. Ze heeft zichzelf zowat vermoord. Nu vertelt ze iedereen die het weten wil dat ze verkracht is. Vertelt Jan en alleman dat mijn dochter erbij was.' Met vlakke hand klopte ze op haar borst.

'Laat mij dit doen,' zei mijn vader. 'Was je erbij?'

'Ik heb niks gedaan,' zei ik, terugdeinzend.

'Enitan, was je erbij?'

Ik vluchtte naar mijn kamer. Mijn vader kwam achter me aan en keek vanuit de deuropening hoe ik van de ene voet op de andere ging staan. 'Je was erbij, hè,' zei hij.

Ik bleef schuifelen. Als ik stil bleef staan, zou ik bekennen.

'Ik heb niks gedaan.'

'Je wist dat het was gebeurd, en toch heb je al die tijd niets gezegd.'

'Ik heb gezegd dat ze niet moest gaan.'

'Kijk nou eens in wat voor nesten je je hebt gewerkt,' zei hij. 'Ik geef je geen straf dit keer. Dat doet je moeder wel. Dat geef ik je op een briefje.'

Hij ging weg. Ik deed mijn deur zachtjes dicht en kroop in mijn bed.

Ze stond voor mijn raam. Het was donker buiten.

'Kom mee.'

Ons erf was water. Water zonder einde.

'Kom mee.'

Uit alle macht probeerde ik om haar door mijn raam naar binnen te hijsen. Ze gleed weg in het water. Ik wist dat ze zou verdrinken.

'Ze wachten je op,' zei ik. 'Op de bodem.'

Drie klappen in mijn gezicht maakten me wakker. Mijn moeder stond over me heen gebogen.

'Je bed uit,' zei ze. 'En zorg dat je klaar bent. We gaan naar de kerk.'

Het was ochtend. Ik krabbelde mijn bed uit. Ik was in geen jaren naar mijn moeders kerk geweest, maar hij stond me nog helder voor ogen: een wit gebouw met een koepel. Bananenbomen en palmen erachter, en daarachter een stroompje. Voor het gebouw lag een erf van rode aarde, die door de muren leek te worden opgezogen. Mensen begroeven vloeken in die aarde, bonden hun kinderen aan de palmbomen vast en baden voor hun geest. Ze brachten hen mee om ze te reinigen. Bovenal geneerde ik me ervoor dat mijn moeder zich had aangesloten bij zo'n kerk: wierook, witte gewaden, blote voeten en trommels. Mensen die zich onderdompelden in het water van een riviertje, waarvan ze ook dronken.

Er waren blokkades opgeworpen, zoals altijd na een coup. Auto's remden af wanneer ze er een naderden en voetgangers gingen behoedzaam voort. Met loeiende sirene reed een vrachtwagen vol jouwende soldaten voorbij, die met hun rijzwepen naar de auto's uithaalden. We stopten in de berm om ze door te laten. Een automobilist stopte te laat. De helft van de soldaten sprong uit de vrachtwagen en sleurde hem zijn auto uit. Ze begonnen hem te slaan. Met geheven handen smeekte de man om genade. Ze ranselden hem met hun zwepen af en lieten hem kermend achter bij zijn portier.

Eerst maakte het geschreeuw me bang. Ik dook ineen bij de eerste klappen tegen het hoofd van de automobilist, hoorde mijn moeder fluisteren: 'Ze vermoorden hem nog.' Daarna keek ik naar de afranseling vanuit de overtuiging dat onze wereld alleen maar verschrikkingen in petto had. Ik dacht weer aan mijn lot en aan dat van Sheri, en het werd wazig voor mijn ogen. De automobilist werd opgenomen in de rest van het landschap: een rij roestkleurige daken; oude mensen met kraaloogjes; kinderen op blote voeten; moeders met hangborsten; een reclamebord met daarop HOU LAGOS SCHOON. Een apenbroodboom; een buurtkraan waarvan de voet was ingebed in een cementen vierkant.

Ik had geen flauw idee in welk deel van de stad we waren.

Mijn moeders priester luisterde zwijgend terwijl ze vertelde wat er was gebeurd. Hij keek precies zoals ik me herinnerde, met die opgetrokken neus alsof hij iets smerigs rook. Ze moest me wijwater te drinken geven, aangezien mijn vader het niet goedvond dat ik daar bleef voor een algehele reiniging. De priester haalde er een flesje van tevoorschijn, groen en slijmerig spul. Ik herkende het schroefwier uit de biologielessen. Daar bij de kerk moest ik het water drinken en naderhand zou ik mijn vinger in mijn keel steken. Ik wilde er geen druppel van binnenhouden. Buiten gaf mijn moeder me het flesje. Ik kokhalsde bij elke slok.

'Steek je vinger in je keel,' zei ze, toen het leeg was.

Bij de tweede poging lag mijn hele maaginhoud op straat, maar ik bleef kokhalzen. Mijn ogen stroomden vol tranen. Een deel van het water was door mijn neus naar buiten gekomen.

'Goed zo,' zei mijn moeder.

Ik overwoog om op haar voet te stampen, om haar hand fijn te knijpen totdat ik mijn evenwicht terugkreeg.

'Je had nooit met dat meisje mee moeten gaan,' zei ze. 'Kijk me aan. Stel dat er iets met jou was gebeurd, wat had ik dan gemoeten? Kijk me aan.'

Mijn blik gleed onder de hare uit.

'Het flesje,' zei ze. 'Geef me dat flesje, Enitan.'

Ik gaf het aan haar. Het had een knuppel kunnen zijn. Mijn moeder was hol vanbinnen, dacht ik. Helemaal hol. Net als een trommel, ze kon mijn hartslag bevatten, maar meer niet. Ik zou geen woord meer tegen haar zeggen, alleen als het niet anders kon, en zelfs dan zonder enig gevoel: 'Goedemorgen. Goedemiddag. Goedenavond.'

We kwamen thuis en ik ging achterom, langs het hek waar de rode hibiscus bloeide. Sheri was zwanger geworden door de verkrachting. Snapte een baarmoeder dan niet dat zo'n baby afgestoten moest worden? En hoe zag de baby eruit, nu hij er met geweld uit was gehaald? Had hij de kleur van hibiscus? Ik hield een bloem bij mijn oor en luisterde.

1985

Onderdrukte razernij zet op als de wind, plotseling en onzichtbaar. Mensen zijn niet bang voor de wind, tot die een boom velt. Dan zeggen ze dat het te gortig wordt.

De eerste die me vertelde dat mijn maagdelijkheid mijn eigendom was, was de jongen die me ervan afhielp. Daarvoor had ik altijd gedacht dat mijn maagdelijkheid van Jezus Christus was, of van mijn moeder of van de maatschappij in het algemeen. Van iedereen, behalve van mij. Mijn vriend, een eerstejaarsstudent geneeskunde aan de universiteit van Londen, verzekerde me dat het me geheel vrij stond om mijn maagdelijkheid aan hem te geven. In die paar seconden tussen het hebben en het opgeven ervan likte hij de wanden van mijn mond schoon. Nadat hij voor mijn gevoel mijn binnenste had doorboord, barstte ik in tranen uit.

'Wat heb jij nou?' vroeg hij.

'Neem me niet kwalijk,' zei ik. 'Ik moet me wassen.'

Het kwam door zijn zaad. De gedachte dat het uit me lekte en langs mijn dijen omlaag drupte vond ik onverdraaglijk. Maar telkens als ik mijn mond opendeed om het hem te vertellen, om hem te vertellen over Sheri en mij en die vreselijke zomer, dacht ik dat mijn stem mijn ribbenkast op zou blazen, mijn vriend zou vermorzelen, het bed zou verpletteren, mijn lakens zou laten wervelen als de wind, dus zei ik niets.

De volgende keer betokkelde mijn vriend me als een gitaar. 'Ik weet niet wat er aan de hand is,' zei hij. 'Misschien ben je frigide.'

Frigiditeit was een geestesziekte, zei hij. Uiteindelijk gingen we op een avond uit elkaar, toen hij klaagde dat ik in bed net zo was als alle andere Nigeriaanse vrouwen. 'Jullie liggen daar maar,' zei hij. 'Net lijken.'

Ik bracht hem naar de deur.

Negen jaar woonde ik nu in Engeland, alleen in de vakanties ging ik naar huis. Mijn ouders deden me daar na die zomer op kostschool, zoals in de jaren zeventig gebruikelijk was, en voor het eerst moest ik uitleggen waarom ik mijn haar één keer per week waste en er meteen weer vet in deed. Mijn nieuwe vriendinnen waren verbaasd dat ik in Afrika niet in een hut woonde en dat ik nog nooit een leeuw had gezien, behalve in de Londense dierentuin. Sommigen bekenden dat hun ouders niets van zwarten moesten hebben. Er had maar één meisje besloten dat zij er ook niets van moest hebben, en haar negeerde ik op dezelfde manier als ik een ander meisje negeerde dat 'hey man' zei en rare danspasjes maakte als ze me zag.

Ik had altijd gedacht dat Britten zich zelden wasten. Ik verwachtte dat ze zich zouden gedragen als personages uit de boeken van Enid Blyton. Mijn beste vriendin, Robin, vond dat te gek voor woo-w-den. We werden vriendinnen omdat zij, net als ik, vond dat Bob Marley een profeet was, en omdat ze zich ook afzette tegen de norm die haar ouders stelden. Het was een schat van een meid, maar ze kreeg de R niet over haar lippen. 'Wond en wond en wond de kewsenboom,' plaagden de andere meisjes haar. 'Wond en wond de kewsenboom wende Wobin Wichawson.'

Puwe twagiek. Alles welbeschouwd vond ik het het eenvoudigst om zwart te zijn op die school, maar Robin weigerde dat zo te zeggen: zwart. Haar ouders hadden haar geleerd dat dat onbeleefd was. Dus was ik die vriendin met dat afrokapsel, je weet wel, Die Met Die Bruine Huid. Ik zei dat ik nu eenmaal zwart was, dat er niets beledigends aan was. Het was ook niets om trots op te zijn, aangezien ik me er nooit voor had geschaamd, snap je? Op een dag moest ze het van me zeggen: zwart. Zzz-wart. Zzz-www-art. Ze barstte in tranen uit en noemde me awwogant. De dag dat ze haar moed eindelijk bijeen had geraapt, reageerde ik beledigd. De toon waarop ze het zei beviel me niet. 'God nog aan toe,' zei ze. 'Het is bij jou ook nooit goed.'

Robin was de minst ijverige en tevens de slimste veertienjarige die ik kende, en bij proefwerken stak ze me telkens weer de loef af. Ze was ook de eerste die me vertelde dat niets wat een vrouw deed verkrachting rechtvaardigde. 'Sommige meisjes lokken het uit,' zei ik. 'Wie heeft jou die onzin vewteld?' vroeg ze. Dat wist ik niet meer, maar het enige wat je hoorde was dat slechte meisjes werden verkracht, en van de slechte meisjes die ik kende had niemand een rechtszaak aangespannen. Sheri kreeg genoegdoening toen Damola Ajayi werd opgenomen in de psychiatrische inrichting waar alle drugsverslaafden in Lagos terechtkwamen: regelmatige afranselingen maakten deel uit van de behandeling. Ik wist niet eens of ze van zijn ondergang wist. Haar familie was uit onze buurt vertrokken, en ik was haar uit het oog verloren. Robin vertelde me dat het met de rechtvaardigheid in haar land niet veel beter gesteld was. Het motto van de Old Bailey zou moeten zijn: 'Beschewm de wijken en stwaf de Iewen.'

Mijn ouders gingen uit elkaar terwijl ik in Engeland op school zat. Het werd me verteld door mijn vader, en ik weet nog dat ik me voelde alsof ik per ongeluk een worm in mijn glas water had doorgeslikt; ik gaf bijna over. Ik vroeg me af of alle problemen die ik had veroorzaakt hen misschien nog verder uit elkaar hadden gedreven. Mijn vader legde uit dat mijn moeder naar zijn twee-onder-een-kapwoning in een andere voorstad van Lagos zou verhuizen, en dat ze in het ene huis zou wonen en de huuropbrengsten van het andere zou krijgen. Er waren geen telefoonkabels in dat deel van de stad, dus ik zou haar niet kunnen bellen. Ik zou bij hem komen wonen.

Het gekibbel begon, over eigendom van onroerend goed en over mij. Mijn moeder zwoer dat ze mijn vader zou laten royeren. In plaats daarvan ontwikkelde ze een hoge bloeddruk en zei dat mijn vader die had veroorzaakt. Ik bracht de vakanties bij haar door, en zij bracht het gros daarvan door met klagen over mijn vader; dat hij haar in het openbaar negeerde; dat hij iets had geïnsinueerd. Mijn moeder concentreerde zich fanatiek op details, terwijl mijn vader in de war gebracht leek: 'Ik weet niet waar ze het over heeft. Ik heb haar niets aangedaan.' Al gauw bleef ik tijdens de vakanties in Londen, waar ik mijn studiebeurs aanvulde als verkoopster in een van de grote warenhuizen om maar niet bij een van hen beiden te hoeven zijn.

Ik studeerde rechten aan de universiteit van Londen en sloot me aan bij de Nigeriaanse studentengemeenschap, waar iedereen zich, net als de Britse gemeenschap in Lagos, aan elkaar vastklampte om de weersomstandigheden het hoofd te bieden en het nieuws van het thuisfront te delen. We hadden twee militaire regeringen gehad sinds de zomer van 1975. De eerste eindigde met de moord op ons staatshoofd, de tweede in een overgang naar een burgerregering. En nog altijd was het nieuws van thuis niet verbeterd: 'Ach, die burgers, ze zijn nog erger dan het leger.' 'Ach, die politici. Je kent ze toch? Dieven zijn het.' In die tijd hoorde ik weer van Sheri. Ze had het tot Miss Nigeria geschopt nadat ze haar bul had gehaald, en zou ons land vertegenwoordigen bij de Miss World-verkiezingen, die in Engeland zouden worden gehouden. Ik was benieuwd naar haar. Ik bekeek de wedstrijd die avond met twee andere rechtenstudenten, Suzanne en Rola. Rola was deels Nigeriaans, deels Jamaicaans en moedigde de Missen van beide landen aan; Suzanne, afkomstig uit Hongkong, had helemaal geen voorkeur. 'Ik kan niet geloven dat we híérnaar kijken,' mompelde ze steeds. Rola had als altijd haar analyse klaar. 'Ik bedoel, ze heeft een knap snoetje, maar zo bijzonder is ze nou ook weer niet. Gewoon knap-mooi. Ik bedoel, ze hoort niet op een catwalk of zoiets. Misschien een portretmodel, maar zelfs dan... Ik bedoel, het is echt geen modél-model...'

Ik had het te druk met genieten. Het was wel geen Parijs en Sheri droeg wel geen rood negligé, maar het kwam er dicht genoeg bij in de buurt. Het speet me toen dat ik zo hard over haar had geoordeeld, dat ik op mijn veertiende niet wijzer was geweest. Sheri kwam niet verder dan de eerste ronde van de Miss World-verkiezingen. Geen van onze meisjes kwam ooit verder. Later hoorde ik dat ze deel was gaan uitmaken van het *aristo*-circuit in Lagos, dat ze senators als suikeroom had en in het buitenland ging winkelen. Ze kreeg alle titels die daarbij hoorden.

In 1981 studeerde ik af en ging werken bij een advocatenkantoor in Londen. In 1983 was er weer een coup in mijn land. Dit keer terwijl ik in het reine probeerde te komen met het feit dat mijn relatie op de klippen was gelopen toen ik erachter kwam dat de man met wie ik een halfjaar mijn leven had gedeeld, zíjn leven ook met een ander deelde. Hij had uit respect voor mij tegen me gelogen, zei hij. Hij wist dat ik niet het soort meisje was dat vreemdgaan door de vingers zag. Toch belde hij me later op om me uit te nodigen voor een wake.

'Wat voor wake?' vroeg ik.

'Voor de democratie,' zei hij.

Bij de Nigeriaanse Hoge Commissie. Of ik ook kwam? Ik geloofde mijn oren niet. Wanneer had hij zich ooit voor zoiets ingezet? We noemden hem Stringfellow, naar de decadente nachtclub. En was hij niet degene die, telkens als we langs de Zuid-Afrikaanse ambassade aan Trafalgar Square kwamen, over de Britse betogers tegen apartheid zei: 'Daar staan ze weer, hoor. Altijd op de barricaden voor de zwarten die ver weg leven, nooit voor de zwarten vlak onder hun neus.'

Ik haalde me Fleet Street voor de geest, waar onze Hoge Commissie gevestigd was en waar ik de hele nacht in de kou zou staan met een kaarsje in mijn hand voor de goede zaak. En ik haalde me deze man voor de geest, die me had voorgelogen vanaf het moment dat ik hem had ontmoet.

'Stringfellow,' zei ik, 'bel me alsjeblieft nooit meer.'

Mensen hadden het over de invloed van de westerse cultuur alsof de westerse cultuur overal in het Westen hetzelfde was en altijd hetzelfde bleef. Maar onze ouders waren afgestudeerd in het Engeland van de jaren zestig, en wij studeerden af in de materialistische jaren tachtig. Aangezien elke generatie omschreven wordt in termen van de economische situatie van hun jeugd, waren wij de kinderen van de oliehausse. Sterker nog, wij waren de kinderen die geprofiteerd hadden van de oliehausse. De Britse politiek speelde zich af in een continuüm tussen links en rechts. Onze politiek was een gebakkelei tussen leger en politici. Beide partijen waren conservatief, en dat waren wij ook. Onze grootste bijdrage aan de maatschappij was dat we nog traditioneler waren dan de mensen die ons op de wereld hadden gezet.

Een jongen hield van een meisje en noemde haar zijn vrouw. Een meisje hield van een jongen en bleef elk weekend thuis om voor hem te koken, terwijl hij op stap ging met een ander. Wij gingen uit of bleven thuis. Politieke protestacties waren iets voor Britse mafketels of voor Nigerianen die net als zij probeerden te zijn. We dachten geen moment aan degenen die hun schoolgeld met moeite ophoestten nu de oliehausse in ons land was veranderd in een recessie. We rebelleerden en staken ons geld in leren jacks en buitenissige schoenen. Zo deden wíj dat.

Lang nadat ik het gesprek met Stringfellow had afgebroken zat ik nog naar het rijtje boeken in mijn kamer te kijken. Ik had ze gekocht toen ik het lezen van voorspelbare verhalen of verhalen die niets met mijn leven van doen hadden, had afgezworen. Stringfellow zou zeggen dat ze waren geschreven door vrouwen die zich nodig op hun dreadlocks moesten concentreren en moesten ophouden met klagen.

'O, krijg het heen en weer,' zei ik.

Alle lijnen naar Lagos waren bezet. De volgende avond laat kreeg ik mijn vader pas aan de telefoon, en tegen die tijd had ik mijn oordeel klaar. Onze burgerregering had om de coup gesmeekt. Zelden was er een corruptere democratie geweest; champagnedeals, verduisteringen. Mijn vader legde uit dat ook onze grondwet was opgeschort, een ontwikkeling waar ik, met mijn hoofd vol Britse wetboeken, niet bij kon. 'Kan dat eigenlijk wel?' vroeg ik. 'Ze kunnen doen wat ze willen,' zei hij. 'De macht van een grondwet staat of valt met het respect dat de mensen ervoor hebben. Hebben ze dat niet, dan zijn het woorden op papier, en niet meer dan dat.'

Hij had niet veel op met de nieuwe militaire regering en haar belofte om tuchteloosheid hard aan te pakken. Ik vond het nog niet zo'n slecht idee, in een land waar je er nog steeds niet zeker van kon zijn dat je een hele week over elektriciteit beschikte. Toen stroomden de berichten binnen: over zweepslagen wegens voordringen in de rij voor de bus; lijfstraffen voor overheidsambtenaren die te laat op hun werk verschenen; een verplichte sanitatiedag, waarop je thuisbleef om stof af te nemen; militaire tribunalen voor ex-politici; Decreet Twee, waaronder personen die verdacht werden van handelingen in strijd met de staatsveiligheid zonder tenlastelegging konden worden vastgehouden; Decreet Vier, waaronder journalisten gearresteerd en vastgehouden konden worden wegens het publiceren van informatie over staatsambtenaren. Mijn vader bleef het me vragen, maar ik zei dat ik nooit meer terug wilde komen.

Op een winterse morgen, terwijl ik op de dubbeldekker stond te wachten, veranderde ik van gedachten. De wind sloeg mijn paraplu binnenstebuiten en mijn rok waaide zowat tot mijn middel op. Hij ontrukte tranen aan mijn ogen en liet mijn vlechten in mijn gezicht striemen. Eentje recht in mijn oog. Ik stond daar te luisteren naar de wind die alle richtingen op raasde en tegen mijn gedachten op botste, die op hun beurt tegen elkaar botsten. Ik dacht aan mensen die laf waren en logen wanneer ze dapperder hadden moeten zijn. Ik dacht aan een van de partners van mijn advocatenkantoor, die naar mijn gevlochten haar keek alsof hij een hoofd vol slangen zag. Ik dacht aan de vennoten, die liepen alsof er geen windje aan hen ontsnapte. Ik dacht aan mijn telefoonrekeningen. En ik bedacht dat ik het, als ik naar huis terugging, in elk geval wárm zou hebben.

In de zomer van 1984 keerde ik terug om in Lagos een vervolgstudie rechten te doen. Mijn vader gaf me een nieuwe auto cadeau, een witte Volkswagen Jetta, waarmee ik rechtstreeks naar mijn moeder reed. 'Hij verwent je te veel,' zei ze en ze waste haar handen in afkeuring. De Jetta was minder aantrekkelijk voor gewapende overvallers dan andere importmodellen. Toen mijn vader hem kocht, kostte hij zes keer het maandsalaris dat ik als pas afgestudeerde jurist bij hem verdiende. Een jaar later zou een tweedehands exemplaar voor het dubbele van de hand gaan. Hij betaalde hem contant. Zoiets als een consumptieve lening bestond niet, en op dinsdag en donderdag kon ik er niet mee rijden, omdat in Lagos de even en oneven kentekens elk eigen doordeweekse dagen toegewezen kregen voor een betere doorstroming van het verkeer. Ik zou bovendien bij mijn vader moeten blijven wonen, omdat in Lagos de huur twee of drie jaar vooruit werd betaald.

Bijna kwam ik in de verleiding om weer op een toestel van British Airways te stappen. Maar toen hield op een dag een docent me staande in de gang van het universiteitsgebouw.

'Ja, meneer?' zei ik, verrast dat hij mijn naam kende.

'Is Sunny Taiwo jouw vader?' vroeg hij.

'Ja,' zei ik.

'Hij staat de laatste tijd regelmatig in de krant.'

Dat was zo.

'Hoe gaat het met hem?'

'Heel goed, meneer.'

'En jij hebt in Engeland gestudeerd?'

'Ja,' zei ik.

'Welkom terug,' zei hij. 'En doe de groeten aan je vader. We zaten samen op Baptist High.'

Het drong tot me door dat ik blij was om terug te zijn. Op het advocatenkantoor in Engeland waren er vennoten van wie het best mogelijk was dat ze met mijn vader op Cambridge hadden gezeten. Ze beten liever hun tong af dan dat ze dat aan mij of zichzelf toegaven. Sommige medestudenten van overzee deden niets dan klagen over Lagos: de chagrijnige ambtenaren, de haperende airco's, de stroomstoringen, het verkeer, dat wij *go-slow* noemden, de (drink)watertekorten, de gewapende overvallen en de omkooppraktijken. Maar vanaf dat moment omarmde ik de overlast van Lagos; alles inbegrepen en zonder voorbehoud.

Mijn vader was onlangs in de publiciteit gekomen vanwege een rechtszaak die hij had gewonnen. Zijn cliënt, een columnist genaamd Peter Mukoro, werd eerder dat jaar bij een controlepost van de politie aangehouden. Peter Mukoro oefende in zijn artikelen stevige kritiek uit op de politie. Hij beweerde dat ze hem daardoor als mikpunt hadden genomen, terwijl zij beweerden dat hij zich ten tijde van zijn arrestatie tuchteloos gedroeg. Mijn vader betoogde dat zijn arrestatie sowieso onwetmatig was en won de zaak.

Peter Mukoro had mijn vader in eerste instantie benaderd vanwege een geschil over grondbezit. Hij leek in niets op mijn vaders gebruikelijke cliëntèle: de rijke landeigenaren die hun vuile was graag binnenhielden. Het was een man van begin veertig, een dissident die ongegeneerd de publiciteit opzocht. Ik had hem één keer ontmoet en vond dat hij te veel dronk en te hard praatte. Ik vermoedde dat hij meer door ijdelheid werd gedreven dan door iets anders, maar mijn vader genoot van de publiciteit en hield persconferenties met hem waarin hij verklaringen aflegde over machtsmisbruik door de politie. Ik noemde hem een oude rebel, maar stiekem was ik trots op hem. Als kind had ik me het werk van een advocaat zó voorgesteld. Het enige wat ik me nu voorstelde, was de papierberg die zijn rebellie met zich meebracht.

In de zomer van 1985 was ik klaar met mijn vervolgstudie. Binnen een week na mijn afstuderen werd er opnieuw een coup gepleegd en onze grondwet nog verder opgeschort. Een paar dagen later begon mijn dienstperiode bij de National Service. De eerste maand zou ik een militaire training krijgen en de rest van het jaar zou ik voor mijn vader werken, die me niet hoefde te betalen omdat ik, technisch gesproken, in dienst was van de overheid. Toen ik aanvankelijk in een plattelandsdistrict werd gestationeerd, vroeg ik de registerklerk of hij me alsjeblieft kon overplaatsen naar een andere post, want ik had borden gezien die mensen waarschuwden niet 's nachts buiten te lopen omdat ze ontvoerd konden worden en gebruikt als menselijke offerande. De basis waar ik uiteindelijk terechtkwam, lag in een drukker district, op de campus van een technische universiteit die tijdens de zomervakantie gesloten was. Ik reed erheen in de hoop dat dit kampement mijn geringe verwachtingen zou overtreffen en ik er misschien zelfs een aardige, eerlijke man zou ontmoeten.

Flarden ochtendnevel hingen over de atletiekbaan van de TU. Zo'n vijftig pelotonsoldaten stonden in een rij op het grasveldje in het midden, klaar voor appèl. Het gras was zwaar bedauwd. Ik gleed er in mijn soldatenkistjes overheen en trok mijn pet laag over mijn hoofd. Het was te vroeg voor appèl, en te kil voor warm bloed.

'Enitan Taiwo,' riep onze pelotonleider.

Ik bracht een weinig energiek 'Ja' voort.

Mijn pelotonmaatjes lachten terwijl hij mijn naam aanvinkte.

'Mike Obi?'

'Ja,' zei de man voor me. Hij had een diepe stem. Ik had hem opgemerkt zodra ik me bij het peloton had gevoegd. Hij had zijn handen in zijn zakken: brede rug, zijn uniform zat als gegoten. Als ik hakken droeg, zou ik groter zijn dan hij. Hij plantte zijn kistjes stevig in het gras en deed zijn pet omhoog, en ik zag dat zijn hoofd kaalgeschoren was.

Onze pelotonleider blies op zijn fluitje. 'Een rondje over de baan!'

De klachten kwamen uit alle richtingen. 'Daar had ik nou echt zin in,' zei de vrouw achter me. 'Al die wahala,' verzuchtte mijn buurman.

Mike Obi wendde zich tot mij. 'Daarom noemen ze ons het zwangerschapspeloton.'

'Hoezo?' vroeg ik.

'Zo lui en dik als het onze is er geen een.'

'Niet van toepassing op ondergetekende,' zei ik.

Zijn kuiltjes verdiepten zich. We begonnen aan ons rondje over de baan.

'Ben jij een van de juristen?' vroeg hij, toen we door de eerste bocht jogden. Ik gaf een knikje. Ik voelde mijn benen al.

'Waarom beginnen jullie later met de dienst dan de rest?' vroeg hij.

'Omdat we beter zijn dan de rest.'

Hij lachte. 'Daar ben ik nog niet zo zeker van.'

'Moest eerst mijn bul ophalen,' zei ik.

Een groep passeerde ons onder het zingen van een legerliedje.

'Jij moet hier zijn geweest toen vorige week die coup werd gepleegd,' zei ik.

'Ja.'

'Hoe was dat?'

'We kregen er niet veel van mee. Soldaten komen, soldaten gaan. 's Morgens hadden we exercitie, en tegen de tijd dat we konden gaan stappen, werd er een avondklok ingesteld.'

'Heel jammer.'

Hij stak zijn hand uit. 'Mike.'

'Enitan,' zei ik.

Zijn hand voelde ruw aan. Ik ging langzamer lopen en hij ook.

'Wat doe jij voor de kost, Mike?'

'Ik? Ik ben kunstenaar.'

'Ik heb nog nooit een kunstenaar ontmoet.'

Hij trok zijn pet omlaag. 'Eigenlijk ben ik architect, maar ik heb een jaar op de kunstacademie gezeten.'

'Leugenaar...'

'Universiteit van Nsukka.'

'Leugenaar,' zei ik.

'Ik ben écht kunstenaar,' zei hij. 'Je zou mijn mozaïeken moeten zien.'

'Mozaïeken? Wees eens eerlijk. Wat voor mozaïeken?'

'Met kralen. Ze zijn heel mooi.'

'O, vast.'

'En jij?' vroeg hij.

'Ik ben net afgestudeerd in de rechten.'

'Zo jong zie je er niet uit,' zei hij.

Ik gaf hem een stomp tegen zijn schouder. Die voelde aan als massief hout.

'Sorry,' zei hij, 'maar wat hier aan pas afgestudeerd volk rond-loopt, ziet eruit als eenentwintig. Dat kun je van jou en mij niet zeggen.'

'Bedankt maar weer.'

'Je zou trots moeten zijn op je leeftijd.'

Ik glimlachte. 'Ben ik ook. Ik ben ook niet pas afgestudeerd. Ik heb na mijn doctoraal drie jaar gewerkt.'

'Waar?'

'In Engeland.'

'Waarom ben je naar huis gekomen?'

'Het was koud. Het was tijd. Waarom heb jij de schone kunsten opgegeven?'

'Je kent de mensen hier toch. Iedereen zei dat ik van honger zou omkomen, en ik geloofde ze.'

'Hm. Misschien geloofde je niet in jezelf.'

'Misschien.'

'Heb je er spijt van dat je ermee bent opgehouden?'

'Ik heb nergens spijt van.'

'En toch noem je jezelf nog steeds kunstenaar.'

'Als het nodig is,' zei hij.

'Nodig waarvoor?' vroeg ik.

Om indruk te maken, zei hij. We wandelden terug als oude vrienden. Mike zat er goed naast. De meeste vrouwen die ik kende zouden maken dat ze wegkwamen van een kunstenaar. Een kunstenaar betekende doorgaans een worsteling met armoede, en armoede werkte altijd ontnuchterend op de mensen in Lagos. Na de ochtendexercitie, waar ik leerde marcheren en rechtsomkeert maken, scheidden onze wegen zich. Hij wist het misschien niet, maar ik was er klaar voor om uit de kuiltjes in zijn wangen een gouden munt te toveren.

Ik liep terug naar het vrouwenverblijf op vijf minuten afstand van de atletiekbaan, een matig verlicht gebouw dat gewoonlijk be-woond werd door studenten, maar voor de duur van de militaire training een onderkomen bood aan de National Service. Bij de ingang had een groepje vrouwen een meningsverschil met de conciërge. 'Waarom mogen er geen mannen bij ons op bezoek komen?' vroeg een van de vrouwen. 'We zijn toch geen studenten, en sommigen van ons zijn getrouwd.'

'Niet toegestaan,' zei de conciërge.

'Wie zegt dat?' vroeg ze.

'Jezus,' zei hij.

De oude baas was niet van plan ook maar één man binnen te laten. Hij zat naast de deur en klapte met zijn rijzweep en wachtte op degene die het lef had om hem te trotseren. De dag ervoor had hij uitgehaald naar een jonge academicus die in de Verenigde Staten had gestudeerd en die maar op zijn rechten bleef hameren. 'Daar hebt u geen recht toe!' schreeuwde de jongen met een Amerikaans-Nigeriaans accent. 'U hebt het recht niet om me te slaan! Niemand heeft het recht om me te slaan!' De oude man bekeek hem van top tot teen. 'Als je je rechten wilt, ga je maar terug naar het land waar je hebt geleerd dat je zo tegen oudere mensen mag schreeuwen,' zei hij. 'En nou wegwezen, snotjong.'

Iedereen noemde hem Baba. Alle oude mannen in mijn land heten Baba, of Papa. Deze Baba was de bewaker van afgestudeerde vagina's.

Terwijl ik de trap op liep rook ik de urinelucht van de toiletten en dacht terug aan mijn oude school in Lagos. Bijna schoot ik in de lach: tien jaar verder en mijn woonomstandigheden waren er geen millimeter op vooruitgegaan. De angst om meer dan het hoognodige in te ademen, weerhield me. Ik hield mijn hand over mijn neus en haastte me verder.

Op de slaapkamer trok ik mijn t-shirt uit en ging op bed liggen. De luiken stonden open, maar de lucht was vlak en droog. De slaapkamer was net een gevangeniscel: twee stalen bedden met stalen veren en vier muren besmeurd met de hand- en hoofdafdrukken van de gevangenen die me waren voorgegaan. Mijn kamergenote, afgestudeerd aan de universiteit van Lagos, weigerde er te slapen. Zij bleef thuis wonen en reisde op en neer, maar voor mij was thuis ver weg, en ik wist niet of ik dan wel op tijd wakker zou worden voor het appèl.

Languit op bed gelegen besloot ik muggenvangers te kopen bij de straatventer onder de amandelboom op het parkeerterrein. Daar zaten ook basisgenoten in groepjes te kletsen. Vrienden en familie reden af en aan, en soms voelde het op de basis als één groot feest. Bij de venterkraam vroeg ik om een doos muggenvangers en een pakje Treborpepermunt en rekende af. Terwijl ik een tweede pakje overwoog, voelde ik een tikje op mijn schouder. Het was Mike. Hij pakte een doos muggenvangers.

'Jij ook al?' zei hij.

'Ze verslinden me levend,' zei ik.

Hij betaalde de venter en we liepen terug naar de slaapzalen.

'Heb jij nog plannen voor vandaag?' vroeg hij.

'Nee,' zei ik.

'Kom, dan kletsen we wat.'

Hij wees naar de tribune bij de atletiekbaan. We gingen erheen en lieten ons op de onderste bank zakken. Mike haalde een muggenvanger uit de doos en stak hem aan. De geluiden om me heen maakten me doezelig: het getsjirp van krekels en het gelach vanaf de parkeerplaats. De muggenvanger werd fluorescerend oranje en er steeg grijze rook van op. Mike betrapte me erop dat ik naar hem keek.

'Ik word nog bang,' zei hij. 'Zoals je naar me kijkt, alsof ik je geld heb gestolen. Ben jij zo'n vrouw die niemand vertrouwt?'

'Ik ben zo'n vrouw die graag iemand zou vertrouwen.'

Hij pakte de muggenvanger op en legde hem tussen ons in.

'Mooi zo,' zei hij.

Tussen de stiltes door praatte hij, zachtjes. Zelf moest ik mijn tong zowat afbijten om hem niet de oren van het hoofd te kletsen, zelfs slikken stelde ik uit.

'Malle meid,' zei hij. Hij lachte weinig.

Mike was opgegroeid vlak bij Enugu, een stad in Oost-Nigeria, in het hart van Biafra. Zijn ouders waren docenten aan de staatsuniversiteit. Zijn moeder gaf drama, zijn vader geschiedenis. Tijdens de Burgeroorlog was hij naar een pleeggezin in Engeland gestuurd, en ik plaagde hem met de sporen van het Engelse accent die na al die jaren nog steeds zijn Igbo kleurden.

'Eni-ton,' verbeterde ik hem, toen ik er genoeg van had dat hij mijn naam verkeerd uitsprak.

'Eni-tan,' zei hij.

'On! On! Met je mond zó... on... on.'

'An.'

'Godallemachtig.'

Het was verschrikkelijk dat onze ervaring van de Burgeroorlog zo verschilde. Op de universiteit had ik eindelijk de holocaust die in Biafra had plaatsgevonden erkend, door memoires en geschiedenisboeken en foto's van mensen zonder armen of benen, van kinderen met een opgezwollen buik van de *kwashiorkor* en een ribbenkast als de nerven van een blad. Hun ouders waren doorgaans dood. Geëxecuteerd. Neergemaaid met machetes. Opgeblazen. Onthoofd. Er werd gefluisterd over het drinken van bloed en het eten van mensenvlees; menselijke gruweltaferelen die alleen een burgeroorlog in het leven roept. En in Lagos hadden we gedaan alsof het ver van ons bed was. Ons staatshoofd was indertijd zelfs getrouwd. De wapenstilstand was zo getimed, zei Mike, dat de oorlogvoerende partijen Abédi Pelé konden zien voetballen. Pelé. Burgeroorlog. Ik hoopte dat hij een grapje maakte.

Een reis naar Oshogbo in West-Nigeria had zijn liefde voor de kunst wakker geroepen. Hij bezocht er de kunstinstituten en het heilige woud van de Yoruba-goden. Hij was dol op voetbal, speelde zelf, droomde erover. Soms dacht ik dat hij, als hij het erover had, in zijn enthousiasme zou stikken. Hij vertelde me over de Pelé van Brazilië, over Maradona van Argentinië, over Nigeria's spits, Thunder Balogun, en keeper Okala, zijn eerste held. 'Okala had magische krachten,' zei hij. 'Ik heb het zelf gezien.'

'Schaam je diep,' zei ik.

Vrijdag verlieten we de legerbasis om bij Mama Maria's te gaan eten, een eetcafé op Victoria Island. De eigenares was een plaatselijke madam; het café werd gerund door haar meisjes. Ik had er studievrienden over horen praten en dacht dat het iets voor Mike zou zijn. We gingen er met zijn auto heen, een oude witte Citroën die hij nu en dan een klopje gaf, als een hond. Door een roestgat in de bodem kon ik de weg zien.

'Hoe doe je dat in het regenseizoen?' vroeg ik.

'Om de plassen heen rijden,' zei hij.

'Zit je er niet mee? Zo'n groot gat?'

Hij lachte. 'Nee, en ook niet met de koplampen.'

'Wat is daarmee?'

'Die zitten vast met tape.'

'Op een dag rij je alleen nog met het stuur rond.'

We moesten stoppen bij een politiecontrolepost. Sommige agenten keken lachend toe hoe we verder reden. Toen we de poort van Mama Maria's in reden, wierp een groepje prostituees zich op de auto. Ze lieten hun uitgestoken tong trillen, drukten hun borsten tegen de voorruit en maakten schrille jagersgeluiden. Zodra ze doorhadden dat we geen blanke mannen waren, wendden ze zich af.

Binnen zat het vol dikbuikige expats. We noemden hen nooit immigranten. Ik had ze eerder gezien op overzeese bouwprojecten. Sommigen van hen hadden prostituees op schoot, die ons berekenend opnamen terwijl we op een tafeltje met uitzicht over de baai af liepen. Ze waren majestueus, en lelijk. Een man verdeed zijn tijd met een mager ding als ik, zouden ze zeggen, al was ik nog zo fatsoenlijk en hoogopgeleid, dus waar staarde ik naar? Op de muur achter de bar zag ik de stickers van luchtvaartmaatschappijen.

'Een soort *wall of fame*?'

Mike wierp er een blik op. 'Eerder een gedenkteken voor gevallenen.'

Eerst begreep ik niet waar hij op doelde, maar toen dacht ik aan aids. Ik wist er niet veel over, maar ik was er zeker van dat de mensen de ziekte verborgen zouden houden en haar net als de drugsproblemen van de jaren zeventig zouden negeren, tot ze uitgroeide tot een probleem dat zich niet langer liet negeren. In Lagos hadden we de schuld van aids tot nu toe afgeschoven op de expats en de prostituees.

Een van de vrouwen kwam op ons af, nam onze bestelling op en bracht ons een biertje. We namen er een slokje van. Het schijnsel van de straatlantaarns in Ikoyi schitterde op het water van de baai. Je zou bijna geloven dat je met gemak naar de overkant kon zwemmen. Mijn blik dwaalde naar de kustlijn, een paar meter van Mama Maria's vandaan. Rechts van me lag een kapot bierflesje, links een autoband. Een strook rottend zeewier verbond het een met het ander.

'Wat een troep,' zei Mike.

Ik speelde met het flesje Gulderbier en vroeg me af of het aan de koude mout lag of aan Mikes stem dat ik me ontspande.

'Je hebt het nooit over je moeder,' zei hij.

'Jawel, hoor,' zei ik.

'Niet. Je hebt het over je vader gehad, maar niet over je moeder.'

Ik nam nog een slok bier en veegde mijn mond af. Een dochter hoorde niet overhoop te liggen met haar moeder. Zeker niet als de dochter enig kind was. Als ik aan mijn moeder dacht kreeg ik een gevoel alsof ik de kluisdeur wijd open had laten staan voor dieven.

'We zien elkaar weinig. Ze zit bij een kerk, of eigenlijk een sekte. Zo'n "wij nemen je geld en geven jou angst"-kerk. Ze is er al bij zo lang als ik me kan herinneren. Ik denk dat ze er gevoelig voor was vanwege mijn broer. Ze vindt dat ik mijn vader op een voetstuk plaats. Maar ik heb nooit illusies gehad over mijn vader. Je moet in elk geval met een van je ouders vrienden zijn, vind je niet?'

'Ja.'

'Nou, meer valt er niet te vertellen over mijn moeder.'

Er was een tijd dat ik openhartiger was over onze gezinsrelaties, maar de respons die ik kreeg was altijd: 'Lieverd, ze is en blijft je moeder.' 'Je hebt maar één moeder.' 'Het is je moeder! Ze heeft voor je geleden!'

'Wanneer heb je haar voor het laatst gezien?' vroeg Mike.

'Ik zie haar regelmatig.'

'En de laatste keer was?'

'Met mijn afstuderen.'

'Je zou haar binnenkort eens moeten opzoeken.'

'Moet dat? Waarom?'

'Omdat het moet.'

Over het algemeen waren onze moeders grandioos. Ze beschermden ons tegen de waarheid over onze vaders, bleven in een slecht huwelijk om ons kansen te geven. Maar ik had dochters gezien, ontmoet of over hen gehoord, die toegaven dat hun moeder ijdel, zwak, wreed, slonzig, dronken was. Het verschil tussen die dochters en mij was dat ik mijn moeder niet eens kende; ik had geprobeerd ons gebrek aan een relatie verborgen te houden en er vaak over gelogen. Hoe kon ik Mike vertellen over de foto die bij mijn buluitreiking werd genomen, waar mijn moeder niet op had willen staan als mijn vader naast me stond? Ik had haar gevraagd of ze die dag geen ruzie wilde maken, en ze had mij ervan beschuldigd dat ik zijn kant koos. Mijn buluitreiking was in stilte geëindigd. Ik was met beide ouders afzonderlijk op de foto gegaan, en had gezworen dat ze me nooit meer in hun ruzies zouden betrekken.

'Omdat het moet,' herhaalde ik.

'Ja,' zei Mike.

'En zo simpel is het?'

'Waarom stoppen bij B, als je van A naar Z kunt gaan?'

'Maar daar gaat het toch om in het leven? Om de pauzes die je onderweg inlast, de momenten van bezinning?'

Hij haalde zijn schouders op. 'Als de dood aanklopt, wie heeft het dan nog over bezinning? Het enige wat telt, is het resultaat, vind ik.'

'Dan kun je net zo goed meteen na je geboorte sterven.'

'Het spijt me,' zei hij.

'Hoeft niet. Ik wil alleen maar zeggen dat ik familiebanden niet zo simpel vind als de mensen hier zeggen dat ze zijn. Meer niet.'

Hij pakte mijn hand. 'Waarom maken we ruzie? Je bent te ernstig vanavond. En deze tent is gewoon ongezellig, meer iets voor toeristen. De volgende keer neem ik je mee naar iets beters.'

'Wat jij wil,' zei ik kinderachtig.

Hij irriteerde me als een wit laken. Ik wilde vlekken vinden, verborgen vuiligheid.

Het was Makossa-avond. We keken toe hoe anderen zichzelf voor gek zetten, tot Manu Dibango's 'Soul Makossa' werd gedraaid en we onszelf voor gek zetten.

Op de terugweg naar de basis reden we langzaam over een nachtmarkt. Neonlampen aan de kraampjes verlichtten de smalle straat, en juju-muziek schetterde uit een gehavende cassetterecorder op een houten kruk. Straatventers verkochten dozen suiker, badsponzen, blikjes sardines, zoethout, sigaretten en Bazooka Joe-kauwgom. Een groepje oude mannen zat bij elkaar rond een bordspel. Hun gezichten lichtten op in het schijnsel van een kerosinelantaarn, dat reusachtige schaduwen wierp op de muur achter hen. We stopten en ik schoof dichter naar het raampje om te zien welke zetten ze deden. De lucht was warm, de hemel inktzwart. Boven de muziek uit hoorde ik harde knallen. Eerst dacht ik dat het vuurwerk was, maar daar was het niet de tijd van het jaar voor, en nadat een van de junta's het had verboden, was er weinig vuurwerk meer in omloop.

Aan mijn kant van de auto rende een man over straat. Hij hield zijn handen in de lucht en schreeuwde iets. De muziek overstemde zijn woorden. Ik zag mensen op de markt overeind komen, hoorde nog een knal. De man werd naar voren gesmeten, over de achterklep van de auto achter ons. Iedereen zette het op een lopen. De oude mannen verdwenen van hun tafel. Mike keek in zijn achteruitkijkspiegel. Zijn hand lag in mijn nek. Mijn hoofd zakte op mijn knieën. Ik staarde door het gat in de bodem. Het ene moment zag ik de weg, het volgende zand. We waren in beweging. Ik vroeg me af hoe dat kon; er hadden andere auto's voor ons gestaan. Ik hoorde de motoren van andere auto's. Mike hield de claxon ingedrukt en ik drukte mijn handen tegen mijn oren. We reden over een hobbel en mijn knie ramde tegen mijn kin. Ik zag het gat niet meer. Zijn hand raakte mijn rug aan.

'Gewapende overval,' zei hij.

Ik ging rechtop zitten. 'Kwamen ze van achteren?'

We reden nu over een stadssnelweg met straatverlichting.

'De auto achter ons reed dwars over de markt,' legde hij uit. 'Ik ben achter hem aan gegaan en de rest volgde ons.'

'De mensen op de markt?'

'Gevlucht.'

Ik moest toch iets voelen. Ik wist alleen niet wat.

'Ik heb gehoord dat het universiteitsstudenten zijn. Is dat zo?'

'Ik weet het niet.'

We zeiden niets meer tot we bij een politiecontrolepost kwamen. Mike gaf de overval aan en de agent vroeg om zijn rijbewijs. De rest van de weg legden we zwijgend af.

'Gaat het met je?' vroeg hij toen we de legerbasis op draaiden.

Ik had over mijn kin zitten wrijven.

'Ja, best,' zei ik. 'En met jou?'

Hij gaf me een klopje op mijn schouder. We hielden stil bij het vrouwenverblijf en ik sloop langs Baba, die met zijn rijzweep op schoot zat te slapen. Ik wist dat ik iets hoorde te voelen. Ik wist nog steeds niet wat. In mijn kamer deed ik de deur dicht en leunde er met mijn rug tegenaan. Dat deden de mensen in de film ook.

'Ben jij het?' vroeg mijn moeder.

Boven haar neusbrug zat een plooi, waar haar frons zich had verduurzaamd. Grijs haar piepte bij de haarwortels tevoorschijn en de tijd had schaduwen onder haar ogen geworpen. Ik wist dat dat ook mijn lot zou zijn.

'Ja, ik ben het,' zei ik, geforceerd vrolijk.

'Doe je je haar nog steeds in vlechten?' zei ze.

'Ja.'

'Wil je niks nieuws proberen?'

'Nee.'

Ze liep naar haar stoel. 'Die meisjes van tegenwoordig met al die haarextensies.'

Mijn moeders huis rook naar ongebruikt linnengoed, dichte kasten, roestige deksels, mottenballen, kaarsenpit en wierook van bij de gebeden. Op haar ramen zat een dikke laag stof, en ik wist dat ze schoon zouden worden als ze iemand in dienst nam, maar telkens als ze hulp had, was die binnen de kortste keren weer vertrokken. 'Hoe is het in het leger?' vroeg ze.

'Goed, hoor,' zei ik.

'Alleen maar "goed"? Met zo'n houding kom je niet ver. Je moet proberen om meer van het leven te genieten.'

Bijna lachte ik hardop. Dat zij dit zei; zij, die altijd overal onheil zag. Als de zon scheen, kon het gaan regenen. Als er regen viel, kon dat pis worden.

'Hoe gaat het met je?' vroeg ik.

'Wel goed, alleen zijn mijn medicijnen weer duurder geworden. En mijn huurders, die zijn weer te laat met betalen.'

'Waarom nu weer?'

'Ze kunnen het niet. Ik geef ze tot eind volgende week. Als ze dan niet betalen, laat ik ze eruit zetten.'

Haar huurders geloofden gewoon niet in op tijd betalen. Mijn vader zou ze een brief sturen, beloofde ik.

'Dit is Lagos,' zei ze. 'De mensen komen pas in beweging als je hen dwingt. En jouw vader, wat kan het hem schelen? Hij heeft zijn mond vol over mensenrechten. De man heeft mijn huizen nog niet eens op mijn naam gezet. En mijn rechten dan?'

'Heeft hij dat nog niet gedaan?'

'Als jij het hem vraagt, doet hij het misschien. Je weet toch hoe dik jullie zijn. Hij denkt dat je zijn advocaat bent.' Ze tikte tegen haar borst. 'Je hebt tijdens de coup niet eens gevraagd hoe het met me ging. Je had op zijn minst langs kunnen komen om te kijken of alles in orde was met me.'

'We mochten niet naar buiten.'

Mijn moeder maakte de rekening op van datums, voorvallen, verraad en keek me lang genoeg aan om mijn leven samen te vatten. Ze was nog steeds kwaad vanwege mijn buluitreiking, dat wist ik. Maar ik was ook kwaad, en die woede stamde niet van de dag van mijn buluitreiking. Grieven hadden zich in haar botten verhard als cement, en het was moeilijk om bij haar te zijn.

'Heb je liever dat ik ga?' vroeg ik uiteindelijk.

'Je bent voor mij gekomen,' zei ze. 'Als je wilt, kun je gaan.'

Nu nam ik geen blad meer voor de mond: 'En dat allemaal vanwege één foto. Is dit wat jij wilt? Elke goede dag van je leven verzieken vanwege één man?'

'Je kunt nu meteen vertrekken als je die toon tegen me aanslaat.'

'Het kan hem niet schelen. Begrijp je dat dan niet?'

'Ga terug naar het huis waar je hebt geleerd je moeder te beledigen.'

'Jij wordt er boos om en hij vergeet het. Wat hem betreft is het allemaal verleden tijd.'

'Het is geen verleden tijd dat jij bij hem woont.'

'Het maakt mij niet uit wie er gelijk heeft.'

'Het is geen verleden tijd dat hij rondloopt als een man van eer.'

'Dat maakt me niet uit.'

'Het is geen verleden tijd dat ik in een huis woon dat nog altijd niet van mij is.'

Ik wuifde haar woorden weg.

'Zo is het nou altijd gegaan,' zei ze. 'Je hebt hem altijd al op de voet gevolgd.'

'Wat bedoel je?'

'Altijd al,' zei ze. 'Hij heeft je geen kans gegeven.'

'Je herinnert het je maar zoals je wilt.'

'Vanaf je geboorte propte hij je hoofd vol noties. Niet koken, doe dit niet, doe dat wel. Misschien had je een zoon moeten zijn om hem tevreden te stellen.'

'Wat neem je me zo kwalijk?' vroeg ik. 'Dat ik van mijn eigen vader hou?'

'Hij deugt niet.'

'Voor mij deugt hij wel.'

'Als hij voor mij niet deugt, deugt hij voor jou evenmin. Zodra je dat inziet, kun je bij mij terecht. Er is al zoveel kwaad gedaan. Je bent te blind om het te zien.'

Ik kwam overeind. 'Wil je soms dat ik aan mezelf twijfel? Is dat het?'

'Ja,' zei ze. 'Ja, jij wilt nooit luisteren. Niet als het om je vader gaat. Ga maar door. Blijf jezelf maar een rad voor ogen draaien.'

Ik geloofde haar niet meer; het ene moment de geslagen hond, het volgende moment degene die de klappen uitdeelde. Ze wist nog wat mijn vader tien jaar geleden had gezegd, maar tegelijkertijd rammelde haar reconstructie van mijn jeugd aan alle kanten. Zij, die een kind naar de kerk had gebracht om hem te genezen. Zij, die zelf continu pillen slikte. Ze leek wel zo'n moeder die de voeten van haar kind in het vuur houdt om koortsstuipen tegen te gaan. Waarom hielden die moeders hun eigen voeten niet in het vuur, als ze zo overtuigd waren van de heilzame werking ervan?

'Ga maar weg,' zei ze. 'Wie heeft je gevraagd om hierheen te komen met je problemen? Als kind gaf je me geen seconde rust, en nu kom je mij bekritiseren? Mij vragen waarom ik niet naast hem op een foto wil staan? Waarom moet ik naast hem staan? Waarom? Die man heeft me niets gegeven. Niets. Met al die geleerdheid van hem is hij geen haar beter dan de rest. En ik heb misschien jouw schoolgeld niet betaald, maar ik heb je wel op de wereld gezet. Denk daar maar eens aan terwijl je rondloopt met je diploma op zak en jezelf jurist noemt. Iemand heeft jou op de wereld gezet.'

Het kostte me heel veel moeite om haar deur zachtjes dicht te doen. Bij haar tuinhek zwoer ik dat ik mijn moeders huis nooit meer zou betreden. Sommige mensen waren standaard gelukkig, anderen waren dat standaard niet. Het had niets met mij te maken.

De conditietest, vijftien kilometer hardlopen, was al een halfuur bezig. Ik hoopte het tot aan mijn oude school te halen, om te kijken wat ervan geworden was. Mike en andere fitte types liepen voor me uit. Ik was achteropgeraakt. Mijn ademhaling ging oppervlakkiger naarmate mijn hart sneller klopte. Ik probeerde mijn waardigheid te behouden, anders dan sommige pelotongenoten, die met hun handen in de rug voortstrompelden.

Dit deel van Lagos was een sloppenwijk. Toen we langs een geel huis kwamen waar de verf vanaf bladderde, renden er een paar dikbuikige peuters naar buiten. Eentje viel bijna in de goot langs de weg; zijn moeder rukte hem terug en gaf hem een draai om zijn oren. Hij barstte in huilen uit. We kwamen langs een groepje armzalige palmbomen en een roze met wit gebouw met een uithangbord waarop stond: HOLLYWOOD HAIR — MANNYCURE — PENNYCURE — WASSEN EN DROGEN — VERSE EIEREN EN COCA COLA. Een vrouw, misschien de eigenaresse, zat in een lap stof gehuld op een krukje. Ze poetste haar tanden met een twijgje en onderbrak het poetsen om in de goot te spugen. Het rook overal naar geitenmest en ochtendmist. Ik besloot terug te gaan naar de basis.

De soldaten bij het hek keken me argwanend na toen ik door de poort het universiteitsterrein op liep. Ik herinnerde me hoe ik had geprobeerd hen om te kopen zodat ik overdag weg mocht, net als mijn kamergenote. Ze stonden te wachten terwijl ik in mijn broekzak naar geld zocht. Later zei Mike: 'Je zegt elke dag netjes hallo tegen hen, en dan geef je ze iets om een biertje van te kopen. Zo doe je dat. Je zwaait níét met bundels nairabriefjes. Waar heb jij gezéten?'

Ik had hem wel kunnen slaan.

Een auto toeterde. Ik draaide me om en zag een nieuwe Peugeot. Ik stapte opzij om de auto langs te laten, maar hij stopte. De voorruit was van getint glas, dus ik kon de bestuurder niet zien, maar zodra het raampje omlaag ging, wist ik het.

'Sheri Bakare,' zei ik.

Alsof ik een gedroogde bloem terugvond die ik allang was vergeten. Haar glimlach was minder breed; haar roze tandvlees leek verdwenen.

'Aburo,' zei ze. 'Ben jij het echt?'

'Wat doe jíj hier?'

Ze lachte. 'Ik kom net bij mijn broer vandaan.'

'Welke?'

'Gani.'

'Woont Gani hier? Ik word te oud. Veel te oud.'

We hielden elkaars hand vast. Ze droeg een gele agbada met

goudborduursel langs de halsopening en een hele vracht gouden ringen aan haar vingers.

'Wil je een lift?' vroeg ze.

In haar auto rook het naar parfum en nieuwe leren stoelen. Ik zat stram rechtop omdat ik droop van het zweet. Sheri remde af voor een drempel.

'Waarom zit je in dienst?' vroeg ze.

'Ik ben net klaar met mijn rechtenstudie.'

'Je bent advocaat?'

'Ja, en jij?'

'Ik heb de lerarenopleiding gedaan.'

'Jij bent lerares?'

'Ik? Nee.'

We reden de atletiekbaan voorbij en stopten bij het vrouwenverblijf. Toen we uitstapten, deed Sheri een sjaal om haar hoofd en leunde tegen de auto. Ze bewoog met de gratie van de weelderige vrouwen die ik zo prachtig vond: als een statig schip op ruwe zee. Ik zag dat ze hooggehakte zwarte sandalen droeg, waarvan de gespen met strasssteentjes bezet waren. Het was halfelf 's morgens.

'Je ziet er goed uit,' zei ik.

'Jij ook,' zei ze. 'Nog altijd even slank, en je probeert niet eens om mij te vertellen dat ík dat ben.'

Ik lachte. 'Ik zou niet durven, Miss Nigeria.'

'O, herinner me daar niet aan,' zei ze. 'Al die magere meisjes. Ik heb in elk geval een knap snoetje, *sha*.'

'Een mooi snoetje,' zei ik.

Zelfs met die grote oren van haar. Ze tuitte haar lippen en haar wangen trokken hol terwijl ze sprak.

'Ik hoorde dat je die zomer naar Engeland bent gegaan,' zei ze. 'Ik wilde dat ik er ook heen had gekund, in elk geval om te studeren.'

'Waarom deed je dat dan niet?'

'Mijn vader ging dood.'

'Wat erg. Ik had alleen gehoord dat jullie waren verhuisd.'

'Hij is doodgegaan,' zei ze en ze schraapte met haar schoen over de grond. 'En Alhadja zijn we ook kwijtgeraakt. Niet lang daarna.'

Ik zag haar sandalen onder het stof komen.

'Herinner je je Kudi nog?' vroeg ze.

'Hoe zou ik haar kunnen vergeten?'

'Ze is eerstejaars op de universiteit van Lagos. Ik heb haar kortgeleden nog opgezocht. Je zou haar moeten zien, nee, dat hele stel, negentien jaar oud en ze dragen de laatste mode. Geen wonder dat Kudi steeds om geld vraagt.'

'Moeten ze niet studeren?'

Ze tuitte haar lippen. 'Daar staat hun hoofd niet naar. Hun hoofd staat naar jongens met een auto. Ik zei tegen Kudi: "Als je kleren wilt, pak dan wat van mij." Maar ze zei dat ze die van mij niet hoefde.'

'Waarom niet?'

'Ze zei dat ik me kleedde als een ouwe taart. Geloof jij dat nou? Dat ze dat zomaar tegen me zei? De jeugd van tegenwoordig. Geen respect. Wij waren zo niet, dat weet ik zeker.'

Ik lachte. 'Hoe gaat het met haar?'

Het was alsof ik Sheri gisteren nog had gezien. Ze praatte verder over haar zus, en ik moedigde haar aan, alleen al omdat het zo'n makkelijk onderwerp was. Voor ik doorliep, schreef ik haar adres op en beloofde dat ik dat weekend langs zou komen. Het appartementencomplex lag niet ver van mijn vaders huis, en ik wist dat ze daar niet kon wonen zonder geldschieter. Maar Sheri was een suikermeisje, zoals we in Lagos zeiden; ze had een man, een oudere man, misschien wel even oud als mijn vader, en die betaalde de huur voor haar.

'Echt komen, hè,' zei ze. 'Ik voel me daar eenzaam.'

Die zaterdagochtend reed ik vanaf het vasteland over de brug naar Lagos Island naar haar toe. Er lagen een paar vrachtschepen voor anker in de jachthaven. Aan de overkant kwam een deel van het handelscentrum in zicht, dat ik vanuit de auto had leren kennen. Een ratjetoe van wolkenkrabbers tekende de skyline, met daartussenin saaie, betonnen blokken zonder verdieping, bedekt met roestige golfplaten. Het waren voornamelijk werkplaatsen, met uithangborden die hard aan vernieuwing toe waren en een web van elektriciteitsdraden en telefoonlijnen erboven.

De Atlantische Oceaan spoelde onder verschillende namen rond Lagos, nu eens bijna stilstaand en modderig, dan weer hoog opspattend en helder: Kuramo Waters, Five Cowry Creek, Lagos Marina, Lagos Lagoon. Het was hetzelfde water. Geasfalteerde bruggen verbonden de eilanden met het vasteland en de lucht zag er altijd even verdrietig uit, als iemand van wie de geliefde elke belangstelling had verloren. De mensen keken er zelden naar, zelfs niet naar de amberkleurige zonsondergangen. Als de zon onderging, betekende het dat er weldra geen licht meer was, en de inwoners van Lagos zagen graag waar ze gingen. De straatverlichting werkte hier niet altijd.

Er woonden miljoenen mensen in Lagos. Sommigen waren er geboren en getogen, maar het merendeel kwam van het platteland. Alsof het weer geschapen was om te straffen of te belonen, ontlokten de elementen geklaag of dankbaarheid: 'Zon brandde op mijn hoofd' en 'Bries bracht me koelte'. Meestal was het alsof er wel een miljard mensen in de doolhof van straten en steegjes krioelde: bedelaars, secretarissen, aannemers in overheidsdienst (dieven, volgens sommigen), Area Boys, straatkinderen. Hun welstand kon je aflezen aan de staat waarin hun schoenen verkeerden. Bedelaars gingen natuurlijk blootsvoets. Dat niemand de hemel opmerkte, kwam doordat iedereen zich op de voertuigen concentreerde. Er heerste een constant verkeerslawaai, met knallende uitlaten en motorgeluiden, en forenzen haastten zich van de ene naar de andere kanariegele bus of naar de privétransportbusjes die we *kabukabu* of *danfo* noemen. Ze droegen dan Bijbelse opschriften – DE LEEUW VAN JUDEA, GOD REDT – maar hun chauffeurs reden als duivels. En om de wanorde compleet te maken: vee, dat op een vuilnisbelt stond te grazen; een man in een rolstoel, die de stadssnelweg overstak; een straatventer met een Webster's woordenboek in de ene hand en een toiletborstel in de andere.

Er waren talloze reclameborden: PEPSI, BENSON & HEDGES, DAEWOO, INDOMIE INSTANT NOODLES, DRIVE CAREFULLY, FIGHT CHILD ABUSE. Alle geuren sloegen de handen ineen, van zweterige huid tot en met de uitlaatgassen, en de hitte was van het soort dat je deed fronsen, diep deed fronsen, tot je iets zag wat je aan het lachen maakte: een hevig foeterende taxichauffeur; andermans hartgrondige zelfverwensingen; de *All right-Sirs*, onze steedse lofzangers of dubieuze bedelaars, die voor geld iedereen de hemel in prezen. Chief! Professor! Uwe excellentie!

Het was geen gemakkelijke stad om van te houden; een heksenketel van welig tierende handel op de geringste straathoek, in winkels, over de hoofden van straatventers heen, zelfs in de voorsteden, waar woonhuizen afhankelijk van de vraag werden omgetoverd in banken of kapperszaken. Het eindresultaat was vuilnis, bergen vuilnis, op straat, in de open goten en op de marktpleinen, die een eerbetoon waren aan zowel handel als vuilnis. Mijn favoriete tijd van de dag was de vroege ochtend, voordat de mensen er hun inbreuk op pleegden, als de lucht nog koel was en ik alleen de oproep hoorde vanuit de Centrale Moskee: *Allahoe akbar, Allahoe akbar*. Dat brommende geneurie wanneer de stad op haar stilst was; voor mijn gevoel klopte het.

Bij de Christuskathedraal reed ik de file in en werd door een groepje lepralijders in het nauw gedreven. Eentje tikte er op mijn raampje en ik draaide het omlaag om wat geld in zijn tinnen kop te doen. Een aantal vluchtelingenkinderen uit Noord-Afrika merkte mijn gebaar op en haastte zich naar mijn auto. Ze wreven over mijn ramen en bedelden met drama. Ik schaamde me omdat ik hen van de straat wenste. Voorbijgangers maakten gebruik van de treden van de kathedraal zonder zich aan enig verbod te storen. Ooit had die de haven een monumentaal aangezicht gegeven, nu konden de mensen er terecht voor geroosterde pisangs, bh's en muggenvangers, pal voor de ebbenhouten deuren. Het verkeer kwam weer in beweging en ik reed verder.

Ik dacht aan mijn moeders medicijnen en maakte een omweg naar een marktdistrict om de prijs ervan te controleren. De straten daar waren smalle steegjes, met aan weerskanten diepe goten op centimeters afstand van de autobanden. Vanuit bomvolle kramen beukte lichtblauw neonlicht op je netvlies. De plaatstalen daken hingen over elkaar. Ik riep naar een jongeman achter een apothekerskraampje: 'Heb je Propanolol?'

Hij knikte.

'Laat eens zien,' zei ik.

Hij kwam haastig naar me toe en hield het flesje voor me op. Ik controleerde de houdbaarheidsdatum.

'Dit is over de datum,' zei ik.

Hij griste het uit mijn handen en liep weg.

Ik reed snel door tot een grote rotonde. Op het midden ervan zat een groep politie-echtgenotes te wachten op klanten die hun haar gevlochten wilden hebben. Sommige hadden een baby op de rug, maar kwamen niettemin achter mijn auto aan. Ik herkende een van hen, die mijn haar regelmatig vlocht, en zwaaide. Lagos was overwoekerd door mensen: bestuurders, venters, winkelaars, wandelaars, bedelaars. En krankzinnigen. Die laatste categorie ging soms over straat met alleen wat straatstof op hun schaamdelen. Ooit had ik een vrouw zo gezien. Ze was zwanger.

Tegen de tijd dat ik bij Sheri aankwam, voelden mijn schouderspieren aan als strak opgeschroefde veren. Ze deed open, weer in een kleurige agbada, met bijpassende sjaal om haar hoofd. Ik snoof de lucht op.

'Wat ben je aan het koken?'

'Een hapje.'

'Voor mij?'

Ze duwde me bij mijn schouder naar binnen. Sheri's appartement was als een boeket kunststofbloemen. Elk meubelstuk was bekleed met een bloemmotief, het een in poederige pasteltinten, het ander in schreeuwend rood en geel. Bijna verwachtte ik de doordringende lucht van potpourri in plaats van die van uien en pepers die in haar keuken stonden te sudderen.

'Ga zitten terwijl ik het afmaak,' zei ze.

Ik zonk neer op een bank vol narcissen en zag toen de porseleinen miniaturen op haar salontafel: kittens, een vrouwenfiguur met paraplu en een huisje met het opschrift OOST WEST, THUIS BEST. De kittens stonden op een rij. Ik wist zeker dat ze het zou merken als ik er eentje verschoof. De kussens op de banken waren al even keurig gerangschikt, op exact dezelfde afstand van elkaar.

Het aroma van peper kraste achter in mijn keel. Ik hoorde haar in de weer met een pan en borden. 'Ik hoop dat ik daar wat van krijg,' zei ik.

'Neem maar zo veel als je wilt,' zei ze. 'Ibrahim eet niet veel.'

'Ibrahim?'

Haar hoofd verscheen om het hoekje. 'Hassan,' zei ze. 'De brigadier. Heb je van hem gehoord?'

Een lange magere man die polo speelde. Hij verzamelde polopaarden en vrouwen zo jong als zijn dochters en stond tijdens het polotoernooi in Lagos continu in de krant.

'Hij heeft een maagzweer,' zei ze en ze verdween in haar keuken.

Ik staarde naar het plekje waar haar hoofd was geweest.

'Behandelt hij je goed?'

Ze kwam weer tevoorschijn en veegde haar handen af aan een theedoek. 'Ik woon hier. Ik hoef me geen zorgen te maken over geld.'

'Ja, maar behandelt hij je goed?'

Ze ging zitten. 'Wie van onze mannen behandelt een vrouw echt goed?'

'Ik ken er niet veel.'

'Zie je wel,' zei ze.

Ik inspecteerde mijn vingernagels. 'Is hij niet getrouwd, Sheri?'

Polygamie was risqué. Vrouwen van onze generatie die daarvoor kozen, kregen uiteindelijk een reputatie die verre van conventioneel was.

Ze knikte. 'Met twee vrouwen. Hij kan er met nog twee trouwen als hij wil. Hij is een moslim.'

'Is dat wat je wilt?'

Ze lachte. 'Wat ik wíl? Alsjeblieft, praat me niet van willen. Wie bekommerde zich om mij toen mijn vader stierf? Chief Bakare is dood, God zegene zijn gezin. We wisten niet eens waar onze volgende maaltijd vandaan zou komen en het kon niemand wat schelen. Zelfs mijn oom niet, die al mijn vaders geld inpikte.'

'Maar je vader en je oom waren vrienden.'

Ze schudde haar hoofd. 'Laat je niks wijsmaken. Bid maar dat je je vrienden nooit nodig hebt, want dan kom je er pas achter hoeveel twee plus twee echt is. Luister, ik zorg voor mijn familie, ik zorg zelfs voor Ibrahim. Ik sta sinds vanochtend vroeg in de keuken. Misschien komt hij niet opdagen, het zou de eerste keer niet zijn. En al moet ik een sjaal om mijn hoofd als ik naar buiten ga...'

'Moet je een sjaal om je hoofd?'

'Hij is een strikte moslim.'

Ik rolde met mijn ogen. Ik kende strikte moslims. Oom Fatai was er een. Hij was zachtaardig en monogaam. Zijn enige ondeugd was zijn mateloze eetlust. Zijn vrouw was rechter in Lagos State, en ze hield haar hoofd bedekt omdat ze dat zelf wilde.

'En al mag ik af en toe de deur niet uit,' zei Sheri.

'Je mag van hem niet naar buiten? Wat komt daarna? Purdah?'

Ze lachte.

'Jij vindt dat grappig?' zei ik. 'Je bent hier te goed voor, Sheri. Jij kunt hebben wie je wilt.'

'Wie zegt dat? Weet je nog wat er met me is gebeurd?'

Ik wist alleen dat ze het krachtigste meisje was dat ik ooit had gekend, en nu was ze dat niet meer. Ze stelde me teleur.

'Daar gaat het niet om,' zei ze. 'Zeg het maar hardop. Ik heb hen niet verkracht, maar zij mij, en als ze me zien kunnen ze maar beter een straatje omlopen.'

'Een stáát omlopen. Een heel halfrond,' mompelde ik.

'Ja,' zei ze. 'Zo ver mogen ze omlopen, want als ik ze in mijn handen krijg, kunnen ze lopen wel vergeten.'

In mijn gedachten waren de jongens belachelijk, met hun bloeddoorlopen ogen, hun marihuana en hun magere lijven. Ik zou ze moeten opblazen tot groteske proporties om duidelijk te maken waarom ze haar leven beheksten en waarom ik nog altijd niet over hen kon praten.

'Ik wist het niet,' zei ik verontschuldigend. 'Ik had niet tegen je moeten praten alsof het jouw schuld was.'

'En ik,' zei ze, 'wat wist ik nou helemaal? Mezelf vanbinnen kapotmaken met een kleerhanger na al mijn bijlessen biologie. Ik dacht nog steeds dat ik daarbinnen een zwart gat had. Dus, welke ongetrouwde man van een normale familie zou iemand als mij willen hebben?'

Je kon beter lelijk zijn, kreupel, een dief zelfs, dan onvruchtbaar. We waren allebei grootgebracht met het motto dat de gelukkigste dagen van ons leven de dagen zouden zijn dat we ons eerste kind ter wereld brachten, dat we trouwden, dat we onze bul uitgereikt kregen. In die volgorde. Het werd een vrouw vergeven als ze een kind kreeg zonder getrouwd te zijn als er geen hoop was op een huwelijk, en het zou haar worden afgeraden om te trouwen als ze haar opleiding nog niet had afgemaakt. Het huwelijk zette een streep onder een verleden als slet, maar engel of geen engel, een vrouw móést een kind hebben. Het leek alsof ik met mijn terugkomst naar Nigeria in het Engeland van de jaren vijftig was gestapt.

'Je bent sterk,' zei ik.

'Geen keus,' zei ze.

Ik had op mijn handen neer gekeken. Mijn nagels waren zacht en groeiden niet voorbij mijn vingertoppen. Ik nam nooit de moeite om ze te lakken. Sheri's nagels waren gelakt en ze klikte ze soms onder het praten tegen elkaar. Zelfs al klonk ze cynisch, ik had altijd gedacht dat cynici en krankzinnigen eerlijk waren: ze weigerden zich blind te houden voor de slechte dingen in het leven.

'Kom, we gaan eten,' zei ze.

Haar stiefmoeders hadden het gezin bijeen gehouden met de handel in gouden sieraden. Italiaans goud was het beste, zei Sheri. Achttien-karaats, en de Italiaanse handelaars waren niet anders dan de Nigeriaanse; allemaal zetten ze een keel op en onderhandelden ze eindeloos. Saoedisch goud was ook goed. Daar hadden ze het vierentwintig-karaats dat de mensen uit Lagos bij traditionele gelegenheden droegen. Sheri gaf niet veel om het goud uit Hongkong. Te geel, het stond niet mooi bij onze huid. Indiaas goud evenmin. Ze zou nooit veertien-karaats goud kopen, zoals de Amerikanen, of negen-karaats, zoals de Britten. Nooit.

Het water liep me in de mond toen ze met de ene na de andere stomende Pyrex-schaal kwam aanzetten. Sheri had gerechten gemaakt die ik in mijn vaders huis zelden zag: *jollof*-rijst, *egusi*, gestoofd rundvlees met spinazie en geplette meloenpitten, en *eba*, een gerecht van gemalen cassave. Ze had genoeg peper gebruikt om mijn verhemelte in brand te zetten. Ik traande onder het eten. Sheri strooide ondertussen nog wat gedroogde peper over haar bord, omdat het haar nooit heet genoeg kon zijn.

'Ik kook voor een hele week,' vertelde ze. 'Soms neemt Ibrahim vrienden mee en dan moet er eten zijn. Het zijne maak ik apart. Hij kan geen peper hebben met die maagzweer.'

'Wat een onzin.'

'Waarom?'

'Je bent zijn kok toch niet.'

'Zie jij dat zo?'

'Wie heeft er nou tijd om van 's morgens vroeg tot 's avonds laat in de keuken te staan?'

Ze schudde haar hoofd. 'Je bent te lang weg geweest. Je bent een botertje geworden.'

'Het is gewoon onbeschoft van hem, dat is alles.'

Ze lachte zo hard dat ze het bijna in haar broek deed.

'Is dit wat je in het buitenland hebt geleerd, aburo?'

Ik wachtte tot ze zou ophouden.

'Wil jij ooit trouwen?'

'Misschien,' zei ik.

Ze leunde naar voren. 'Misschien weet je dit niet omdat je door je vader bent opgevoed, maar laat me je het nu dan vertellen, dat bespaart je in de toekomst een hoop koppijn. Vergeet die flauwekul. Opleiding verandert niets aan wat er door iemands aderen stroomt. Je kunt amok maken en schreeuwen wat je wilt, met je hoofd tegen de muur beuken, maar uiteindelijk kom je in de keuken terecht. Punt uit. Het grote verschil tussen mij en de meeste vrouwen is dat ik je vermoord als je je hand tegen me opheft. Daar denk ik geen twee keer over na. Maar ik peins er niet over om vergif in het eten te mengen dat ik voor je kook, alleen maar omdat je van de stoofpot van een andere vrouw hebt geproefd.'

'Want?'

'Ik krijg wat ik wil hebben,' zei ze.

'Liefde?'

'O alsjeblieft, zusje van me.'

'Seks?'

Ze zoog aan een bot. 'Kom nou, wat kunnen die twee nou voor je doen?'

'Geld?'

Ze wierp het bot op haar bord.

'Op een dag gaan je ogen wel open.'

Tegen de tijd dat ik klaar was om te vertrekken, ontplofte ik bijna, maar Sheri wilde er niet van horen. Ze schepte nog wat jollof in een Tupperware-bakje en gaf het aan mij.

'Je zou een cateringzaak moeten beginnen,' zei ik.

'Ik wou dat dat kon,' zei ze.

'Wat houdt je tegen? Je zit op een goede locatie; je stiefmoeders kunnen koken en je vertrouwt ze.'

'Ik kan niet komen en gaan wanneer het mij uitkomt.'

'Dat wil ik niet horen, Sheri.'

'Echt, dat gaat niet.'

Het drong tot me door dat ze serieus was.

'Oké,' zei ik. 'Mijn vader ontvangt nu en dan gasten en zijn kok is een verschrikking. Ik zal jouw naam noemen.'

Met klopjes op mijn schouder bracht ze me naar de deur. 'Bedankt, aburo.'

Toen ik naar buiten liep, bedacht ik dat ik blij mocht zijn dat ik geen knap gezichtje had. Een knap gezichtje kon mensen ertoe brengen een vrouw te behandelen als een pop, waarmee je kunt spelen en hannesen, die naar believen bevingerd, gevierendeeld en afgedankt kan worden. Een knap gezichtje kon een vrouw lui maken als ze er te vaak om geprezen werd en te lang om beloond. Voor de Nigeriaanse man was Sheri de ideale vrouw: knap, weelderig en geel bovendien, iemand die haar plaats min of meer kende. Ze was een keukenmartelares geworden. Misschien was ze wel helemaal vergeten hoe ze haar hersens moest gebruiken.

Ik nam haar jollof mee naar mijn vader; het bakje was nog buigzaam en warm toen ik aankwam. In de loop der jaren was onze buurt veranderd. Nieuwe huizen en appartementencomplexen stonden waar ooit het park zich had uitgestrekt, en verzakten in de drassige grond. Toch werd Ikoyi Park nog steeds beschouwd als een eersteklas locatie. Ik trof mijn vader met een brief in zijn handen aan op de veranda.

'Hallo, liefje,' zei hij.

'Ben je alleen?' vroeg ik.

'Ja.'

Ik ging in de rieten stoel naast de zijne zitten. 'Hmm. Werken in het weekend. Vertel me niet dat Peter Mukoro weer problemen heeft met de overheid.'

Mijn vader bevestigde niets, maar ik was er zeker van dat Peter Mukoro genoeg rechtszaken tegen zich had lopen om vijftig advocaten fulltime werk te bezorgen.

'Waar is Titus?' vroeg ik.

'Vrije dag,' zei hij.

'Dan heb je geluk. Ik heb jollof voor je meegebracht.'

Hij pretendeerde diep geschokt te zijn. 'Ik weet dat jij dat niet hebt gekookt. Maakt dit deel uit van militaire dienst?'

Ik glimlachte. 'Het is van een vriendin van me. Ze heeft een cateringzaak.'

'Welke vriendin van jou zit in de catering?'

'Sheri.'

'Die ken ik niet.'

'Vroeger woonde ze hiernaast.'

Zijn blik volgde mijn vinger. 'Een dochter van Chief Bakare?'
Ik knikte.

'Die ene die...'

'Ja, die ene die, en nu zit ze in de catering, dus als je een keertje hulp nodig hebt...'

Mijn vader richtte zijn aandacht weer op de brief. 'We zullen zien of ze een beetje kan koken.'

Ik ging naar de keuken en zette het bakje in de koelkast. Afgezien van twee flessen water, een gerimpelde sinaasappel en drie afgedekte schaaltjes was mijn vaders koelkast leeg. Titus, zijn kok, was een kippige oude man uit Calabar. Hij kon nog geen paprika van een tomaat onderscheiden, maar toch kwam hij de zitkamer in om statig aan te kondigen dat 'het diner was opgediend'. De eerste keer dat ik dat meemaakte, vroeg ik mijn vader wat er in vredesnaam gaande was in zijn huis. Het diner in kwestie bestond uit bonen en gebakken pisangs. Het diner bestond altijd uit bonen en gebakken pisangs, op de enkele keer na dat het uit gekookte yams en stoofpot van cornedbeef bestond. Mijn vader antwoordde: 'Titus werkte vroeger voor een Britse familie. Hij mag zeggen wat hij wil, zolang hij maar geen gekookte aardappelen op tafel zet.'

Mijn vader vertrouwde Titus, vertrouwde hem voldoende om hem alleen in huis te laten. Titus corrigeerde nu en dan mijn Engels.

Ik ging terug naar de veranda.

'Hoe is het met je?' vroeg mijn vader.

'Goed,' zei ik.

Hij gaf me een klopje op mijn arm. 'Dat verandert nog wel als je eenmaal voor mij werkt.'

'Geef me een goed salaris, meer vraag ik niet.'

'Ik geef je een salaris dat bij je ervaring past.'

'Als je maar niet krenterig doet.'

Hij deed alsof hij me niet had verstaan. 'Wat?'

'Ik zei "als je maar niet krenterig doet", want er zijn er genoeg die me in dienst willen nemen.'

'Wie dan?' vroeg hij.

'Oom Fatai,' zei ik.

'Fatai is gieriger dan ik.'

'Nou, denk erom dat je me netjes behandelt. Op een dag zul je me smeken om de zaak van je over te nemen.'

We keken naar de baai. Het water was stil, zonder ook maar een rimpeling rond de staken die de vissers hadden achtergelaten om aan te geven waar ze hun netten hadden uitgezet.

'We hadden van de week wat problemen,' zei mijn vader.

'O? Wat was er dan?'

'Vissers. Ze zijn over het hek geklommen en hebben drie stoelen gestolen.'

'Ik dacht dat die in de garage stonden.'

'Ze werden gestolen.'

'Wat moeten vissers nou met rieten stoelen?'

'Verkopen.'

'We hadden die stoelen al jaren.'

'Het gaat me niet om de stoelen,' zei hij. 'Het gaat me om wat er met ons land gebeurt. Mannen die hun brood verdienen met de visserij worden dieven. Het gaat fout hier.'

Ik schudde mijn hoofd. 'Wat moet er gebeuren wil het beter worden, papa?'

'Het leger moet vertrekken. We moeten stemmen op een goede leider.'

'Maar kijk nou naar de laatste burgerregering; al die dure feesten, de verduisteringszaken, noem maar op.'

'Dat was 1979.'

'In de volgende ronde duikt gewoon hetzelfde slag politici weer op.'

Mijn vader knikte. 'Laat ze maar komen. We verdrijven ze met stemmen. Alles beter dan dit. Het kan die jongens van het leger niet schelen. Hun politieke beleid hangt van willekeur aan elkaar, ze schorten de grondwet op, verzieken ons rechtssysteem met hun decreten... zetten mensen gevangen zonder tenlastelegging. Ik ben ervan overtuigd dat ze dit land met opzet naar de knoppen helpen.'

'Wat hebben ze daar nou aan?'

'Joost mag het weten. De meesten zijn tegenwoordig miljonair. Misschien is het een spelletje. Ik begrijp het ook niet.'

Voor mijn vader was de politiek nog steeds zijn grote passie, maar ik was door één enkele gebeurtenis in een andere wereld geslingerd. Sindsdien bezag ik de wereld door een donkere bril, met een kritische blik waarmee ik een wanhoop registreerde waar ik weinig aan kon doen. Sheri's brigadier bijvoorbeeld: was hij een van die militairen die me hadden beroofd van mijn stemrecht, of was hij zo'n huistiran die me in alle ernst deden wensen dat ik iemand in elkaar kon rammen?

'Vijfentwintig jaar onafhankelijkheid,' ging mijn vader verder. 'En nóg leven we met deze onzin. Geen licht, geen water, mensen vallen als vliegen, voor hun tijd, aan een of andere ziekte.'

Ik dacht aan mijn moeder.

'Ik ben vorige week bij mama langsgeweest,' zei ik.

'O, ja? Hoe gaat het met haar?'

'Ze zegt dat haar medicijnen duurder zijn geworden.'

Mijn vader zei niets.

'En dat haar huurders achter zijn met de huur. Kun je hun een brief sturen?'

'Tijdverspilling. Ik stuur er wel een van de jongens op af.'

'Ze zei ook dat de huizen nog steeds op jouw naam staan.'

Mijn vader wreef over zijn voorhoofd. 'Ik heb nog geen kans gezien om ze over te schrijven.'

'In tien jaar tijd niet?'

'Je moeder praat niet met me, dus hoe moet zij me eraan herinneren?'

'Nou, ik herinner je er nu aan. Zet de huizen alsjeblieft op haar naam.'

'Ze wacht maar,' zei hij. 'Na wat zij heeft gedaan, mijn naam overal te grabbel gooien, proberen me te laten royeren. Als ik dat onroerend goed op haar naam zet, geeft ze het waarschijnlijk aan die kerk van haar.'

'Alsjeblieft,' zei ik. 'Zet de huizen op haar naam.'

'Ze int de huur. Wat voor verschil maakt een naam nou?'

'Dan zijn ze van haar,' zei ik.

Meer zei ik er niet over, maar het zette me wel aan het denken over hem, en dat hij deed alsof hij niet beter wist. Ik hoorde mijn moeders stem weer, haar beschuldiging dat ik altijd zijn kant koos, en besloot dat ik er vanaf nu achterheen zou zitten.

Ik bleef bij hem tot de zon onderging. Mijn vader drong erop aan dat ik naar de basis terug zou keren, vanwege de gewapende overvallers die na het donker de straten onveilig maakten. Het schemerde toen ik de Third Mainland Bridge op reed, en de Lagos Lagoon eronder leek op een plaat ijzer. Hoewel het wegdek van de brug in betere staat verkeerde en minder scheuren vertoonde dan dat van andere routes, was er geen straatverlichting en waren sommige delen van de stalen vangrail vernield door dieven, die er stukken van meenamen om ze om te smelten tot messen en vorken. Ik rook de geur van brandend hout, afkomstig uit een nabij gelegen dorp. Ze leefden daar van de houtkap. Ik dacht aan Mike. Ik had hem gemist. Hij was bezig aan een van zijn projecten en zou pas morgen terugkomen. Ik besloot hem te verrassen. Zo laat was het nou ook weer niet.

Er was een stroomstoring in de wijk toen ik er aankwam. In dit deel van Lagos stonden de huizen dicht opeen, van elkaar gescheiden door hoge, bakstenen muren waarop glasscherven waren aangebracht om dieven te weren. Een groepje tieners hing rond aan de overkant van de straat. Ik parkeerde voor zijn huis en rammelde aan het hek. Er kwam een man in een pyjamabroek en een wit hemd naar buiten.

'Goeienavond,' zei ik.

''navond,' zei hij en hij krabde over zijn buik.

'Ik kom voor meneer Obi.'

'Obi? Die woont achter.'

Hij wees naar het pad dat achterom leidde. Ik zag iemand met een zaklamp naar buiten komen. Het was Mike. De man ging terug naar binnen.

'Wie was dat?' vroeg ik terwijl Mike het hek van het slot haalde.
'Mijn huisbaas,' zei hij.

Hij liet de dikke ketting tussen de spijlen van het hek door glijden en duwde het open alsof hij me al had verwacht.

'Ben je niet verrast om me te zien?' vroeg ik.

'Ik ben er blij om,' zei hij, mijn hand vastpakkend. 'Kom mee, ik wilde net aan iets beginnen.'

Hij ging voorop en hield zijn zaklamp hoog. We liepen langs de zijkant van het gebouw.

Mikes appartement was een atelier; daar leek het tenminste op. Normaal gesproken woonde de zoon van de huisbaas er, een oud-klasgenoot van Mike die zijn diensttijd buiten Lagos doorbracht. Mike huurde het van hem voor de rest van het jaar: een grote ruimte met twee deuren naar een keukentje en een badkamer. In een hoek op de vloer lag een matras, bedekt met een patchwork sprei van tiedye-lapjes. Ernaast stond een houten rek waar hij zijn broeken en hemden overheen hing. Een oude bank, met een groot, zwart en rood geborduurd Fulani-kleed erover, bood de enige zitplaatsen. Al het andere stond in direct verband met zijn werk: een ezel, een tekenbord, vloeipapier, bruin papier, potloden, krijt, een zwartleren portfolio, plakband. Langs de muren stonden verscheidene mozaïeken die hij af had, en op een tafel lag een plaat hardboard, omringd door glazen potjes vol kleur.

'Wat zijn dat?'

'Kralen,' zei hij.

Ik liep op het dichtstbijzijnde mozaïek af en bleef ervoor staan. 'Breng die zaklamp eens.'

Dat deed hij, waardoor mijn schaduw over het mozaïek viel. Ik deed een stap opzij en keek nog eens. Het was het profiel van een vrouw, diepbruin, met groene spikkeltjes in haar oog.

'Wie is dat?'

'Ala.'

'Wie?'

'De moeder van de Aarde.'

'Van wiens aarde?'

Hij glimlachte. 'Ze is een Igbo-godin.'

Ik liep door naar de volgende. 'Eh... en dit?'

Op een houten plaat bijna zo breed als ik lang was, was in zwarte en witte kralen de vorm aangebracht van een naakte vrouw met gespierde schouders. Ik strekte mijn hand ernaar uit.

'Mag ik het aanraken?'

'Voorzichtig,' zei hij.

Ik liet mijn vingers over haar voorhoofd glijden, wat me een tintelend gevoel gaf. 'Kralen,' mompelde ik. 'Plak je ze op?'

'Een voor een,' zei hij.

'Hoe lang doe je erover?'

'Over die heb ik acht maanden gedaan,' zei hij.

Ik haalde diep adem. 'Is het een vrouw of een man?'

'Geen van beiden.'

'Een hermafrodiet? Ik heb ooit gedacht dat ik een hermafrodiet was. Dat was voor ik ongesteld werd.'

Hij lachte, waardoor de lichtbundel door de kamer danste.

'Dat is Obatala.'

Ik trok mijn neus in rimpeltjes. 'Wie?'

'En jij bent een Yoruba?' zei hij.

'Geboren en getogen.'

'Je kent je goden niet eens.'

'Moet dat dan?'

'We hebben niet genoeg respect voor ons erfgoed.'

'Ik heb respect voor mijn erfgoed en voor het feit dat het zich ontwikkelt en verandert.'

Hij liep naar de tafel en legde zijn zaklamp neer. 'De religie van de Yoruba is de meest geëxporteerde Afrikaanse religie. Cuba, Brazilië, Haïti.'

Ja, ja, ja, zei ik, bij elk land. Hij negeerde me.

'Iedereen kent Afrodite, maar vraag de mensen of ze weten wie Oshun is...'

'Wie's dat?' onderbrak ik hem.

Ik glimlachte. Ik had hem van begin af aan willen stangen. Waar had hij het eigenlijk over? Hij was katholiek, hij was niet eens een Yoruba. Hoeveel begreep hij echt van onze goden? En mijn Yoruba-zijn was net zoiets als mijn vrouwzijn. Al schoor ik mijn hoofd kaal en liep ik de rest van mijn leven op mijn handen, dan nog was ik een vrouw, en een Yoruba. Er was geen paradigma. Elke beschaving begon en eindigde met een niet perfect menselijk wezen.

'Oshun is jullie Afrodite,' zei hij.

'En die Obatala?'

'De schepper van de menselijke vorm.'

'En toch maak je een vrouw van hem.'

'Sommige culturen, de Braziliaanse afstammelingen van de Yoruba meen ik, zien hem als vrouwelijk.'

'Waarom is ze in zwart-wit?'

'Ze zeggen dat alles wat wit is van hem is: melk, botten.'

Ik tikte op de rand van het mozaïek. 'Ik vind haar mooi,' zei ik. 'Maar ik word er ook een beetje bang van.'

'Hoezo?'

'Dat je er de goden mee aanroept.'

'Het is kunst, geen idolatrie.'

Ik schudde mijn hoofd. 'Het is niet goed.'

Hij wees naar de houten plaat op tafel.

'Wie bepaalt er wat goed is? De Yoruba geloofden dat de wereld van water was. De goden lieten zich aan een ketting neer met een kalebas vol aarde, een jonge haan en een kameleon. Ze strooiden de aarde uit over het water, de jonge haan verspreidde die, de kameleon liep eroverheen om te zien of het veilig was, er kwamen nog meer goden en de wereld werd geboren. Een prachtverhaal. Minder geloofwaardig dan een verhaal over twee naakte mensen in een tuin? Ik weet het niet.'

Ik ontdook een denkbeeldige bliksemschicht. Tussen mijn moeders godsdienstverering en mijn vaders desinteresse in had ik zo mijn eigen geloof gevonden; ik geloofde in een ziel met het aanzien van een boom die bedekt werd door wingerdranken, ijdelheid, toorn, hebzucht. Die trok ik weg voor ik ging bidden. Soms lukte het niet om te bidden voor ik in slaap viel. God was het licht

waar mijn boom naartoe groeide. Maar de God van mijn kinderja-
ren, die ene die eruitzag als een blanke man van een meter tachtig
met levervlekken en een toga, was iemand die me onvoorstelbare
angst inboezemde, hoe zachtmoedig Hij ook was. Dat gaf ik grif
toe. Wie Hem wilde trotseren, moest dat vooral doen. Ik had me er
eerder al aan gebrand, nu de ene vinger dan de andere, en dat wilde ik niet tot in de eeuwigheid over mijn hele lijf meemaken.

'Kom eens hier,' zei Mike.

Ik liep naar de tafel toe.

'Kies een potje,' zei hij.

Ik koos voor de rode kralen.

'Maak maar open,' zei hij.

Ik draaide het deksel los.

'Pak er een paar en strooi ze op de plaat.'

'Er gewoon overheen?'

'Ja. Ze blijven plakken waar ze neerkomen. Er zit lijm op de
plaat.'

Ik liet wat kraaltjes in mijn hand glijden en wierp ze over de
houten plaat als een Ifa-priesteres. 'Ik ben een orakel,' zei ik en ik
keek naar de veeg kralen op de plaat.

Mike pakte mijn hand. 'Ga nou eens hier staan. Wat zie je?'

Ik keek naar de kralen. 'Kralen.'

'Kijk nog eens.'

Ik kneep mijn ogen een beetje toe. 'Niks,' zei ik.

Hij trok me tegen zich aan en sloeg zijn armen om mijn
middel. 'Denk na.'

Ik voelde zijn adem in mijn nek. Hij was als een schoolbord
achter me.

'De lucht,' zei ik.

'Weet je het zeker?'

'Het is de lucht,' zei ik.

'Daar ga ik dan aan werken.'

'Aan mijn lucht?'

'Aan jouw lucht.'

Ik applaudisseerde. 'Mike, je bent een ware zoon van je vader.'

Mike werkte als een naaister. Zijn vingers bewogen snel en precies over de houten plaat. Hij had al een expositie in Enugu achter de rug, en er was sprake van een expositie in Lagos, bij een Française die hij op het consulaat had ontmoet. 'Ik denk dat ze gewoon met me naar bed wilde,' gaf hij toe. De vrouw gaf hem opdrachten, evenals haar vriendinnen. Hij wilde experimenteren met muurschilderingen. Dit was waarop hij had gewacht, de kans om meer te doen dan huizen ontwerpen.

Al gauw spookte hij binnensmonds mompelend rond de houten plaat. Ik had het gevoel dat ik me opdrong bij een biecht, dus trok ik me terug op de bank en ging even liggen. Tussen de hoekkussens zat een verfrommeld sigarettenpakje.

'Ik wist niet dat je rookte,' zei ik.

'Doe ik ook niet,' zei hij.

Ik duwde het pakje wat verder tussen de kussens. Als het niet van hem was maar van een ander, wilde ik het niet weten.

'Je begint moe te worden,' zei hij.

'En ik moet nog terug naar de basis.'

'Zo laat nog? Jij gaat nergens meer heen.'

'Het is pas acht uur.'

'Maakt niet uit, je gaat niet. Gewapende overvallers, weet je nog?'

'Maar ik heb niks bij me. Geen reservekleren.'

'Pak een van mijn overhemden.'

Ik werkte me op een elleboog overeind. 'Ik heb geen zin om te gaan. Maar je huisbaas...'

'Bemoeit zich met zijn eigen zaken. Je grootste zorg is die nieuwe auto van je, buiten. Die kunnen we beter binnen zetten.'

Mike ging naar de badkamer om zijn handen te wassen, waarna we naar buiten gingen om mijn auto achter de zijne te parkeren. Toen we in het appartement terugkwamen, leek het benauwder te zijn geworden.

'Het is warm,' zei hij, alsof hij mijn gedachten had gelezen.

'Ik hoop dat ze vanavond weer licht brengen,' zei ik.

We gingen op de bank zitten. Hij zette de zaklamp op een tafeltje en trok me naar zich toe.

'Kom bij me liggen.'

Ik legde mijn hoofd op zijn buik. Die stond strak als een trommel.

'Wat heb je de hele dag gedaan dat je zo moe bent?' Zijn stem resoneerde in zijn binnenste.

'Ik ben bij mijn vader geweest,' zei ik.

'Was het leuk?'

'Het is altijd leuk bij mijn vader.'

'En wat nog meer?'

'Ik ben bij een oude vriendin langsgegaan.'

'Een oude vriendin. Welke oude vriendin?'

'Sheri Bakare. Mijn beste vriendin, van vroeger.'

Ik luisterde een tijdje naar zijn hartslag.

'En jij?' vroeg ik.

'Ik ben bij mijn oom geweest.'

'Je oom. Welke oom?' deed ik hem na.

'Mijn oom de architect, voor wie ik zou gaan werken.'

'Totdat?'

'Hij me een opdracht gaf waardoor ik van gedachten veranderde.'

'Wat voor opdracht?'

'Een of andere vent wilde zijn huis laten uitbouwen.'

'Wat is daar mis mee?'

'Ik heb het huis gezien. Het is een hele serie van uitbouwen. Net een mierenhoop daarbinnen.'

'Waarom bouwt hij het steeds uit?'

'Nieuwe echtgenotes. Meer kinderen.'

Ik glimlachte. 'Dus je voelde je artistiek in een hoek gedreven?'

Mike zuchtte. 'Stel je een man voor die in zijn zitkamer, in die vissenkom van hem, een zelfportret heeft hangen.'

'Nee.'

'Ik zweer het je.'

'Hij gaf je de opdracht, ik weet het zeker.'

'Deed z'n ogen dicht en bukte.'

Ik gaf hem een tik op zijn arm. 'Mike! Iedereen heeft werk nodig in Lagos. Iedereen heeft een auto nodig die het doet.'

Hij legde zijn arm steviger om me heen. 'Ik doe het niet meer, niet na vandaag. Zo goed is het salaris niet, en het werk is ronduit waardeloos. Mijn ouders hadden nooit veel geld, maar ze hadden plezier in hun baan.'

Ik had hem kunnen zeggen dat dat jaren geleden was, dat ze op de campus woonden, in een huis dat de universiteit hun verschafte.

'Dus nu concentreer je je helemaal op de kunst?'

Hij knikte. 'Lesgeven aan de militaire academie en wat kleine opdrachten om bij te verdienen. Mijn huur is niet zo hoog en ik betaal hem per maand.'

'Dapper. Ik weet nog niet of ik voltijds de advocatuur in wil, maar ik ben te bang om erover na te denken.'

'Waarom ben je eigenlijk rechten gaan studeren?'

'Joost mag het weten. Vader met een eigen zaak, enig kind. Maar het is geen slecht werk. Al betaalt hij me niet genoeg en al zit het me tot hier dat ik geen eigen huis kan betalen.'

'Zoek een andere baan. Ga het huis uit.'

'Een dochter? Dat doe je niet.'

'Wat doe je precies niet?'

Ik ging rechtop zitten. 'Doe nou niet zo moeilijk. Je weet waar ik vandaan kom.'

'Duizenden vrijgezelle vrouwen wonen op zichzelf, in alle delen van de stad.'

'Nou, ik ben hen niet en zij zijn mij niet. Ik ga liever zonder één cent terug naar Engeland dan dat ik in een sloppenwijk van Lagos ga wonen. Wat is dit trouwens voor land? Je studeert af en dan mag je nog blij zijn ook dat je ouders je onderhouden, of een of andere suikeroom, of dat je bijstand trekt. Hij zou me op zijn minst genoeg moeten betalen. Dat is alleen maar eerlijk. Dat is alleen maar eerlijk, Mike.'

Hij glimlachte, tevreden dat hij me buiten mijn kleine wereldje had laten kijken. Ja, ik gedroeg me als een verwend nest, maar hij had nauwelijks omzien naar zijn ouders, en zij keken niet over

zijn schouder mee bij alles wat hij deed. Het maakte me nieuwsgierig naar hem.

'Vertel eens over toen je klein was,' zei ik.

'Hoe klein?'

'Elf,' zei ik en ik legde mijn oor weer tegen zijn buik.

Terwijl hij vertelde, viel ik in slaap en ik droomde van hem, een
elfjarig jochie met kaki shorts en een geweer van takken in zijn
handen, die op highlife danste met zijn moeder en palmwijn leerde drinken uit zijn vaders kalebas. Zijn ouders lagen languit op de
vloer een potje te kaarten. Het was net een verhaaltje voor het sla-
pengaan.

Toen ik wakker werd, brandde er licht in de kamer. Ik stond er
verbaasd van hoe helder alles leek. Ik rekte me uit en vroeg: 'Wanneer hebben ze het teruggebracht?'

'Een uur geleden,' zei hij.

'En jij bent hier al die tijd blijven zitten?'

'Je hoofd,' legde hij uit.

'Sorry,' zei ik en ik stond op. 'Welke deur is van de badkamer?'

Hij wees.

Binnen keek ik naar de scheercrème en zijn tandenborstel op
de wastafel. De blauwe tegels van de douchemuur waren poederig
wit uitgeslagen van het schuurmiddel. Zwarte schimmel stak tussen de tegels door de kop op. In de hoek stond een aluminium emmer om je mee te wassen; de waterdruk in Lagos was te laag om de
douches van stromend water te voorzien. Ik waste mijn gezicht,
ging naar buiten en trof Mike zonder hemd languit op de bank
aan.

'Pak maar een overhemd,' zei hij en hij wees naar zijn kleding-
rek.

'Ik wil geen overhemd,' zei ik terwijl ik mijn bloes losknoop-
te.

Hij keek toe hoe ik me uitkleedde en ik trok een lelijk gezicht.
Ik liep naar hem toe, al mijn zelfvertrouwen bij elkaar schra-
pend.

Zijn kussen brandden op mijn rug. Ik huilde, maar alleen van zijn tederheid. Later, toen hij sliep, sloop ik naar de badkamer, waar ik de emmer met koud water vulde en me waste. Ik viel in slaap met mijn neus in zijn oksel.

Onze diensttijd eindigde met een parade waarbij kopstukken uit de overheid en het leger aanwezig waren. En paar mensen van ons peloton waren uitgekozen om erin mee te lopen, maar niet Mike en ik. Wij stonden op de tribune en applaudisseerden.

De maandag na de parade ging ik aan het werk bij mijn vaders firma. Ik was een slapende vennoot, zei hij, hoe hard ik ook werkte. 'Nog een jaar of vijf en dan ben ik volgens de laatste statistieken dood! En nog altijd heb ik geen serieuze kandidaat om de zaak over te nemen! Dat is nou mijn levenslot!'

Met de jaren was mijn vader diepongelukkig geworden, en geen wonder. Het was zijn vak om elkaar naar het leven staande onroerendgoedeigenaren met elkaar te verzoenen, na de eerste vuistgevechten en de juju. De zoveelste huurovereenkomst of contractbreuk, de zoveelste aanmaningsbrief aan een expat die zijn huur niet had betaald of aan een Nigeriaanse huurder van wie je zeker wist dat hij hem ongelezen weg zou gooien zodat er van betalen geen sprake zou zijn. De ene rechtszaak na de andere over onroerend goed of over land tussen onderling verdeelde families, met broers die elkaar in geen jaren hadden gesproken, niet sinds hun oude heer was overleden.

Er werkten twee senior-advocaten voor mijn vader: Dagogo John-White, een rustige man wiens naam aanleiding gaf tot enthousiast geplaag (*Da go go*, *Da come come*, *Da going gone*, en, gedurende de korte periode dat hij het religieuze licht had gezien: *Da kingdom come*, *Da will be done*). Dubbelzinnigheden over een *white john* liet ik over aan Alabi Fashina, een opvliegende figuur die we niet durfden te plagen. Als mijn vader weg was, kibbelden Dagogo en Alabi over hun geboorteplaatsen. Alabi kwam uit Lagos, Dagogo van Bonny Island in de Nigerdelta. 'De bosjesman uit Lagos,' zei Dagogo dan.

'Onze blonde Bonny,' kaatste Alabi terug. 'Hmm. Die vrouwen

van Bonny, dat zijn de brutaalste ter wereld. Ik ben er een keer geweest. Die vrouwen van jullie kropen over me heen als mieren over suiker, lieten niets van me over. Ik deed wat een man moest doen.'

'*Our man Flint!*' zei Dagogo.

'Missie volbracht, met gevaar voor eigen leven.'

'007!'

'Met een *licence to kill.*'

Onze eigen duo-act. Ze sloten af met een handdruk, knipten met hun vingers en noemden elkaar *man mi*. Dagogo torende boven ons uit en had een nek van minstens vijftien centimeter lang; hij keek omlaag. Alabi was gedrongen, zijn nek mat hooguit drie centimeter; hij keek omhoog. Zo verschillend als ze waren, zaten ze altijd op één lijn.

Goddank waren ze zelden op kantoor. De anderen zag ik vaker: Peace, de receptioniste annex secretaresse, die dagelijks grensverleggende toeren met haar kauwgom uithaalde. Aan de telefoon was ze niet te verstaan omdat ze niet wilde dat haar lippenstift uitliep, en nu en dan was ze er niet vanwege Niet Nader Gespecificeerd Lichamelijk Falen; haar botten gaven last, zei ze, als je haar vroeg de symptomen van deze officieel erkende ziekte te beschrijven. Dan had je mevrouw Kazeem, die de administratie voerde. Zij keek eeuwig gekweld, en we noemden haar Moeder van tweelingen, omdat ze die in veelvoud verwachtte. En er was meneer Israel, de naargeestige chauffeur. Hem noemden we soms Papa, omdat hij zo oud was als Methusalem. Hij sprak iedereen aan in het Yoruba, zelfs Dagogo, die er geen woord van verstond.

'Wie heeft er trek in pinda's?' vroeg ik en ik keek het kantoor rond.

Dagogo hief even zijn hoofd, Alabi zei nee en Peace klapte met haar kauwgom. Meneer Israel en mevrouw Kazeem waren er niet. Ik haalde een paar smoezelige nairabiljetten uit mijn tas en liep naar de vrouw die buiten bij onze poort potjes geroosterde pinda's verkocht.

Mijn vaders kantoor had de opzet van een klaslokaal minus het schoolbord. We zaten aan lessenaars met ons gezicht naar zijn kantoor toe en als hij daaruit tevoorschijn kwam, was het moeilijk om niet te reageren zoals je op een schoolmeester zou reageren. Op kantoor was hij een ander mens, met een gezicht dat even gesloten was als de hardcovers waarmee zijn boekenplanken waren volgestouwd. Ik had nu ook ontdekt hoe gierig hij precies was. Hij had de lunchtoeslag in geen vijf jaar verhoogd en eigenlijk verbaasde het me niet. Ik kon me niet herinneren dat ik als kind ooit veel zakgeld had gekregen. Mijn vader zei altijd dat hij geen geld had. De olieboeren, die hadden geld, zei hij dan, waarmee hij op het handjevol advocaten doelde die de internationale oliebedrijven van juridisch advies voorzagen. Advocaten zoals hij, die moesten hun brood bijeenschrapen.

Mijn vader had genoeg bijeengeschraapt om een groot landgoed te kopen. Als hij tegenwoordig werkte, deed hij dat alleen omdat hij dat wilde. Behalve zijn senior-advocaten had hij het meeste personeel ontslagen, en nóg betaalde hij slecht. Ik zette het potje pinda's op mijn lessenaar. Toen liep ik naar zijn deur.

'Binnen,' zei hij.

Hij krabbelde iets op een vel papier.

'Wat kan ik voor je doen?'

'Heb je het druk?'

'Ik heb het altijd druk,' zei hij, zonder op te kijken.

'Zal ik een andere keer terugkomen?'

Hij legde zijn pen neer. 'Nee.'

Ik ging in de voor cliënten bestemde stoel zitten. 'Ik heb drie dingen.'

'Ja?'

'Onze lunchtoeslag.'

'Wat is daarmee?'

'Die is niet voldoende.'

Mijn vaders handen sloten zich ineen als een rits. 'Hoezo?'

'Honderd naira per maand?' zei ik. 'Ik heb net een potje pinda's gekocht voor tien.'

'Kom ter zake, alsjeblieft.'

Ik sprak kalmer. 'Onze lunchtoeslag zou verhoogd moeten worden, of op zijn minst geïndexeerd.'

'Geïndexeerd,' herhaalde hij.

'Ja,' zei ik.

Mijn vader leunde achterover. 'De lunchtoeslag zou elk jaar verdubbelen. Heeft mijn personeel jou gevraagd dit te doen?'

'Nee.'

'Lieve kind, ik run deze zaak nu al meer dan dertig jaar en...'

Ik hief mijn hand.

'Laat me uitpraten,' zei hij. 'Ik run deze zaak nu al heel wat jaren en ik denk dat ik zo onderhand wel weet hoe dat moet. Mijn arbeidsvoorwaarden zijn eerlijk. Vraag mijn mensen maar. Wie niet tevreden is, stapt op.'

Ik dacht aan de haveloze advocaten die buiten de gerechtsgebouwen stonden te smeken om wat beëdigingswerk.

'En waar moeten ze naartoe?' vroeg ik. 'Dacht je dat het tegenwoordig makkelijk is om een baan te vinden?'

'Ik heb het druk,' waarschuwde hij.

'Denk er gewoon eens over na,' zei ik.

'Het tweede "ding"?'

'Ik heb een opzet gemaakt voor de overdracht,' zei ik.

'Welke overdracht?'

Van zijn huizen op naam van mijn moeder, legde ik uit. Mijn vader hoorde het aan zonder commentaar.

'En het derde?' vroeg hij.

'Mag Sheri de catering doen voor je etentje?' Ik struikelde over mijn woorden. 'Ze is heel professioneel. Alsjeblieft. Haar vader is overleden, en haar oom heeft haar erfenis afgepakt. En ze heeft geen werk. En Titus kookt zo slecht. Sheri kan het veel beter. Alsjeblieft.'

Mijn vader zag er geïrriteerd genoeg uit om me zijn pen naar het hoofd te gooien.

'Je verspilt mijn tijd,' zei hij.

'Dank je,' zei ik en ik stond op. 'Dankjewel. Ik wist dat je ja zou zeggen.'

Terug bij mijn lessenaar pakte ik het potje pinda's op, dat half-leeg bleek.

'Wie heeft mijn pinda's opgegeten?' vroeg ik.

Geen reactie.

'Lukt het?' vroeg ik Sheri.

Onze keuken was ongewoon netjes. Ze veegde het aanrecht droog en de kookplaat schoon. Er zat geen kreukje in haar jurk, nog geen vlekje zelfs, terwijl de mijne van boven tot onder kreukels vertoonde en ik me gelukkig prees dat hij zwart was, omdat ik wijn had geknoeid.

Koken was een vak apart, dacht ik, een vorm van kunst. In ons land waardeerden we het eindresultaat, niet de vaardigheid zelf, misschien omdat we er niet van die chique woorden voor hadden. *Eplucher* was gewoon 'schillen', *julienne* 'kleinsnijden', *hacher* 'heel klein snijden', tot je bij pureren kwam, dat bij ons niet meer was dan fijnstampen. En als mensen ingrediënten afwogen, dan betekende dat dat ze niet wisten wat ze deden.

Sheri maakte wat zij een continentaal diner noemde voor mijn vaders etentje: kip tikka met gebakken kokosrijst, gegrilde vis, garnalen kebabs en een schaal Nigeriaanse salade die elke niçoise het nazien gaf. Er zat tonijn in, gebakken bonen, aardappel, eieren en een paar flinke scheppen mayonaise. Als dessert had ze ananascrumble en een schaal met schijven mango en papaja, die ze met citroensap besprenkelde. Ik bekeek een van de schalen.

'Zal ik die op tafel zetten?'

'Alsjeblieft,' murmelde ze.

Ze vouwde een theedoek op om er de crumble mee uit de oven te halen. In de eetkamer liep ik de tafelschikking na. Sheri had erop gestaan dat we een aparte tafel gebruikten voor het eten. De gasten zouden zichzelf opscheppen, net als bij een buffet, had ze gezegd. Ik had ermee ingestemd, al was het maar omdat de logistiek van een etentje me niet bijster interesseerde, net zomin als het ontvangen van gasten. Dankzij mijn vaders opvoeding zette ik zelden een voet in de keuken, en mijn vader was snel tevreden met de maaltijden die zijn kok hem voorzette. In elk geval was het voedsel vanavond eetbaar, dacht ik bij mezelf. De gasten waren buiten op de veranda en ik zou hen dadelijk roepen.

Ik vroeg me af hoe het Mike verging. Hij zou mijn vader voor het eerst ontmoeten, en we waren van plan om ons op de veranda terug te trekken zolang het etentje duurde. De bel ging toen ik de servetjes nog een keer recht legde. Het was Mike.

'Ik moest net aan je denken.'

Hij was conventioneel gekleed in een witte tuniek en een zwarte broek. Hij bukte zich om iets te pakken wat tegen de muur stond, en sleepte het door de deuropening naar binnen. Het was een mozaïek vol verschillende kleuren, als een rafelige regenboog.

'Mijn lucht,' zei ik.

'Ik heb niet gezegd dat ik hem aan jou zou geven,' zei hij.

Ik loodste hem naar mijn vader, die met tante Valerie stond te praten, een Jamaicaanse met een stem die oversloeg als calypso-muziek. Mijn vader zag eruit alsof hij zich belaagd voelde. Ik liet hem het mozaïek zien en hij zette het op een tafel.

'Wat een verbluffend mooi stuk,' zei tante Valerie. 'Heb jij dit gemaakt, jongeman?'

'Ja,' zei Mike.

'Hij is kunstenaar,' zei ik.

'Het is prachtig,' zei ze. 'Sam, kom eens kijken.'

Haar man, kaal, kwam samen met oom Fatai naar ons toe. Oom Fatais vrouw, tantetje Medinot, hield zich op de achtergrond. Als steunbetuiging aan mijn moeder kwam ze zelden bij mijn vader op bezoek. Alleen al door haar te zien voelde ik me schuldig, maar mijn vader had mijn moeder uitgenodigd, en zij had geweigerd te komen. 'Waarom zou ik?' had ze gezegd.

'Deze jongeman heeft dit gemaakt, Sam,' zei tante Valerie. 'Is het niet schitterend?'

'Het lijkt wel een zonsondergang,' zei haar echtgenoot.

'Of vuur,' zei tante Valerie en ze wierp het hoofd in de nek.

'Allebei,' zei oom Fatai.

Ik ging dichter bij mijn vader staan.

'Hij is architect,' zei ik, 'maar dit doet hij ernaast.'

'Zozo,' zei mijn vader.

Mike kwam met een verontschuldigende glimlach op ons af. 'Het was niet mijn bedoeling dat ze...'

Ik klopte hem op zijn schouder terwijl we terugliepen naar de zitkamer. Hij mocht zich ook wel schamen; dat hij mijn lucht als cadeau voor mijn vader had meegebracht.

'Die vrouw zegt dat ze mijn werk wil zien,' zei hij.

'Laat het haar dan zien,' zei ik. 'Maar bewaar Obatala voor mij.' Ik bracht zijn mozaïek naar mijn vaders slaapkamer. Daar trok ik mijn jurk recht en depte wat eau de cologne achter mijn oren.

Ik haastte me terug. In mijn afwezigheid was Peter Mukoro, een grote man met een zwarte huzarensnor, aangekomen en had de anderen al tot zijn publiek gemaakt.

'Ons vorige regime beweerde dat het met straffe hand de tuchteloosheid zou bevechten, maar tegen de tuchteloosheid in eigen rangen wisten ze niet veel in te brengen. Een coup is daar wel het ergste voorbeeld van. Geen respect voor de grondwet. Geen respect voor het gezag...'

'Ons volk is tuchteloos,' zei oom Fatai.

'Hoe kom je daar nou bij?' vroeg Peter Mukoro.

'Rij maar rond in je auto; je wordt zó van de weg gedrukt.'

'Door iemand die de gaten in het wegdek probeert te vermijden.'

'Ze rijden dwars door rood.'

'Op de vlucht voor gewapende overvallers.'

'Leerkrachten die niet voor de klas komen opdagen?'

'Kunnen zich het openbaar vervoer niet veroorloven.'

'Ziekenhuispersoneel dat medicijnen verkoopt op de zwarte markt?'

'Een vorm van liefdadigheid.'

'Smeergeld?'

'Fooien,' zei Peter Mukoro.

Hij ging door alsof hij een toast uitbracht en gebaarde zwierig met zijn sigaret. Ik schuifelde naar Mike. 'Kom, dan stel ik je voor aan Sheri. Die man houdt niet op met praten. Hij is verliefd op zijn eigen stemgeluid.'

'Ik heb haar al ontmoet,' zei hij.

'Wanneer dan?'

'Ze kwam binnen toen jij weg was.'

Ik ging op de armleuning van zijn stoel zitten. 'Wat vond je van haar?'

'Ze komt een beetje... gereserveerd over.'

'Sheri?'

'Op mij, in elk geval.'

Ik stond op. 'Neem me niet kwalijk. Ik moet even kijken hoe het in de keuken gaat.'

In de keuken was Sheri bezig curry in een grote aardewerken kom te gieten. Haar ober stond klaar om de kom mee te nemen naar de eetkamer. Ik kon de kokosrijst ruiken en de zoete gember van de ananascrumble.

'Is alles klaar?' vroeg ik.

Ze knikte. 'Roep ze maar binnen.'

Bij de deur bleef ik even staan. 'Je hebt Mike al ontmoet?'

'Ja,' zei ze.

'Wat vind je van hem?'

'Hij is aardig.'

De hele avond kon ik hen niet anders dan hoffelijk noemen tegen elkaar. Ik had op zijn minst interesse verwacht, misschien zelfs kameraadschap, maar al gauw begreep ik dat ze niets met elkaar gemeen hadden. Mike vond Sheri waarschijnlijk te ouwelijk. En zij vond Mike waarschijnlijk een jonge hond.

Peter Mukoro bleef intussen het gesprek overheersen. Hij voorspelde de neergang van ons land onder de nieuwe junta. Ze maakten plannen om onze munt te devalueren en de beperkingen rond buitenlandse valuta op te heffen. De meesten van ons, die de buitenlandse valuta nodig hadden voor zaken of reizen, juichten dit toe. We stelden ons een tijd voor waarin we niet langer het slachtoffer waren van de zwarte-markttarieven. Er waren plekken in Lagos waar je Amerikaanse dollars of ponden sterling kon kopen van straatventers die even betrouwbaar waren als drugdealers. Je moest echt van nep kunnen onderscheiden.

'We kunnen het nu wel schudden,' zei Peter Mukoro. 'De naira is alleen nog goed om je kont mee af te vegen. En als we de lening van het IMF aannemen, kunnen we onze onafhankelijkheid gedag zeggen.'

Mijn vader leek plezier te hebben in de tirade en wiebelde van teen naar hak en terug. Ik vulde zijn wijnglas bij. 'Geef mijn vriend hier er ook nog maar een,' zei hij, naar Peter Mukoro's glas wijzend.

Ik deed het met tegenzin.

Peter Mukoro tikte op mijn arm. 'Ik riep die dame, die gele dame in de keuken, maar ze negeerde me straal. Zeg haar dat we meer rijst willen. Alsjeblieft.'

'Haar naam is Sheri.'

'Ja. Zeg haar dat we meer rijst willen. En bier. Wijn is net water wat mij betreft. Ik ben een Afrikaan.'

Ik bracht de boodschap woord voor woord aan haar over.

'Hij kan het niet tegen mij hebben,' zei ze.

'Tegen wie dan?'

'Hij heeft het vast tegen zijn moeder.'

Ik lachte. Titus had haar al tegen de haren in gestreken door te zeggen dat ze de gasten aan hun linkerkant moest bedienen en niet aan de rechter. Sheri droeg haar hoofddoek als een tulband, en hij zakte over haar wenkbrauwen. Haar profiel stond strak. Ze nam haar werk te serieus, dacht ik. Ik kon haar hoofddoek afpakken en haar achter me aan laten rennen. Ik bracht een extra kom rijst naar de eetkamer met een koud flesje bier.

'Ah, bedankt,' zei Peter Mukoro. 'Broeder Sunny, je moet een flinke bruidsschat vragen voor die dochter van je. Kijk haar nou, een goede gastvrouw, advocaat, de hele rataplan.'

'Ik zou al blij zijn,' zei mijn vader, 'als iemand me haar voor niets uit handen nam.'

Ze lachten, huh-huh-huh, zoals alleen mannen met te veel geld dat kunnen doen. Ik negeerde hen en ging terug naar de veranda.

'Is er iets?' vroeg Mike.

'Peter Mukoro,' zei ik. 'Elke keer dat hij zijn mond opendoet.'

Mike glimlachte. 'Het is een mannen-man. Je vader lijkt goed met hem overweg te kunnen.'

We keken naar de eetkamer. Sheri was uit de keuken tevoorschijn gekomen en stond naar mijn vader toe geleund.

'Hij lijkt Sheri ook te mogen,' zei hij. 'Meer dan mij.'

'Hou toch je mond,' zei ik.

Tegen het einde van de avond was de wijn me naar het hoofd gestegen. Ik nam afscheid van Mike, en hij kuste me zo heftig dat hij me door het raampje zijn auto in trok. We praatten door elkaars tanden heen.

'Kom met me mee.'

'Mijn vader vilt me levend.'

'Je bent geen kind meer.'

'Wat hem betreft wel.'

'Flauwekul.'

'Hmmm. Waar zijn jouw zussen?'

'Thuis achter slot en grendel, waar ze horen.'

Op een paar geparkeerde auto's na was de straat leeg. Voor hij wegreed deed ik een striptease. Ik gunde hem een bliksemblik op mijn borsten, draaide me om en wiegelde met mijn achterste, en zag toen Peter Mukoro bij het hek staan. 'Ah-ah?' zei hij. 'Mogen we meegenieten, of is dit een privégebeuren?'

Hij lachte toen ik langs hem heen rende.

Ik streek mijn jurk glad voor ik naar binnen ging en hield mijn gezicht even uitdrukkingsloos als dat van een nieuwslezer. Sheri en mijn vader waren in de zitkamer. Mijn vader schreef een cheque uit.

'Die jongeman,' zei mijn vader. 'Hoe zei je dat hij heette?'

'Mike.'

Dat was minpunt één: zijn naam was niet Nigeriaans. Dat kon

weleens betekenen dat zijn familie niet voldoende klasse had om onze tradities eer aan te doen.

'Obi,' zei ik.

Ik verwachtte bijna dat zijn volgende vraag zou zijn: Welke Obi?

'Een kunstenaar, zei je toch?' vroeg hij.

'Ja.' Minpunt twee.

'En de architectuur heeft hij opgegeven?'

Drie. Ik aarzelde. 'Niet helemaal.'

Mijn vader tuurde over de rand van zijn bril. 'Dat wordt niks.'

'Waarom niet?' vroeg ik.

Hij wendde zich tot Sheri. 'Zeg jij het haar. Alsjeblieft. Als ik het zeg, denkt ze dat ik ouderwets ben.'

Sheri lachte. 'Geef toe, Enitan. Een kunstenaar in Lagos?'

Mijn vader overhandigde haar de cheque.

'Dank je,' zei hij. 'Het was me een genoegen.'

Ik liep met haar mee naar de deur.

'Heel fijn,' fluisterde ik. 'Ik zal geen rustig moment meer hebben hier. Waarom moest je dat nou zeggen?'

'Aburo, heeft die kunstenaar jou in zijn juju?'

'Ik denk dat ik dat aburo wel ontgroeid ben.'

Ze hief haar hand. 'Ik zal het niet meer zeggen als je het niet prettig vindt.'

'Bedankt.'

'En tot ziens maar weer,' zei ze vrolijk.

Zachtjes deed ik de deur dicht en keek mijn vader aan. Hij zette zijn bril af, wat gewoonlijk betekende dat er een preek op komst was. Ik zette mezelf schrap.

'Weet je,' zei hij, 'misschien weet ik niet veel van de jongelui van tegenwoordig, maar er zijn dingen die ik wél weet en ik vind niet dat je jezelf zo beschikbaar moet opstellen voor een man die je nog maar net hebt ontmoet.'

Ik sloeg mijn armen over elkaar. 'Hoezo?'

'Je gedrag. Een vrouw moet zich... zediger gedragen. Je moet niet meer ongechaperonneerd met hem naar buiten gaan, om mee te beginnen.'

'Ongechaperonneerd?'

'Ja,' zei hij. 'Hij zou kunnen denken dat je makkelijk bent. Goedkoop. Ik zeg het voor je eigen bestwil.'

Ik liep weg. Ongechaperonneerd, het zou wat. Moest je hém zien. Moest je hem gewoon zíén, en die Sheri; zich mijn zus noemen. 'Ook in Lagos leven we in de twintigste eeuw,' zei ik over mijn schouder. 'Het is victoriaans Londen niet.'

'Dit is mijn huis,' hoorde ik hem zeggen. 'Geen grote mond opzetten.'

In mijn diensttijd had de overheid me een salaris van tweehonderd naira betaald. Meestal was dat binnen een week op. In ruil voor het salaris nam ik elke maandag vrij om sociale diensten te verrichten. Voor aanvang van de sociale dienst meldde ik me samen met andere dienstplichtigen uit mijn district voor de klus, die een halve dag kostte. Soms ruimden we zwerfvuil op, andere keren maaiden we met een machete het gras van de parken in de buurt. Meestal smeekten we onze teamleider, een man die me aan Baba deed denken, om ons te laten gaan. Hij stond zich ongenaakbaar te verkneukelen om onze smeekbeden. De machetes waren zwaarder dan ik had verwacht en het gras jeukte aan mijn benen. De ervaring bracht me respect bij voor het werk dat Baba wekelijks in onze tuin deed.

Nu hij had besloten om niet voor zijn oom te gaan werken, gaf Mike lessen beeldende vorming aan een van de staatsscholen voor gratis lager onderwijs vlak bij zijn huis. Op een maandagochtend, na mijn sociale dienst, zocht ik hem daar op. De staatsscholen in Lagos waren een erfenis van een voormalig gouverneur van Lagos State. Jaren later hadden ze nog altijd onvoldoende middelen en leerkrachten maar zaten ze wel tot de nok toe vol kinderen. De meeste klaslokalen moesten het zonder verflaag stellen en sommige zonder ramen of deuren. Bij het ene lokaal hoorde ik kinderen het alfabet opdreunen, bij het andere de tafels. Door de ruit in de deur zag ik de leerkracht bij het schoolbord staan, met een zweep in zijn hand.

De ruimte ernaast was de lerarenkamer. Er zat een vrouw op een stoel een sinaasappel te eten. Haar huid was gebleekt en haar haar verdeeld in vlechtjes. In de hoek zat een man, die beide voeten op tafel legde. Hij kromde zijn zweep in een boog en liet hem in de richting zwiepen van een meisje van een jaar of vijftien, dat op haar knieën zat, met haar gezicht naar de muur en haar armen boven haar hoofd geheven. De oksels van het meisje waren vlekkerig bruin en de zolen van haar blote voeten stoffig. Er liepen diepe striemen over de achterkant van haar benen.

'Goedemiddag,' zei ik.

'Middag,' zei de man.

De vrouw keek afkeurend naar mijn spijkerbroek.

'Is meneer Obi er?' vroeg ik.

De leerlinge keerde haar hoofd naar me toe om naar me te kijken. Haar gezicht was nat van de tranen.

'Draai die lelijke kop van je naar de muur,' schreeuwde de man. 'Kijk dat nou. Mango van de boom plukken. Hoe vaak ben je wel niet gewaarschu...' Hij zwiepte de zweep langs haar benen.

'Gew...' Hij sloeg nogmaals.

'Gewaarschuwd.' Hij tuitte zijn lippen. 'Dief.'

'Is meneer Obi er?' vroeg ik weer.

Hij pulkte tussen zijn tanden. 'Obi?'

'Ja, meneer Obi, de tekenleraar. Weet u waar hij is?'

Ik mat me een Engels accent aan om hem te beledigen. Hij zou het meteen opvatten als een vernedering.

'Voor de klas.'

'Welke klas?'

Hij wees. 'Naar buiten. Rechts en weer rechts.'

'Heel vriendelijk van u,' prevelde ik.

Hij leunde naar voren en tikte met zijn zweep op de schouder van het meisje. Ze rechtte haar rug.

Mikes klas was de achterste in de naastgelegen gang en rook als het hok van een pup. Er zaten ongeveer vijfentwintig kinderen in een ruimte die bedoeld was voor hooguit de helft. De lessenaars waren tegen de wand geschoven, en ze zaten met zijn allen om vijf grote bakken heen de zompige inhoud ervan met hun kleine vuisten te kneden. Mike liep tussen hen door.

'Gedraag je,' zei hij tegen hen.

'Waar zijn ze mee bezig?'

'Ze maken papier-maché,' zei hij.

Er zat grijze moes in de bakken. Een van de leerlingen, een magere jongen met stoffige knieën, krabbelde overeind en liep op ons af.

'Meneer Obi?'

'Ja, Diran,' zei Mike.

'Pitan duwde me.'

'Pitan!' schreeuwde Mike.

Pitans grote hoofd kwam omhoog. 'Ja, meneer Obi.'

'Geen geduw meer,' zei Mike. 'Dit is de laatste keer dat ik het zeg. Als er nog iemand wordt geduwd, rennen jullie allemaal een rondje om de school, begrepen?'

'Ja, meneer Obi,' klonk het zangerig.

Mike keerde zich naar me om. 'Ze werken me op de zenuwen.'

Ik glimlachte. 'Ik dacht dat je kinderen iets wilde leren.'

'De grootste vergissing van mijn leven.'

'Ik dacht dat jij nooit ergens spijt van had. En wat zijn dat voor leraren op deze school? Ik was net in de lerarenkamer, en daar sloeg een man een meisje bont en blauw omdat ze fruit had gestolen. Je had het moeten zien.'

'Dat is meneer Salako, onze landbouwleraar.'

'Wat een verschrikkelijke vent.'

'Haar moeder slaat haar waarschijnlijk vaker. De meesten hier gaan vanuit school naar huis om de rest van de dag te venten. Ze vinden me een sukkel omdat ik ze níét sla. Iedereen doet dat hier.'

De hoofden van de kinderen deinden als een zee van levende boeien. Er werd gezegd dat hun ouders uit liefde sloegen, mét liefde, opdat ze niet zouden opgroeien tot tuig van de richel, voor galg en rad, tot criminele niksnutten. Leerkrachten sloegen, buren sloegen. Tegen de tijd dat een kind tien werd, hadden alle volwassenen die ze kenden alle vrijpostigheid uit hen geslagen die

zich had kunnen ontwikkelen tot scherpzinnigheid; alle drome-
righeid die had kunnen uitgroeien tot creativiteit; alle bazigheid
die tot leiderschap had kunnen leiden. Alleen de sterke overleefde; de rest zou zijn leven lang zoeken naar initiatief. Je had een
dorp vol losse handjes nodig om een Afrikaans kind op te voeden,
maar als iemand zijn handen om de hals van een kind legde en
ook maar de geringste druk uitoefende, werd hij slecht genoemd,
want wurging had niets te maken met discipline.

Diran kwam weer naast Mike staan. Hij krabde op zijn hoofd.

'Meneer Obi.'

'Wat is er?' vroeg Mike. 'Waarom krab je aan je hoofd? Heb je luizen?'

De kinderen lachten.

'Pitan heeft me op mijn kop geslagen,' huilde Diran. 'Nou is
m'n kop kapot.'

Mike klapte in zijn handen. 'Oké. En nu is het afgelopen.'

Er ging gemompel door de klas. Mike liep naar het midden van
het lokaal.

'Ik merk dat jullie allemaal smeken om straf vandaag.'

Pitan stak zijn hand op. 'Meneer Obi?'

'Ssst!' siste Mike. 'Ik wil niemand mijn naam nog horen zeggen.
Afgelopen, uit. Schuif de bakken aan de kant, zet de lessenaars
terug en ga in een rij staan voor een rondje om de school.'

Giechelend zetten de kinderen de bakken aan de kant. Toen
hoorden we de schoolbel rinkelen.

'God heeft jullie gespaard,' zei Mike. 'Kom, dan maken we dat
we hier wegkomen,' zei hij tegen mij.

We reden naar zijn huis en rukten onze kleren van ons lijf. Mike
had een hele verzameling Bob Marley-elpees, en we kreunden en
jammerden mee met de muziek. We vrijden op de matras en toen
op de vloer. Hij begon te praten zoals hij over voetbal praatte. Kon
ik het voelen? Een samensmelting van tijd en ruimte, dat was het.
Wij waren de reggae- en soulgeneratie. Onze ouders waren de
jazzgeneratie. De volgende zou de hiphopgeneratie zijn.

'Wees stil,' zei ik.

Dat was hij niet. Ik sloeg mijn benen om hem heen.

'Genoeg,' zei ik. 'Je houdt te veel van seks.'

Hij greep mijn voet en begon die te kietelen. Zijn huisbaas, de hele buurt, de godganse wereld stond op het punt erachter te komen hoeveel hij precies van seks hield.

'Ze denken nog dat ik een slet ben!' zei ik. 'Alsjeblieft, ze denken nog dat ik... shit.'

Mijn keel was schor van het schreeuwen. Ik ging naar zijn badkamer om me te wassen toen ik een klopje op de deur hoorde.

'Zin in een biertje?' vroeg Mike. 'Ik ben even naar de winkel.'

'Nee,' zei ik.

Ik stootte de emmer water om. Mike kwam naar binnen.

'Alles goed?'

Ik kwam overeind.

'Wat is er?' vroeg hij.

Ik wilde het hem vertellen, maar het was niet mijn verhaal. Ik werd er alleen zijdelings door geraakt.

'Wat?' vroeg hij.

Ik vertelde het toch. Hoe sneller ik sprak, hoe makkelijker het werd: de picknick, de regen, de baai, het busje. De jongens.

Het klonk me zo nep in de oren. Voor mijn geestesoog zag ik mezelf daar staan die dag, dankbaar dat ik veilig was, blij dat ik onbezoedeld was gebleven.

'Kom eens hier,' zei Mike, toen ik was uitgesproken.

Hij sloeg zijn armen zo stevig om me heen dat ik dacht dat hij mijn angst naar buiten zou persen. Hij nam de emmer van me over, vulde hem met water en bracht hem naar de douche. Hij liet me hurken en begon me te wassen. Ik sloot mijn ogen, verwachtte pijn, betastingen, wat dan ook.

De laatste die me had gewassen, was Bisi geweest, ons huismeisje. Ik was negen. 'Benen wijd,' zei ze dan, en dan deed ik mijn benen van elkaar en haatte haar zagende bewegingen. Maar Mike waste me zo teder als een moeder haar baby. Ik wist ineens zeker dat mijn angst net als elke andere angst was; de angst voor een hondenbeet, voor vuur, om van een hoogte te vallen, om dood te gaan. Ik wist zeker dat ik me nooit meer zou schamen.

We dronken geen bier. We dronken de palmwijn die in zijn koelkast stond en aten de restjes van een stevig gepeperde stoofpot met yams. De stoofpot was er met het opwarmen lekkerder op geworden, en na twee glazen wijn voelde ik me doezelig.

'Wie heeft jou leren koken?' vroeg ik.

'Mijn moeder,' zei hij.

'Je zult het niet slecht doen als echtgenote,' zei ik.

Ik pakte mijn glas. Natuurlijk was hij de juiste man voor mij. Zelfs Obatala leek naar ons te knipogen.

De Bakares begonnen hun cateringzaak. Zoals ik had voorspeld, viel de overgang hen niet zwaar. Hun huis op Victoria Island was ruim, en een deel van de achtertuin was bestraat, wat goed uitkwam. Ze beschikten over heel wat handen. Sheri's stiefmoeders kookten, en zijzelf ging over het geld. Haar broers en zussen namen kleinere taken op zich. Er werd gekookt in de achtertuin en ze bouwden het tuinhuisje om tot een eetcafé, met ter plekke getimmerde tafels en banken. De meeste klanten waren kantoorlui van omliggende banken, die er hun warme maaltijd kwamen gebruiken. Ik was er maar één keer geweest, deels omdat ik het Sheri nog niet helemaal had vergeven dat ze mijn vaders kant had gekozen, maar ook omdat de rit naar Victoria Island te veel tijd in beslag nam voor mijn ene lunchuur.

Toen het op een dag tegen lunchtijd liep, keek mevrouw Kazeem uit het raam. 'Onze vriendin staat voor de deur,' zei ze.

'Wie?' vroeg Peace.

'Miss Nigeria,' zei mevrouw Kazeem.

We keken naar buiten en zagen Sheri.

Sheri was gewoon zo'n vrouw: andere vrouwen mochten haar niet, en ik had me al vaak afgevraagd of ze het zelf merkte. Ze kwam zelden naar ons kantoor, maar als ze er was, gedroegen de vrouwen zich alsof ze was gekomen om ruzie te maken. De mannen disten daarentegen elk excuus op om aan mijn bureau te komen. Vandaag waren de mannen er niet; er waren alleen vrouwen. Mevrouw Kazeem sloeg haar armen over elkaar en Peace liet haar kauwgom klappen. Sheri deed de deur open.

'Enitan,' zei ze, 'kom je even mee naar buiten?'

Ik stond op, me ervan bewust dat de anderen me in de gaten hielden. Niet groeten werd onbeschoft gevonden. Buiten warmde de zon mijn hoofd. We staken over naar Sheri's auto, die geparkeerd stond bij een sinaasappelventster met een baby op haar rug. Met een roestige briefopener zat de vrouw een sinaasappel te schillen.

'Waarom zei je niet even iets tegen de rest?' vroeg ik.

'Dat jaloerse stel,' zei Sheri.

'Niemand daar is jaloers op jou.'

'Wat maakt het uit? Ik ben die ik ben, en ik kom toch niet voor hen?'

'Waar kom je wel voor?'

'Hebben wij ruzie?'

'Nee,' zei ik.

'Waarom laat je dan niks van je horen?'

'Ik heb het druk gehad. Mijn vader zorgt wel dat ik het druk heb. Ik heb de hele morgen brieven opgesteld.'

'Kom je helemaal niet in de rechtszaal?'

'Hij probeert me hier te houden,' zei ik.

'Dat verbaast me.'

'Je kent hem niet. Hij drilt ons alsof we in het leger zitten.'

We hoorden iemand roepen op straat.

'*Pupa*! Gele!'

Een taxichauffeur hing uit zijn raampje. De zwengel die hij aan zijn passagiers doorgaf om er hun raampjes mee open te draaien, had hij in zijn hand. Een van zijn voortanden leek langer dan de rest.

'Ja, jij met je grote *yansh*!' schreeuwde hij.

Sheri stak haar hand met gespreide vingers naar hem op: 'Er wacht jou niets goeds!'

'Hoer,' jouwde hij. 'Wacht maar tot ik je naai.'

'Kijk maar uit of ik vervloek je moeder ook,' zei ze. 'Gebruik die lange tand van je om je raampjes omlaag te krijgen. Misschien komt-ie dan nog gelijk met de rest ook; hoeven je passagiers niet te stikken in die walm die onder je oksels vandaan komt.'

Ik boog mijn hoofd.

'En jij, *Dudu*!' riep de taxichauffeur.

Ik keek geschrokken op.

'Ja, jij met je zwarte kop. Waar zit jouw yansh verstopt?'

Ik keek hem woedend aan. 'Er wacht jou niets goeds.'

Hij lachte met zijn tong uit zijn mond. 'Wat, haal jij je neus op voor mij? Zo mooi zijn jullie niet, geen van tweeën. *Sharrap*. Och, sharrap, jullie allebei. Jullie mogen blij zijn dat een man jullie aandacht geeft. Als jullie niet uitkijken, neuk ik jullie allebei.'

Sheri en ik keerden hem de rug toe.

'De sukkel,' zei ik.

'Heeft een piemel als een balpen,' zei ze.

We schoten samen in de lach.

'Maar wat is er nou?' vroeg ik.

'Ibrahim wil dat ik stop met de zaak,' zei ze.

'Want?'

'Hij wil niet dat ik over straat ga.'

'Gaat hij je het geld geven dat je nu verdient?'

'Nee.'

'Waarom praten we hier dan nog over?'

'Ik wil weten hoe jij erover denkt,' zei ze.

'Sinds wanneer?'

'Alsjeblieft,' zei ze.

'Laat hem vallen,' zei ik. 'Je hebt hem niet nodig.'

Ze hief haar hand. 'En hoe betaal ik de huur? Waar moet ik wonen? Ik kan niet terug naar mijn familie. Heb je het daar gezien?'

De dag dat ik er was, zat het er bomvol klanten en vrienden. Ik vroeg me af of ze ooit nog een moment voor zichzelf hadden.

'Wacht af,' zei ik, 'tot de volgende huur betaald is. Breid dan je klantenkring uit. Elk weekend zijn hier trouwerijen, begrafenissen, doopfeesten. Volgend jaar betaal je de huur zelf. Maar dit, dít — ik moet het echt even kwijt — is je reinste kul. Je bent slim, je bent jong, en die vent behandelt je als zijn dienstmeid.'

'Jij hebt makkelijk praten.'

'Je wilde weten hoe ik erover dacht.'

'Jij hebt je nooit zorgen hoeven maken.'

'Als dat ooit wel zo is, zeg me dan dat ik mijn gezonde verstand gebruik.'

Ze wendde zich af.

'Sheri,' zei ik.

'Wat?' snauwde ze.

'Het is voor je eigen bestwil,' zei ik.

'Hoezo? Ik weet niet eens of we de zaak wel draaiend kunnen houden. Mijn oom komt naar het huis en klaagt dat we zijn bezit misbruiken. Hij wil het huis van ons afpakken.'

'Dat kan hij niet.'

'Waarom niet?' zei ze. 'De rest heeft hij al afgepakt. Onder inheems recht is hij mijn vaders wettige erfgenaam. Waarom zou het met dit huis anders zijn?'

'Op wiens naam staat het nu?' vroeg ik.

'Op die van mijn vader.'

'Had hij een testament opgemaakt?'

'Nee.'

Welk standpunt nam de wet eigenlijk in als het om familie-kwesties ging? Tijdens mijn rechtenstudie had ik me verdiept in die verzameling inlandse wetten die samen 'het inheems recht en gebruik' vormden. Ze bestonden voordat we het civiele recht aan-namen, voordat we een natie met een grondwet vormden, en be-paalden individuele rechten bij vererving en huwelijk. Volgens het civiele recht kon een man maar één wettige echtgenote heb-ben, maar onder inheems recht mocht hij er nog een onder zijn dak brengen. Polygamie, geen bigamie. Als hij wilde kon hij zijn vrouw afranselen, haar met of zonder kinderen op straat zetten of haar zonder één cent achterlaten. Zijn familie kon proberen hem zo ver te krijgen dat hij genade toonde, maar zijn vrouw had geen enkele zeggenschap over zijn bezittingen. Bij zijn dood erfde onder bepaalde inheemse gebruiken zijn zoon alles, en niet zijn weduwe. Soms kón een weduwe niet eens erven. En zelfs onder progressievere inheemse wetten erfden weduwen al naar gelang het aantal kinderen dat ze hadden, en hadden zoons twee keer zoveel rechten als dochters.

De rechtbank bepaalde hoe de bezittingen van een man werden verdeeld en baseerde zich op de manier waarop hij zijn leven had geleid: op de traditionele of op de civiele wijze. In de praktijk konden familieleden van de man diens huis binnen wandelen, zijn weduwe op straat zetten en op haar stoep gaan zitten met het dreigement dat ze haar zouden betoveren als ze het waagde om er iets tegen in te brengen. Er waren natuurlijk uitzonderingen: vrouwen die binnen en buiten de rechtbank het gevecht aangingen, en ze wonnen vrijwel altijd.

'Er zijn stappen die je kunt ondernemen,' zei ik. 'Maar het belangrijkste is dat je een goede advocaat zoekt.'

'Je vader is een goede advocaat,' zei ze. 'Mag ik het aan hem vragen?'

Ik wist niet zeker of ik wel wilde dat Sheri hiermee naar mijn vader stapte. Ik wist niet of ik wel wilde dat ze waar dan ook mee naar mijn vader stapte, zeker omdat hij de kwestie met mijn moeder nog steeds niet had afgewikkeld.

'Ja,' zei ik; ik had tenslotte mijn mond al opengedaan.

'Dank je, zus van me,' zei ze.

Toen ze wegreed, keerde ik me naar de straatventster, die inmiddels klaar was met haar sinaasappel. Een spiraal van groene sinaasappelschil viel van de punt van haar briefopener. Het kindje op haar rug hield zijn mond wijd open.

'Môgge,' zei ze.

'Goeiemorgen,' zei ik.

De gebeurtenissen die volgden op Sheri's bezoek aan mijn vaders kantoor, begonnen met Peace. Ze begonnen én eindigden met Peace. Ze kwam op een middag met het tijdschrift het kantoor in en verkondigde: 'Kom eens kijken, onze gewaardeerde meneer Mukoro in een liefdesdriehoek.'

We groepten samen rond haar bureau. Ze had een exemplaar van *Weekend People* meegebracht, een roddelblad. Dat bracht ze elke maand mee, en elke keer leende ik het van haar. Soms stond Sheri erin als voormalige Miss Nigeria, BEAUTYVETERANE OP STAP, dat soort dingen. Op de voorpagina van dit nummer stond de foto van een vrouw met een hoofddoek. De camera had haar snerende gezichtsuitdrukking vastgelegd. De kop luidde: MUKORO EEN HYPOCRIET.

De vrouw was Peter Mukoro's echtgenote. Na tweeëntwintig jaar huwelijk had hij onlangs een tweede echtgenote genomen. Peace baande zich à l'improviste een weg door de beschuldigingen van overspel die de vrouw uitte, en voorzag ze van ademhappen en gilletjes. Het hoogtepunt van het interview was het verhaal over de kale plek in zijn schaamhaar waarmee Peter Mukoro was thuisgekomen. Zijn minnares had zich van een monster voorzien terwijl hij lag te slapen. Dat was vervolgens naar een medicijn-man gegaan, die er een drankje van had gebrouwen dat hem in haar macht moest brengen. Alabi kon zijn lachen niet inhouden en Dagogo deed of hij erboven stond, maar niette steeds hetzelfde bundeltje documenten aan elkaar. Ik móést het aan mijn vader laten zien.

'Ik wil het niet lezen,' zei hij.

Hij las het hele stuk.

'Geloof je dat nou?' vroeg ik.

Hij keek verveeld toen hij het tijdschrift naar me terug duwde.

'Die vrouw zet zichzelf te kijk.'

'Hem,' zei ik.

'Alleen zichzelf,' zei hij. 'Heeft ze niets beters te doen dan met die onzin naar de kranten te stappen?'

'Hij stapt overal mee naar de kranten,' zei ik. 'Hij noemt zich-zelf een maatschappijcriticus.'

'Dat is iets anders,' onderbrak mijn vader me. 'Dit is een privé-kwestie.'

'O,' zei ik en ik pakte het tijdschrift op.

'Wat "O"? Ben je het er niet mee eens?'

Ik schudde mijn hoofd.

'Zeg wat je op je hart hebt,' zei hij. 'Nu je hier toch staat.'

'Ik vind het geen privékwestie,' zei ik. 'Een sociale kruisvaarder die bigamie pleegt. Ik vind het een goede zaak dat mensen dat te weten komen.'

'Door *Weekend People* te lezen?'

'Ja,' zei ik. 'Het is goed dat ze er nieuwswaarde aan hechten. En echt, ik snap niet waarom we het inheemse recht nog volgen als het civiele recht bestaat. Het heeft geen morele basis, geen andere opzet dan de onderdrukking van vrouwen...'

Mijn vader lachte. 'Wie wordt er onderdrukt? Word jij onderdrukt?'

'Ik bedoelde mezelf niet, maar in zekere zin wel, ja.'

'Hoe dan?'

'Ik maak deel uit van een...'

'Van een wat?'

'Een groep, die als roerend goed wordt behandeld.'

'Je moet niet hysterisch gaan doen.'

'Wijs mij één geval aan,' zei ik. 'Eentje maar, van een vrouw met twee echtgenoten, of van een vijftig jaar oude vrouw die met een jongen van twaalf trouwt. We hebben vrouwelijke rechters, maar volgens de wet mag een vrouw zich niet borg stellen. Ik ben advocaat. Als ik getrouwd was, zou ik toestemming van mijn man moeten hebben om een nieuw paspoort te halen. Hij zou me af en toe mogen slaan, zolang hij me maar geen blijvend lichamelijk letsel toebrengt.'

'Goed, daar zit wat in,' zei hij. 'Je grootmoeder werd op haar veertiende uitgehuwelijkt in een huishouden met twee andere echtgenotes, en ze moest aantonen dat ze haar bruidsschat waard was door beter te koken. Maar ik weet niet waar jij over klaagt. Ik heb ervoor gezorgd dat je een goede opleiding kreeg, ik heb je aangemoedigd om carrière te maken...'

'Kun je onze cultuur voor me veranderen?' vroeg ik.

'Wat?'

Ik had niet hysterisch willen doen. Ik had iets grappigs willen delen. Nu versnelde mijn hartslag en ik wist niet eens precies waarom, en mijn argumentatie was knudde.

'Kun je onze cultuur veranderen?'

Mijn vader vouwde zijn handen samen; hij zag er nog steeds verveeld uit. 'We weten dat er problemen zijn met inheemse rechten en gebruiken, maar ze veranderen nu al...'

'Hoe weten we dat? De vrouwen stappen niet naar de rechter, en als ze dat doen, zweren mannen als jij samen...'

'Ik? Ik zweer samen?'

'Ja, jullie zweren allemaal samen.'

Hij lachte. 'Wanneer heb ik ooit samengezworen? Ik kan niet geloven dat ik geld heb uitgegeven aan jouw opleiding. Dit zou vertederend zijn, als je er niet wat te oud voor werd.'

'Ik ben niet oud.'

'Mij beschuldigen van samenzweren. Je bent niet onderdrukt; je bent verwend. Erg verwend. Op jouw leeftijd had ik mijn huis al gekocht, was ik mijn zaak begonnen. Onderhield ik mijn ouders. Jazeker. En niet andersom.'

Op zijn leeftijd was er minder concurrentie onder advocaten. Op zijn leeftijd heerste er geen economische malaise in ons land. Een beetje eenoog schopte het makkelijk tot koning; en de meeste beroepsbeoefenaren van zijn generatie waren dat dan ook. Ze vervingen het koloniale *sir-en-madamisme* door hun versie en zagen werkeloos toe terwijl militairen ons in een peilloze afgrond stortten. Nu waren wij, hun kinderen, van hen afhankelijk. Niets hiervan zei ik hardop.

'Waarom neem je me niet serieus?' mopperde ik. 'Zelfs niet als professional. Drie jaar lang werd ik gerespecteerd en goed betaald. Ik kom thuis, en jij behandelt me als een idioot, betaalt me niks...'

Mijn vader hield op met lachen. 'Moet jij niet aan je werk?'

'Het is lunchtijd,' zei ik.

Hij leunde achterover in zijn stoel. 'Zeg tegen Dagogo dat hij naar me toe komt voor jij voor de lunch verdwijnt. En hou op met rommel lezen.'

'Het is geen rommel,' zei ik.

'Ja, dat is het wel,' zei hij. 'En ik hoop dat je niet een artikel van *Weekend People* als springplank gebruikt om de benarde positie van vrouwen in dit land aan de kaak te stellen.'

'Waarom niet?'

'Je kunt het maar beter helemaal niet over de benarde positie van vrouwen hebben, als je niks meer te bieden hebt dan lippendienst. Hoeveel vrouwen ken jij nou helemaal, in jouw beschutte wereldje?'

Ik voelde mijn hart onnodig jagen en hield mezelf voor dat ik nooit meer met hem in discussie zou gaan, niet hierover. Het was maar een dom artikel.

'Praten is een begin,' zei ik, mijn stem met moeite onder controle houdend.

'Zeg tegen Dagogo dat hij naar me toe komt,' zei hij.

Bij zijn deur zei ik: 'Ik vind Peter Mukoro ook een hypocriet.' Toen stapte ik snel naar buiten.

De anderen begroetten me met onderzoekende blikken. Ik wist dat ik iets moest zeggen. Ik gaf het tijdschrift terug aan Peace en zei: 'Mannen als meneer Mukoro moesten...'

'Moesten wat?' vroeg mevrouw Kazeem, die me van top tot teen opnam.

'Vervolgd worden,' zei ik.

Ze begonnen allemaal te lachen.

'Dien dan een aanklacht in tegen de advocaat die je vertegenwoordigt,' zei mevrouw Kazeem. 'Of tegen de rechter die jouw zaak behandelt. Dien een aanklacht in tegen de chauffeur die je van de rechtszaal naar huis brengt nadat je zaak onontvankelijk is verklaard. En klaag dan ook meteen, zodra je thuiskomt, je huisbaas aan.'

'Klaag de hele wereld aan,' zei Dagogo.

'Klaag God aan,' zei Alabi.

Peace liet haar kauwgom klappen en zuchtte.

'Welkom thuis,' zei mevrouw Kazeem.

'Kukelekuu,' zeiden de mensen hier als ze het gekraai van een haan nadeden. Kukelekuu. Anderen zouden zeggen dat hanengekraai eerder klinkt als kukereku, al maken hanen overal ter wereld hetzelfde geluid.

Het was niet dat ik er niet langer thuishoorde, of dat ik een vreemdeling was geworden. Mijn verblijf overzee had niets veranderd aan wat ik instinctief al had geweten voor ik vertrok. Wat wel veranderd was, was andermans verdraagzaamheid jegens mij. Ik was oud; te oud om nog in sprookjes te geloven.

Sheri nam mijn advies ter harte en begon voor meer sociale gelegenheden te cateren. Zoals ze had voorspeld, daagde haar oom haar familie inderdaad voor de rechter om het bezit van hun huis, en mijn vader stemde ermee in hen te vertegenwoordigen. De dag dat ze me belde om me het nieuws te vertellen kreeg ik geen werk meer uit handen. Al wekenlang had ik geprobeerd mijn vader zover te krijgen dat hij de overdracht naar mijn moeder ondertekende. 'Vijf minuten, meer heb ik niet nodig,' zei ik steeds, maar hij zei dat hij er geen tijd voor had.

Ik probeerde het weer.

'Geen tijd,' zei hij.

Ik bleef bij zijn bureau staan. 'Het is maar een handtekening.'

'Ik moet het eerst lezen,' zei hij.

'Waarom?'

'En dat vraag je aan mij? Meen je dat nou?'

Ik wachtte tot hij was afgekoeld. 'Zal ik het hier laten liggen, zodat je ernaar kunt kijken als je wel tijd hebt?'

'Nee,' zei hij. 'Er ligt hier al genoeg.'

Ik pakte het document van zijn bureau.

'Sheri zegt dat je haar zaak aanneemt.'

'Wie?' Hij keek op.

'Mijn vriendin, Sheri Bakare. Ze belde vandaag en zei dat je hun zaak aanneemt.'

'Ja, juffrouw Bakare.'

'Doe je dat echt?'

'Doe ik wat?'

'Neem je haar zaak aan?'

'Jazeker.'

'Maken ze kans?'

'Er valt niets te bewijzen. Hun oom maakt geen enkele kans. Pure zwendel, zoals hij hun die erfenis heeft ontfutseld. De kinderen zijn de eigenaren van dat huis.'

'Onder inheems recht?' vroeg ik.

'Dat zou je toch moeten weten. Ze verdelen 's mans bezit onder zijn kinderen, zoals hij zijn leven heeft geleid.'

'Niet zoals de echtgenotes hun leven wensen te leiden?'

'Echtgenotes zijn het niet altijd eens. Deze vrouwen toevallig wel. Ze willen het onroerend goed onderbrengen in de zaak.'

'Echt waar?'

'Wat dacht je dan? Die vrouwen komen uit Lagos. Ze zaten al in de handel voor jij was geboren. Geef ze hun opties, en ze doen wat ze moeten doen.'

Met een scheef oog keek ik naar zijn papierstapel. 'Heb je het echt zo druk?'

'Hoezo?' vroeg hij.

'Als je het zo druk hebt, waarom neem je dan een zaak als die van hen aan?'

Hij legde zijn pen neer.

'Ik neem elke zaak aan die ik wil, Enitan, en die vriendin van jou toont in elk geval respect, wat meer is dan ik van sommige anderen kan zeggen.'

Het was alsof je een kikkervisje probeerde te vangen. Ik nam het mezelf kwalijk, maar de volgende keer dat Sheri naar het kantoor kwam, hield ik haar even scherp in de gaten als de andere vrouwen. Ze bleef even bij mijn bureau staan voor ze mijn vaders kantoor binnen ging. Ze bleef er tien minuten en kwam weer naar buiten.

'Hij is zo aardig,' zei ze. 'Wil je wel geloven dat hij ons geen cent in rekening wil brengen?'

'Laten we hopen dat hij dat uit de goedheid van zijn hart doet,' zei ik.

Mijn vader deed geen pro-Deowerk. Ook hij kwam met een glimlach zijn kantoor uit. Mijn vader glimlachte niet op kantoor. Als je dát toch waagt, dacht ik bij mezelf, als je achter mijn vriendin aan gaat, dan zul je nooit meer vergeten wat ik je te zeggen heb, en naderhand zal ik je nooit meer iets te zeggen hebben.

Zo onwaarschijnlijk was het niet; mijn vader met een jongere vrouw; Sheri met een oudere man. Er waren mannen in Lagos die achter de vriendinnen van hun dochter aan zaten. Je noemde hen oom en maakte een knixje. Er waren vrouwen in Lagos die om geld achter de vader van hun beste vriendin aan gingen.

Sheri glimlachte. 'Waarom zou hij ons anders helpen?'

'Alleen hij weet wat hij doet,' zei ik, 'en waarom.'

Als kind al wist ik dat hij vreemdging. Ik koos ervoor om er niet over na te denken. Als hij tegenwoordig een vrouw mee naar huis bracht, bejegende ik haar zoals ik al zijn vrienden bejegende. Het was moeilijk te zien of hij zich werkelijk voor een van hen interesseerde. Ik wilde het niet weten. Daar kwam ik achter toen een van zijn cliënten, een getrouwde vrouw, hem regelmatig begon op te zoeken. Ik dacht dat haar bezoeken met werk te maken hadden, tot ik hem na een reisje naar het buitenland van het vliegveld haalde en haar daar ook zag. Mijn vader was een sluwe man, dacht ik. Sluw genoeg om een verrassingsaanval te rechtvaardigen. Op een middag kwam ik vroeg thuis in de hoop hem te kunnen confronteren. Ik trof hem in de zitkamer aan met Peter Mukoro.

'Hallo,' zei ik en ik richtte mijn blik opzettelijk alleen op mijn vader. Ik kon het niet verdragen als mijn vingernagels over het schoolbord krasten, of als mijn tanden langs katoen streken. Peter Mukoro's spottende blik kon ik net zomin verdragen. Hij streek zijn snor glad en hield me in het oog.

'Ben je al terug?' vroeg mijn vader.

'Ja,' zei ik en ik liep rechtstreeks door naar mijn kamer.

'Enitan,' riep mijn vader.

'Ja,' zei ik.

'Heb je meneer Mukoro soms niet gezien?'

'Ik heb hem gezien.'

Ik wist dat ik in moeilijkheden zat. Ik verwelkomde ze bijna. Mijn vader kwam naar mijn kamer nadat Peter Mukoro was vertrokken.

'Ik heb je de laatste tijd in de gaten gehouden,' zei hij. 'Een gezicht als een oorwurm, en ik heb heel veel geduld met je gehad. Wat je ook dwarszit, doe dat nooit, maar dan ook nóóit meer in mijn bijzijn.'

'Ik mag hem niet,' zei ik.

'Het maakt me niet uit of je hem mag.'

'Waarom teken je die overdracht niet?' zei ik. 'Je helpt verder iedereen. Sheri, die... vreselijke vent.'

'Wat heeft hij jou ooit aangedaan?'

'Teken die overdracht.'

'Als het mij uitkomt.'

'Teken. Nu.'

Mijn vader deed een stap terug. 'Jij denkt dat we gelijken zijn? Jij denkt dat we nu gelijken zijn? Ik behandel je als een volwassene en ik krijg er dit voor terug? Je moeder heeft altijd al gezegd dat ik te toegeeflijk voor je was. Maar dat verandert nu. Als je me geen respect betoont in mijn eigen huis – je bent vijfentwintig – dan vertrek je maar.'

'Teken die overdracht.'

'Ik zeg het je niet nog eens. Je hebt er niets mee te maken. Ik heb je de keus gegeven. Of je doet wat ik zeg, of je vertrekt.'

Ik staarde naar mijn deur, die dicht was na zijn vertrek. Laat mijn vriendin met rust! wilde ik schreeuwen.

Hij was er, een oude angst. Maar ik was te oud voor de rol van kind, en hij te oud voor die van papa. Als we in dat oude patroon vervielen, zouden er nog klappen vallen.

Sheri was oude nairabiljetten aan het tellen en ze in stapeltjes op haar bureau aan het leggen toen ik aankwam. Ze likte aan haar duim en verdeelde ze over de stapeltjes alsof het speelkaarten waren. 'Nog heel even,' zei ze.

'Doe rustig aan,' zei ik.

De rit had me het grootste deel van mijn lunchpauze gekost, maar mijn angst was buiten elke proportie gegroeid. Hij hield me 's nachts wakker. Ik wilde er een punt achter zetten.

In een hoek stonden twee rijen dozen opgestapeld: Peak-melk, Titus-sardientjes, Tate & Lyle-suiker. Aan de muur hing een portret van haar stiefmoeders en eentje van haar vader alleen. Oude, mosterdkleurige gordijnen lagen opgevouwen op een stapel onder het raam. De groene hor was op twee plekken gescheurd. Stof. Overal. Sheri vond de rommel een verschrikking, dat wist ik zeker. Ze was klaar en liet zich achteroverzakken in haar stoel.

'Waar kom je voor?'

'Voor jou,' zei ik.

'Heb je al dat volk buiten gezien? Heb je ze gezien?'

'Ik heb ze gezien.'

'We verdienen goud geld.'

'Ik weet het.'

Drómmen mensen wilden hier lunchen. Ze moesten wachten tot er een tafel vrijkwam en hun bestek zou schoon noch droog zijn. Sommigen moesten gebakken vlees met een lepel snijden. Klachten werden genegeerd door de koks, die dezelfde uitdrukking op hun gezicht hadden als de koks van de beste restaurants in Harlem, Bahia, Kingston: Val me niet lastig. Toch bleven de mensen toestromen. Het eten was hier goed: *akara*, verse vis, rijst, groenteschotels met koeienpoot, ingewanden, longen en allerlei orgaanvlees, want in dit deel van de wereld lieten we geen greintje vlees verloren gaan.

Sheri's nagels galoppeerden over het bureaublad.

'Ik moest maar weer eens aan het werk,' zei ik.

'Maar je bent er net,' zei ze.

'De lunchpauze is afgelopen,' zei ik.

Ze lachte. 'Waarom nam je de moeite nog?'

'Ik was in de buurt. Ik wilde je gezicht zien.'

Als we onze jeugd niet hadden gedeeld, zou ik haar dan mogen? Sheri was onbeschoft en ijdel. Sheri was altijd al onbeschoft en ijdel geweest, maar toen ze nog een kind was, was het vertederend. En wat ze ook mocht beweren, het was duidelijk dat ze geen hoge pet ophad van zichzelf. Rijke mannen wilde ze graag. Ja, echt. In Lagos zeiden we dat zo. Je wilde graag staren, wilde graag bekritiseren, wilde graag afspraken maken waar je je niet aan hield. Rammelende grammatica daargelaten behelsde het de aanname dat je datgene wat je vaak deed, ook graag deed.

Als je dát toch waagt, dacht ik, als je achter mijn vader aan gaat, dan heb ik je niets meer te zeggen. Het zou genoeg zijn, meer dan genoeg, om te weten dat je jezelf zo laag inschat.

'Je hebt mijn gezicht gezien,' zei ze in het Yoruba.

'Het is nog hetzelfde,' zei ik.

Samen liepen we naar mijn auto. Buiten was de weg geblokkeerd door de lunchspits. Iemand hield zijn claxon ingedrukt. De zon beukte. Ik schermde mijn ogen af.

'Is mijn vader hier geweest?' vroeg ik.

'Nee.'

'Heeft hij gezegd dat hij langs zou komen?'

We keken elkaar recht aan. Sheri wendde haar ogen af naar de weg achter me.

'Ik hoop dat hij dat niet doet,' mompelde ze. 'Het is hier zo'n zooi. Kijk nou, die man zal nog...'

Een Peugeot was te hard aan komen rijden en botste op een Daewoo. De Daewoo-bestuurder sprong uit zijn auto en gaf de Peugeot-bestuurder een klap door diens open raampje. Meneer Peugeot sprong uit zijn auto en greep meneer Daewoo bij de kraag van zijn overhemd. Meneer Daewoo was groter. Hij ramde meneer Peugeot tegen zijn auto en hield hem bij zijn nekvel beet.

'Ben je helemaal bezopen?'

'Jij bent bezopen!'

'Mijn auto rammen?'

'Mij slaan?'

'Ik trim je hartstikke in elkaar!'

'Klootzak!'

Uit de omliggende gebouwen stroomden de toeschouwers tevoorschijn: mannen, vrouwen en kinderen, bejaarden die zo oud waren dat hun rug het had begeven. Eén kras op iemands auto en ze slaan je in elkaar. De mensen komen erbij staan kijken. Sla iemand, en de omstanders zelf slaan je in elkaar. Steel iets, en de omstanders kunnen je aftuigen tot je er het leven bij laat.

De bestuurders van de andere auto's toeterden gefrustreerd. Ze stonden al net zo vast als mijn geest: muurvast, zonder uitweg. Het getoeter ging nooit hierom, om twee mannen die doordraaiden vanwege een deuk in een bumper, en na een tijdje had het getoeter ook niets meer te maken met het oponthoud, helemaal niets.

Het was als een pijnlijke bult, ik kon er niet vanaf blijven. Op een middag ging de telefoon in mijn vaders kantoor. Peace was lunchen, dus ik nam op. Het was de receptioniste van zijn reisbureau. Ik zei dat hij bij de rechtbank was.

Als met tegenzin ging ze verder: 'Zijn tickets liggen klaar.'

'Ik zal het hem zeggen zodra hij terugkomt,' zei ik.

Ik wist dat mijn vader op reis zou gaan, maar pas toen ik had neergelegd drong het tot me door dat ze had gezegd dat hij samen met iemand zou reizen. Ik zocht het nummer van het reisbureau op en wachtte op de kiestoon. Mijn vader had nog steeds ons telefoonsysteem niet bij de tijd gebracht. Er was een wachttijd van ongeveer twee minuten voor we de kiestoon kregen, en elke maand, als de telefoonrekening binnenkwam met spookbedragen van gesprekskosten naar Alaska, Qatar of plaatsen waarvan we het bestaan niet eens kenden, dreigde hij onze telefoons te laten afsluiten.

De lijn was bezet. Ik gaf een dreun op de haak en probeerde het opnieuw.

'Star Travel, goeiemiddag.'

'Hebt u net het kantoor van meneer Taiwo gebeld?'

'Ja.'

'Zijn tickets. Op welke naam staan die?'

Mijn hart bonkte. Ze zette me in de wacht, consulteerde

iemand die vroeg wie ik was. Zijn secretaresse, zei ik.

'Eentje staat op naam van meneer Taiwo,' zei ze.

'Ja?' zei ik.

'En de tweede staat op naam van eh... meneer Taiwo.'

Ik fronste. 'Van wie?'

'Sorry, van dókter Taiwo,' zei ze.

Die bestaat niet, dacht ik.

'Dokter O.A.,' zei ze. 'Initialen Oscar Anton?'

'Die bestaat helemaal niet,' zei ik.

'Blijft u even aan de lijn,' zei ze.

Een mannenstem.

'Hallo, Peace? Waarom al die vragen?'

Ik was Peace niet, legde ik uit.

'Wie bent u dan?' vroeg hij bruusk.

'Ik werk hier,' zei ik.

'O,' zei hij. 'Nou, de tickets staan op naam van meneer Taiwo en zijn zoon Debayo. Bent u nieuw?'

Die bestaat niet, die bestaat niet, dacht ik.

'Peace weet ervan. Geef het aan haar door. Meneer Taiwo en zijn zoon reizen samen. Hun tickets liggen klaar. Ze weet ervan.'

Ik liet de hoorn op de haak vallen. Alsof je granaatscherven uit je vlees trok, ik wist zeker dat dat net zo voelde.

Schuld was nooit aan mijn vaders gezicht af te lezen geweest. Dat had ik gezien. Zo won hij zijn zaken. Zo had hij mijn moeder tot waanzin gedreven. Dat had ik ook gezien.

De moeders van mijn ouders hadden allebei in een polygaam huwelijk gezeten. Mijn grootmoeder van moederskant was een handelaarster. Ze stopte haar spaargeld voor de opleiding van haar kinderen onder haar matras. Op een dag pakte mijn grootvader het geld dat ze had gespaard en betaalde er de bruidsschat voor een tweede echtgenote mee. Mijn grootmoeder ging haar graf in met een gebroken hart vanwege haar geld. Mijn moeder zelf, beschut opgegroeid als ze was, was de schok nooit te boven gekomen. Vanaf dat moment verborg ze haar pijn achter snobisme.

Mijn grootmoeder van vaderskant was een junior-echtgenote. De beide senior-echtgenotes onthielden mijn vader voedsel in de hoop dat er niets van hem terecht zou komen als hij maar mager genoeg was. Daarom at hij niet veel; daarom bezweek hij nooit onder mijn moeders voedseldreigementen; daarom gaf hij, jaren later, nog steeds de voorkeur aan een oude man in zijn keuken.

Die middag wachtte ik hem op. Mijn hoofd voelde aan als hutspot. Telkens als ik het deksel van de pot oplichtte wist ik niet welke emotie eruit zou ontsnappen. Het was niet ongewoon dat een getrouwde man buitenechtelijke kinderen had, zeker niet voor mannen van zijn generatie. Maar dit? Jarenlang liegen? Ik herinnerde me zijn straffen als ik als kind had gelogen en dat hij me nooit had vergeven dat ik er stiekem met Sheri op uit was gegaan. Het was niet Sheri, maar mijn vader die ik niet kon vertrouwen.

Het grapje ging dat de diverse gezinnen van een man pas bij zijn begrafenis achter elkaars bestaan kwamen. Dat ze vochten tot ze in zijn graf vielen. In werkelijkheid bekenden de meeste mannen die zich een dergelijk dubbelleven nog konden veroorloven, lang voor hun dood, of ze werden betrapt. Want waar hing het welslagen van het bedrog nou helemaal van af? Het ene gezin op het hart drukken: Bel niet naar mijn huis, blijf uit de buurt van mijn andere gezin?

Je reinste klets.

Laat op de avond kwam hij thuis. Ik deed open.

'Ken jij ene Debayo Taiwo?' vroeg ik.

Mijn vader zette zijn aktetas neer. 'Ja.'

'Is hij jouw zoon?'

Hij rechtte zijn rug. Ja, zei hij. Debayo was zijn zoon, vier jaar jonger dan ik. Hij woonde in Ibadan. Net als zijn moeder. Nee, ze waren nooit getrouwd. Debayo had medicijnen gestudeerd, vorig jaar zijn bul gehaald. Een jaar nadat mijn broertje was gestorven, was hij geboren.

'Ik had het je zelf willen vertellen,' zei hij.

'Wanneer?' vroeg ik.

'Ik wilde dat jullie twee elkaar zouden ontmoeten. Niet dat je er op deze manier achter kwam.'

Ik begon mijn gedachten op mijn vingers af te tellen. Als ik dat niet deed, zou ik niet geweten hebben hoe ik het allemaal moest verwoorden. Maar ik bleef kalm. Over deze aanvaring zou hij niet de controle krijgen.

'Dat ik dacht dat ik jouw enig kind was, daar kan ik mee leven. Dat bijna alles wat ik heb gedaan daarop terug te voeren is, dat was mijn eigen keus. Dat ik een moeder heb die mij veracht omdat ik bij jou ben gebleven, dat is mijn probleem. Net als het feit dat ik in een huis woon waar allerlei ezelachtig...'

'Wees voorzichtig met wat je tegen me zegt,' zei hij rustig.

'...ezelachtig gedrag voor mannelijkheid moet doorgaan.'

'Heel voorzichtig.'

'Maar vertel me niet dat het tijd is dat ik je zoon ontmoet. Dat is niet mijn keus. Niet mijn probleem, en ik hoef er niet mee te leven.'

'Ik heb je niets gevraagd.'

'Weet mijn moeder hiervan?'

Hij gaf geen antwoord.

'Weet ze ervan?'

'Nee,' zei hij. Schaamte had hem de adem benomen. Zijn stem was te zacht.

'Snap je?' zei ik, even zacht. 'Jij bent degene die verkeerd heeft gedaan, niet zij. Niet zij.'

'Zo spreek je niet tegen mij. Geen kind van mij slaat zo'n toon tegen me aan.'

Ik wendde me af. 'Ik blijf hier niet.'

'Waar ga je heen?' vroeg hij.

'Naar het huis van mijn vriend,' zei ik.

Mijn vader wees. 'Loop die deur uit en je bent hier niet meer welkom.'

'Leugenaar,' zei ik.

Ik pakte mijn tas, ik keurde hem geen blik meer waardig terwijl ik het huis uit liep.

Wat mij betrof, kon hij mijn maagdenvlies pakken, het oprekken en naast Mikes mozaïek aan de muur hangen.

De weg naar Mikes huis zat potdicht. Ik stompte steeds op mijn stuur. Misschien was dit een teken. Dochters gingen er niet op die manier vandoor. Dat was heiligschennis. En nog dure heiligschennis ook. Ik vervloekte binnensmonds ons economische stelsel, dat me niet de vrijheid gaf om mezelf te onderhouden.

Ik was er altijd van uitgegaan dat mijn moeder ervoor had gekozen om afhankelijk te zijn van mijn vader. De bewijzen ervoor waren haar stoffige diploma's. Andere moeders vertrokken elke dag naar hun werk, maar zij niet. Nu wist ik dat ik niet anders was dan zij, rijdend in de auto die hij voor me had gekocht. Mijn vader zou me een auto geven, maar hij zou me niet voldoende betalen om er zelf een te kopen. Als ik de auto meenam, dan was dat omdat ik die verdiende. Als mijn moeder een huis nam, twee huizen zelfs, dan was dat omdat ze die verdiende. De macht had altijd in mijn vaders handen gelegen.

Ik stopte bij een kruising. Een gedeukte Peugeot reed over de voorrangsweg voor me. De bestuurder gaapte me aan. Hij reed traag, alsof hij de tijd nam om te masturberen. Ik kon me niet voorstellen waarom. Ik kon me geen gezicht voorstellen dat zo verbitterd stond als het mijne.

Ik drukte mijn vuist op de claxon. 'Valt er wat te zien?'

Hij krabde op zijn hoofd en gaf gas.

Toen ik bij Mikes huis aankwam, rammelde ik aan het hek. Hij kwam naar buiten in alleen zijn boxer.

'Je zei niet dat je zou komen,' zei hij.

'Dat wist ik zelf ook niet.'

Hij deed het hek open en ik glipte naar binnen.

Hij kreeg mijn tas in het oog. 'Wat krijgen we nou?'

'Ik heb een slaapplaats nodig,' zei ik. 'Alsjeblieft. Alleen voor vannacht.'

Hij liep voor me uit en ik tilde er niet te zwaar aan; misschien was hij aan het werk geweest of aan het voetballen. Boven aan de trap bleef hij voor zijn deur staan.

'Je zei niet dat je zou komen, Enitan.'

'Wil je dat ik ga?'

'Nee, nee. Ik stuur je niet weg.'

'Dat hoeft... ook niet,' zei ik, terwijl ik hem onderzoekend aan-keek. Zijn schouders waren gebogen. 'Heb je iemand bij je, daar-binnen?'

Hij keek weg.

'Mike, ik vraag je iets.'

Hij zei nog steeds niets. Ik stapte rakelings langs hem heen en deed de deur open. Op zijn bank lag een meisje, naakt, op een overhemd na. Zijn overhemd. Ik herkende het. Haar haar was zo kort geknipt als dat van een jongen, ze had bronskleurige lippen en een blik zo hautain dat die geen moment haperde. Ze was zo donker en zo mooi dat ik het van verdriet in mijn broek had kun-nen doen. Ze nam een hijs van haar sigaret.

Mikes hand klemde zich om mijn schouder. Ik worstelde me los en rende de trap af. Hij kwam achter me aan, greep me bij mijn middel, en ik ramde mijn elleboog in zijn maagstreek. We stonden stil in een impasse, zwaar ademend in het gezicht van de ander. Ik kwam in de verleiding om in het zijne te spugen.

'Laat los!'

Zijn greep werd nog strakker, en hij maakte een snelle bewe-ging. Ik schopte hem. Hij liet los.

'Geen woord,' zei ik en ik richtte mijn wijsvinger op hem.

Ik herinnerde me dat ik hem leugenaar had genoemd toen ik hem nog maar net kende.

'Pretentieuze lul,' zei ik, van hem weglopend. 'Jij bent opper-vlakkig en je werk ook.'

Hij volgde me. Ik frummelde aan het slot op het hek, schopte er vervolgens tegenaan. Het rammelde protesterend.

'Haal dat godvergeten hek van het slot,' schreeuwde ik.

Het hek ging open. Ik duwde hem opzij en liep de straat op. Ik kwam bij mijn auto, stak mijn sleutel bruusk in het slot en rukte het portier open.

'Luister,' zei hij.

'Waarom?' vroeg ik. 'Zeg het maar. Waarom zou ik moeten luisteren naar één woord van jou?'

'Dat weet ik niet,' zei hij.

'Niet?' zei ik. 'Nou, ik ook niet.'

Hij was gewoon zo'n type. Of ze richtten hun leven precies in zoals het hun goeddocht, of het waren de grootste hypocrieten ter wereld. Als er tien mensen in een ruimte zaten, hoeveel zouden hem dan een sul vinden? Eigenlijk wist ik het al. Eigenlijk had ik het altijd al geweten.

De gedachte vloog me aan: zij kon niet vrijuit gaan. Als ik in mijn auto stapte en wegreed zonder lucht te geven aan mijn razernij, zou die me verscheuren.

Ik stapte uit en liep terug naar het huis.

'W-waar ga je heen?' vroeg Mike.

'Weet. Ik. Niet,' zei ik, met opgestoken wijsvinger.

Hij haastte zich achter me aan. Boven aan de trap zag ik het meisje om de hoek van de deur staan gluren. Ze wierp één blik op mij en vluchtte terug naar binnen. Ik hoorde een deur dichtslaan en realiseerde me dat ze voor mij wegvluchtte. Dom kind. Om voor mij te vluchten.

Ik rende de trap op.

Ik liep regelrecht op Obatala af, greep haar zogenaamd bij haar oor en sleurde haar op haar knieën naar buiten. Mike stond onder aan de trap. Hij staarde me aan alsof ik een geweer in handen had. Ik hief Obatala hoog boven mijn hoofd, liet haar met een klap op de leuning neerkomen, hoorde haar kralen tiktakkend langs de trap naar beneden rollen. Mike greep naar zijn hoofd. Ik zette de gebroken plaat op de grond en liep de trap af.

'Zeg haar dat ze voor jou op de vlucht moet,' zei ik, 'niet voor mij.'

'Niet mijn wérk,' zei hij.

'Niet mijn léven,' zei ik.

Ik reed weg. Achter het hek zag ik Mikes huisbaas met open mond staan kijken. Ik kon zijn gedachten bijna lezen: nette vrouwen schreeuwen niet in andermans huis. Nette vrouwen vechten niet op straat. Nette vrouwen gaan niet bij mannen op bezoek. Nette vrouwen blijven thuis.

Mijn vingers trilden om het stuur en er prikten tranen in mijn ogen, maar ze vielen niet. Ik reed hard tot ik bij Sheri's huis aankwam. Het verkeer was me gunstig gezind.

Daar huilde ik.

Sheri zei dat ik me met mijn vader moest verzoenen. 'Dit is niks,' zei ze. Ik was niet de eerste en ik zou evenmin de laatste zijn. Half Lagos had een buitenechtelijk gezin waar de wettige familie niets van wist. Ik weigerde en liet me voor de rest van het jaar overplaatsen naar het federale ministerie van Justitie. Toen mijn vader op zijn werk was, pakte ik thuis mijn koffers.

De dag dat ik mijn nieuwe baas zou ontmoeten, duurde het een uur voor ze kwam opdagen en wachtte ik nog eens een halfuur terwijl ze yam en eieren uit een Tupperware-bakje at. Zo'n mens was het: vragen stellen had geen zin. Haar lievelingslitanie was dat ze andermans werk moest doen. In de daaropvolgende maanden ging ik als haar assistent mee naar de rechtszaal, waar we als aanklager optraden in federale zaken. De eerste keer dat ik het hof toesprak, probeerde ik indrukwekkend te klinken. De rechter, een vrouw van middelbare leeftijd, vroeg: 'Jongedame, is dit een of andere nieuwe stijl?'

'Nee,' zei ik.

'Gebruik uw normale stem dan, alstublieft,' zei ze. 'Dit is uitermate vermoeiend.'

Het was broeierig, die dag in de rechtszaal, vooral onder onze paardenharen pruik, die nooit werd gewassen en jeukte. Het salaris van de rechter kon niet opwegen tegen wat zij dagelijks voorbij zag komen: een aftakelende griffier, een ongeletterde crimineel, mijn slecht voorbereide baas die om uitstel vroeg 'als het uwe edelachtbare behaagt'.

Het behaagde hare edelachtbare niet. Bij afwezigheid van een stenograaf moest ze de notulen zelf bijhouden. Van steno was daarbij geen sprake en o god, al die verschillende manieren van spreken. En dan was er straks nog de file op weg naar huis.

Frauduleuze praktijken waren de laatste tijd toegenomen. 'Nigeriaanse misdaad' noemden ze die in het buitenland. '419' noemden we ze hier, naar het nummer van de strafwet. Ook de drugssmokkel was toegenomen, en als je de laatste berichten moest geloven, behoorden de Nigeriaanse drugskartels tegenwoordig tot de belangrijkste leveranciers van de Verenigde Staten en Europa. Buitenlandse ambassades waren terughoudend met het verstrekken van visa, en áls je er een kreeg, riskeerde je visitatie op het vliegveld. Veel van de verdachten waren ongetrouwde vrouwen, drugskoeriers, die onderweg vanuit het Midden-Oosten naar Europa of de Verenigde Staten werden opgepakt. Sommigen hadden condooms tjokvol heroïne en cocaïne doorgeslikt; anderen hadden ze in hun vagina gepropt. Er was de zaak van een vrouw die een condoom vol cocaïne in het keeltje van haar dode baby had gestopt en hem in haar armen het vliegtuig in had gedragen. Ze werd betrapt toen een stewardess opmerkte dat de baby niet één keer huilde.

Ik vond het verschrikkelijk om vanuit de rechtbank familieleden in de armen te lopen die smeekten om hun zoon of dochter toch te sparen, oude mannen en vrouwen die zich aan je voeten wierpen. In één zaak beweerde de verdachte, een meisje van negentien, dat ze niet wist wat ze bij zich had gedragen. Een andere vrouw had haar het pakje gegeven en was toen verdwenen. Het hof bevond haar schuldig. Een maand daarvoor had het nieuwe regime mensen voor diezelfde misdaad doodgeschoten, als onderdeel van hun oorlog tegen tuchteloosheid. De executies werden met terugwerkende kracht uitgevoerd om ook degenen te straffen die al terecht hadden gestaan en waren veroordeeld voordat de wet in werking was getreden, maar na een publieke uitbarsting van verontwaardiging werden verdere executies opgeschort.

Het gezicht van dat meisje achtervolgde me. Vanwege de manier waarop haar bril steeds langs haar neus omlaag gleed, stelde ik me haar voor als een schoolbibliothecaresse in haar geboortestad, die naar Lagos was gekomen voor een beter leven. Toen ik haar verhaal werkelijk begon te geloven, begreep ik dat ik niet voldoende afstand kon bewaren voor een carrière in het strafrecht. Ik wist ook niet of ik die nog wel wilde. De zittingen duurden me te lang, waren van te veel mensen afhankelijk. Ik keek met van vermoeidheid brandende ogen de rechtszaal in, en mijn hart klopte als een pijnlijke kies.

Ik was magerder geworden, ondanks Sheri's maaltijden. Telkens als Mike of mijn vader me voor de geest kwam, zo zonder zinnig weerwoord, boog ik mijn hoofd. Als ik van iemand hield, toonde ik dat graag. Het ergste was dat ik dat nu niet meer mocht. Ik droeg een deel van hun schande met me mee. Al gauw hield ik er dezelfde uren op na als mijn baas en leerde ik dat te verhullen. Zelfs de donkere blikken van collega's deden me niets.

Terwijl ik bij Sheri woonde, zag ik hoe ze als suikermeisje overleefde. Ze beperkte haar werkzaamheden in het familiebedrijf om haar brigadier zoet te houden. Ze ruimde op, achter mij, achter haar neefjes en nichtjes die bij haar op bezoek kwamen. Ze nam stof af met vaatdoeken, soms met haar vingers. Ze schudde kussens op als ze opstond, plukte in het voorbijgaan de pluisjes van haar vloerbedekking en luisterde naar de droevigste Barbra Streisand-songs. De rest van de tijd maakte ze zich op voor brigadier Hassan: haar haren, haar nagels, een vleugje parfum, een heerlijke maaltijd. In haar mooie hoofd was geen plaats voor de verontwaardiging die aan anderen vrat, vooral als die anderen uit een huis als het mijne kwamen, met dwalende vaders en moeders die zich het vel van de knieën baden om hun dochter toch maar in een keurige familie te laten trouwen.

In een bizarre huishoudelijke opzet die mij incestueus voorkwam, probeerden brigadier Hassans echtgenotes haar te rekruteren als derde echtgenote. Ze wisten dat hun man er meerdere minnaressen op na hield en als hij dan toch weer moest trouwen, kon hij dat maar beter doen met iemand die niet chukka na chukka op de poloclub rond zou hangen met een dure zonnebril op haar neus, meenden ze. Sheri vond polo saai. Hun dochters mochten haar graag: ze scheelde nog geen tien jaar met de oudste en zou niet uit de school klappen als ze een vriendje hadden. Ze waren allemaal in Zwitserland naar *finishing school* geweest en hun huwelijk zou gearrangeerd worden. Hun vader was bovendien van mening dat ze maagd moesten blijven tot ze zijn huis verlieten. De oudste beweerde dat het paardrijden haar vanbinnen had opgerekt. Intussen nam hij Sheri mee naar Parijs, naar Florence, eersteklas. Sheri, die het zich allemaal maar met moeite herinnerde: 'Daar in Florence, waar de goudmarkt is' of 'Die straat in Parijs, met al die winkels' of 'Dat ene horloge, begint met P? Ja, precies, Pathetische Philip.' Ik kon me elke reis in Europa, mét de naam van elk budgetpension waar ik had gelogeerd, nog voor de geest halen, en als iemand de moeite had genomen een duur horloge voor me te kopen, zou ik me op zijn minst proberen te herinneren wat het er voor een was.

Waar de wegen van twee culturen scheidden, had Sheri haar pad gekozen. Haar grootmoeder Alhadja had daar wel voor gezorgd. Alhadja, die midden-dertig was toen ze weduwe werd, stond aan het hoofd van een marktvrouwenvakbond en verdiende genoeg om haar kinderen een opleiding overzee te geven. Ze was teleurgesteld toen haar zoon een blanke vrouw tot echtgenote nam, maar uiteindelijk voedde ze Sheri zelf op, zodat geen andere echtgenote haar ooit kon mishandelen. Toen die andere echtgenotes er inderdaad kwamen, was Alhadja's toorn voor hen een grotere zorg dan die van hun echtgenoot. Ze kwam langs als ze had gehoord dat er ruzie was. Ze bedreigde hen in hun eigen huis. Haar zoon had een blanke vrouw als echtgenote gehad, dus twee kibbelende Afrikaansen zette hij binnen de kortste keren buiten de deur! Ze ging naar de huizen van haar dochters toen hun echtgenoten hen hadden geslagen. De echtgenoten smeekten om genade. Toen ze hoorde wat er met Sheri was gebeurd op de picknick, bezocht ze de huizen van ieder van de jongens, met een woedende menigte in haar kielzog. De menigte stortte zich op de wachters, of op wie er zo ongelukkig was geweest om de hekken open te doen. Deuren en ramen werden neergehaald. En terwijl de rest het meubilair aanpakte, pakte Alhadja het kruis van de jongens aan. Ze liet niet los tot hun moeder, vader, zelfs hun grootouders plat op de vloer lagen om haar kleindochter om vergiffenis te smeken. Daarna bracht ze een bezoek aan haar medicijnman om korte metten te maken met datgene wat er nog van hun familielijn over was.

Sheri was haar grootmoeders ware dochter. Ik probeerde haar ooit het Tragische-Mulattensyndroom uit te leggen. Ze vond het klinkklare nonsens. Allerlei mensen waren op zoek naar hun identiteit. Waarom moest de zoektocht van mulatten dan tragisch worden genoemd? Er was niets tragisch aan haar. Tijdens de Miss World-verkiezingen had een meisje uit Zimbabwe haar verteld dat het woord 'halfbloed' kleinerend was; in haar land zou Sheri 'gekleurd' worden genoemd. Sheri had gezegd dat het haar niet uitmaakte hoe iemand haar noemde. In het Yoruba-Engelse woordenboek stond een hele zin om haar te beschrijven: 'kind van een zwarte persoon en een blanke persoon', en die beschrijving beviel haar prima.

Niet dat ze er altijd vrede mee had gehad. Ze was acht jaar toen ze, een jongen van school die haar pestte met haar uiterlijk meer dan beu, op een middag naar huis rende, haar haar afknipte, haar wimpers kortwiekte tot stoppeltjes en donkerbruine schoenpoets op haar gezicht smeerde. Alhadja trof haar voor de spiegel aan en beval haar naar de jongen terug te gaan. Hij zat het Yoruba-liedje 'Ik trouwde een geeltje', te zingen, toen Sheri hem te grazen nam. 'Ik heb hem in elkaar geslagen,' zei ze. 'En zijn schooltas over zijn hoofd leeggekiept en hem in de goot geduwd. Ik zal zijn naam nooit vergeten. Wasiu Shittu.'

Zoals het een typisch Lagosiaanse prinses betaamt, kwam de adellijkheid aan de oppervlakte zodra je haar de voet maar dwars zette. Wilde je op de vuist? Sheri moest dood zijn wilde ze zich gewonnen geven. Schelden? Je hoefde haar maar een reden te geven. Ze kon iemand in stukken snijden — kop, torso, benen — met één messcherpe blik. En dat deed ze dan ook à la minute als ze hun neus voor haar ophaalden. Ze deed iemands levensgeschiedenis in één zin uit de doeken: 'Waar kom jij nou helemaal vandaan, hè? Nou, waar?'

Maar ze at geen varkensvlees. En elke ochtend als ze haar gebeden opzei met een sjaal om haar hoofd lag er een nederige uitdrukking op haar gezicht. Zo nederig als die de rest van de dag niet meer zou zijn. Hooghartig en verveeld, dat wel. Het soort hooghartigheid dat voortkwam uit de status van gunsteling, en het soort verveling dat voortkwam uit een gebrek aan zinnige bezigheden.

Haar brigadier ging ik uit de weg; ik ving alleen de geur van zijn sigaren op, die ik vreemd verleidelijk vond. Ik stelde me hem voor als een stereotype: gekleed in een lange, witte tuniek met een Mao-kraagje, gouden manchetknopen, een met fikse diamanten bezet horloge om zijn pols. Een slap handje. Broekspijpen die om zijn enkels flapperden. De voeten klein in de leren sloffen. In het geheel geen conversatie. Niet gewend om een gesprek te voeren met vrouwen. Praten tegen misschien, niet praten met.

Maar ik durfde geen kritiek op hem te uiten, zelfs niet op het feit dat hij, een strikte moslim, dronk en rookte. Ik woonde in zijn appartement, hetzelfde huis waarvan ik tegen Sheri had gezegd dat ze er weg moest. Als hij op bezoek kwam, ging ik zwemmen op de Ikoyi Club, wat haar genoegen deed. 'Vergeet die sukkel van een kunstenaar,' zei ze.

Ik ging regelmatig zwemmen. Mijn lichaam stuwde me voort en dan leek het alsof mijn geest, die achterop was geraakt, al heel gauw riep: 'Wacht op mij. Wacht op mij.'

Op een avond was ik baantjes aan het trekken toen een lange man met benen als een olympisch zwemmer in het zwembad kwam. Hij dook in het water en zwom snel. Hij maakte dat ik me traag en onhandig voelde. Een of twee keer kwam ik hem in het midden van het bad tegen, maar meestal bevonden we ons ieder aan een kant. Al gauw laste ik een pauze in in het ondiepe. Hij stopte en rees uit het water op als een wezen dat erin thuishoorde. 'Hallo,' zei hij.

Zijn glimlach had de kleur van ivoor. Een hoektand stond wat scheef.

'Ook hallo,' zei ik.

Hij plensde water over zijn borst. 'Vind je het erg als ik iets tegen je zeg?'

'Ja,' zei ik.

Hij trok zijn kin in. 'Waarom doe je zo onvriendelijk?'

'Ik kom hier om te zwemmen.'

'Ik ook,' zei hij. 'Ik wilde alleen maar zeggen dat er snot hangt.'

'Wat?'

'Er hangt snot. Aan je neus.'

Hij wees.

Mijn hand klemde zich om mijn neus terwijl hij zich uit het bad hees. Ik haalde mijn schouders op en zwom verder. Sukkel, dacht ik.

Twee avonden later liep ik in mijn badpak vanuit de kleedkamers de trap op naar de douche. Hij kwam dezelfde trap af vanuit de bar, op weg naar dezelfde douche.

'Sorry,' zei ik gegeneerd.

Gewoonlijk had ik het zwembad 's avonds voor mezelf. De kinderen, voor het merendeel van expats, waren dan al weg. Aan de bar van het zwembad zaten getrouwde stellen aan een glas fris. De drukte beperkte zich tot het hoofdgebouw, waar ze bier en wijn schonken, en tot de squashbanen vol reguliere spelers. Ik had niet verwacht hem nog terug te zien. Hij gebaarde als een veedrijver, dacht ik, om me voor te laten gaan.

'Zeg dan op zijn minst dankjewel,' zei hij, toen ik dat niet deed.

'Waarom zou ik,' antwoordde ik.

Met mijn rug naar hem toe stapte ik onder de douche, zonder me ook maar één moment te bekommeren om mijn cellulitis. Zelf was hij evenmin perfect. Mooie benen, misschien, indrukwekkende lengte, maar een zwakke kin, en zijn buikspieren konden strakker.

Hij maakte een kort 'hm'-geluid, zoals mijn vader dat deed, als een waarschuwing. Vrouwen deden dat niet zo, die rekten het geluid met neergetrokken mondhoeken op. Zoals ik nu in reactie deed.

'Graag gedaan,' zei hij, toen ik wegliep.

Die avond zwommen we alsof we alleen in het bad waren.

Weer liep ik hem tegen het lijf. Dit keer in het hoofdgebouw van de club, op een avond na het zwemmen.

'Juffrouw Onbeschoft,' groette hij.

'Ik ben niet onbeschoft,' zei ik.

Hij liep me voorbij, en op een ingeving draaide ik me om.

'Neem me niet kwalijk,' zei ik.

'Ja?' zei hij.

'Mijn manieren zijn de mijne,' zei ik. 'Je hoeft me er niet op te wijzen, en evenmin op mijn snot. Dat zijn jouw zaken niet. Probeer gewoon niets te zeggen als je me ziet, dan krijg je ook geen narigheid.'

Hij glimlachte. 'Maak je niet zo druk. Laat het gewoon gaan.'

'Laat wat gaan?'

'De bitterheid,' zei hij. 'Die verteert je nog.'

Ik nam hem van top tot teen op. 'Je hebt een scherpe tong.'

'Dat zeggen ze, ja.'

'Wat weet jij nou van mij? Helemaal niets. Ik zeg alleen dat je je commentaar voor je moet houden als je me weer ziet.'

'Maak je niet zo druk.'

Nu schoten we allebei in de lach, met dat verschil dat hij mij uitlachte. Het was niet nodig om boos op hem te zijn, dacht ik. Hij was gewoon een grote sukkel.

'Waar lach je om?' vroeg ik.

Zijn glimlach bleef onverminderd, en ik wilde hem van zijn stuk brengen.

'Wil je iets drinken?' vroeg ik.

Hij schulpte zijn hand achter zijn oor.

'Ik zei: wil je wat drinken?'

'Ik kom hier om te zwemmen, hoor,' zei hij.

'Na het zwemmen,' zei ik.

Ik trok een grimas achter zijn rug. Ik ben niet bang, dacht ik. Voor geen van jullie. Als ik iets wil drinken, doe ik dat.

We troffen elkaar in het clubhuis en gingen aan de bar zitten terwijl de barman me afkeurende blikken toewierp.

Niyi Franco. Hij was advocaat en werkte als manager voor een verzekeringsmaatschappij. Zijn grootvader was advocaat. Zijn vader en vier broers waren advocaat. Zijn moeder had haar baan als verpleegster opgezegd in het jaar dat hij was geboren. Hij zwom voor Lagos State en had gedacht dat hij dat de rest van zijn leven zou doen. Toen brak hij zijn schedel op een duikplank en legden zijn ouders hem een levenslang zwemverbod op.

'Afrikanen kunnen niet zwemmen,' grapte ik.

'Ik ben van Braziliaanse afkomst,' zei hij en hij stak zijn kin in de lucht.

'Vriend,' zei ik, 'je bent een Afrikaan.'

Ik vertelde over mijn recente ervaringen in de rechtszaal en zei het minimale over mijn familie. We liepen samen naar onze auto's, en met zijn lange passen was het moeilijk om hem bij te houden. Nu hadden we het over de pruiken en toga's die advocaten droegen. Er werd hevig gedebatteerd in de pers over een verandering in het uniform, zodat het ons erfgoed zou weerspiegelen.

'Er verandert niets,' verzekerde hij me.

'Ik hoop van wel,' zei ik. 'Die pruiken zien er niet uit.'

'Goddank hoef ik er geen te dragen.'

'Wanneer heb je er voor het laatst een op gehad?' vroeg ik.

'Een jaar na mijn afstuderen,' zei hij.

'Wanneer ben je afgestudeerd?'

'In '77.'

Ik deed een stap achteruit. 'Nee.'

'Ja,' zei hij.

Dat was het jaar waarin het Kunst- en Cultuurfestival werd gehouden, het Festac. Stevie Wonder trad op in ons nationale theater, evenals Miriam Makeba, Osibisa; iedere Afrikaan ter wereld werd in Lagos vertegenwoordigd. Ik dacht dat ik zou sterven omdat ik op kostschool in Engeland zat. Voor het eerst hadden we kleurentelevisie in ons land, en iedereen legde een moestuin aan op zijn erf om het Voed de Natie-overheidsplan te steunen. Mijn moeder kweekte okra en mijn vader noemde het regime, het Voed de Natie-plan en het Kunstfestival een lachertje.

'Kijk me aan,' zei hij. 'Ik lieg niet. Ik heb een zoon van zes.'

Mijn mond viel open. 'Je bent getrouwd?'

'Gescheiden,' zei hij.

'Je bent getrouwd,' zei ik.

Wat mij betrof.

'Nou,' zei ik, 'het was me aangenaam.'

'Mij ook,' zei hij.

'Ik moest maar eens op huis aan.'

'Ik vond het gezellig.'

'Graag gedaan,' zei ik gedachteloos.

Bijna gaf ik een knixje. Hoe oud was ik in 1977? Zeventien.

Ik nam me voor bij een volgende ontmoeting meer over zijn vrouw te weten te komen. Dit keer gingen we in de lobby zitten.

'Je moet je zoon wel missen,' zei ik terwijl we op ons biertje wachtten.

'Ja.'

'Maar je ziet hem vast zo vaak mogelijk.'

'Nee.'

'Wat jammer,' zei ik.

Het leek me dat ik moest ophouden met nieuwsgierige vragen stellen. Het waren mijn zaken niet.

'Hij woont bij zijn moeder in Engeland,' zei hij.

'Woont je vrouw in Engeland?'

'Ze is mijn vrouw niet.'

De ober verscheen met ons bier. Niyi trok meteen zijn portefeuille en betaalde. De ober onttrok hem even aan mijn zicht.

'Heb je de arme vrouw naar Engeland verjaagd?' vroeg ik.

Ik pakte mijn bierflesje.

'Ze vertrok zelf,' zei hij. 'Ik was drieëntwintig. Even zien... ze was zwanger, studeerde nog, medicijnen. Ik werkte voor mijn vader. Mijn ouders zijn streng katholiek, maar dat was niet de reden waarom ik met haar ben getrouwd. Mijn vader was geen gemakkelijk mens. Hij dreigde me steeds met ontslag. Op een dag zei ik: "Ik heb er genoeg van," en vertrok. Toen begonnen de problemen.

Ik vond een andere baan, maar het was niet makkelijk. Zij werkte in het academisch ziekenhuis, en we woonden in Festac Village. Mijn zoon heeft astma. Op een dag was haar auto gestolen; dan dit, dan dat, je kunt het je wel voorstellen. Maar ze had een groepje vriendinnen. Net ratten, die vrouwen, van die modepoppetjes. Droegen altijd het nieuwste van het nieuwste, gingen altijd ergens heen. Dat wilde zij ook. Op een dag gaven haar ouders haar een vliegticket, en ze vertrok. Ze ging naar Engeland met mijn zoon. Ze belde me pas nadat ze werk had gevonden, en toen belde ze in tranen, vroeg me om over te komen.'

'Wat heb je gezegd?'

'Ik had mijn werk hier. Daar had ik geen kwalificaties. Wat moest ik daar? Wie zou me in dienst nemen? Zij was arts, en ik, wat was ik? Al die tijd in Lagos had ze tegen iedereen gezegd dat ik ons niet kon onderhouden, en nu wilde ze dat ik naar een vreemd land ging en het eerste het beste baantje aannam?'

'Dat zou niet eenvoudig zijn geweest.'

'Ik had kunnen gaan, voor mijn zoon.'

'Zou zij hetzelfde hebben gedaan voor jou?' vroeg ik.

Ik keek hoe hij een slok bier nam. Elke beweging die hij maakte was groot.

'Nee,' zei hij en hij wreef over zijn voorhoofd. 'Ze wist precies wat ze wilde. Dat heeft ze altijd al geweten. Ze wilde trouwen. Ze wilde reizen. Ze wilde in Engeland werken. Ze wilde het alleen niet toegeven. Dat doen vrouwen, weet je.'

'Wat?'

'Langs je heen dribbelen en scoren. Woesj! Mentaal voetbal.'

Ik glimlachte. 'Je generaliseert.'

'Jij bent dus niet zo?'

'Ik ben niet perfect.'

'Wat zijn je tekortkomingen?' vroeg hij met een glimlach.

'Ik ben te goed van vertrouwen,' zei ik. 'Ik vergeef niet snel. Dat is echt, écht een tekortkoming, en ik ben bang voor de dood.'

'Voor de jouwe?'

'De mijne, maar ook die van anderen.'

'Dat is geen tekortkoming.'

Ik stelde mezelf voor als een dronken vrouw die met haar hoofd tegen een muur beukte in de hoop dat ze er uiteindelijk doorheen zou breken. Ik koesterde altijd hoop als het om mannen ging.

'Ik ben hoopvol,' zei ik.

'Dat is goed,' zei hij en hij nam nog een slok.

Ik keek naar zijn handen.

'Speel je piano?'

Hij keek er ook naar, tevreden. 'Hoe weet je dat?'

Ik zette het flesje aan mijn mond.

'Hoe wist je dat?' zei hij. 'Je bent vast een mami wata, je hangt rond bij het zwembad op zoek naar mannen die je kunt betoveren met dat wiegende achterste van je.'

Mijn bier schoot in het verkeerde keelgat.

Sheri zat op haar bed. Ik stond voor haar spiegel in mijn werkkleren: een zwart mantelpakje dat eeuwig opkroop.

'Zo kun je niet uit,' zei ze.

Ik controleerde mijn lippenstift. 'Hoezo niet?'

'Naar het Bagatelle? Mensen doffen zich op als ze daarheen gaan. Dat pakje ziet eruit alsof het niet gestreken is.'

'Wie let daar nou op?'

Ze liep naar haar kleerkast en begon te zoeken.

'Er zit daar niks voor mij bij,' zei ik.

'Wacht maar af,' zei ze.

'Ik zal het niks vinden, Sheri. Dat wéét ik, en ik ga me niet omkleden om jou een plezier te doen.'

Altijd hetzelfde liedje. Ze vroeg of ik wel had gegeten. Ze deed mijn haar goed voor ik haar deur uit ging, dwong me mijn kleren te strijken. Ik zei dat ze de ziel van een oude vrouw had. Ze zei dat ze dus wijzer was dan ik. Ze trok een zwarte japon met een grote, goudkleurige print erop tevoorschijn. Nauwsluitend, met een laag, laag, typisch Senegalees decolleté.

'Zeg nou nog eens dat je het niks vindt,' zei ze.

Ik trok hem aan. Niyi was vroeg. Ik had verwacht dat hij zich zou hebben opgeknapt, maar hij was in werkkleding. Sheri had zich erop verheugd om hem te ontmoeten, maar hij kon niet lang blijven. We waren laat, beweerde hij, maar later bekende hij dat hij honger had.

'Hoe lang woont ze hier al?' vroeg hij toen we het appartementencomplex uit reden.

'Twee jaar,' zei ik.

'Ze heeft het ver geschopt,' zei hij.

'Hoe bedoel je?'

We naderden de kruising met de grote weg.

'Hier wonen, zonder baan,' mompelde hij.

Ik zag een auto voorbij zoeven, en nog een. Ik wilde net antwoord geven toen hij een laag gefluit liet horen. Zijn blik volgde een rode auto die op de verouderde weg een miniatuur ruimteschip leek. De auto minderde vaart bij de hekken van een groot appartementencomplex aan de overkant. 'Wat?' vroeg ik.

'De nieuwe BMW,' zei hij.

'Bm wat?' vroeg ik.

'W,' legde hij uit.

Hij staarde naar de rode remlichten. De hekken gingen open en de auto rolde naar binnen.

'Ehm... kunnen we nu gaan?' vroeg ik.

De weg was leeg. Hij keek voor de vorm naar links en rechts voor hij erop draaide.

Ik snoof. 'Materialist.'

Hij nam me van opzij op. 'U houdt niet van de goede dingen des levens, mevrouw de socialiste?'

Ik keek uit het raampje.

Hij gaf een klopje op mijn knie. 'Het is fijn om te zien dat je manier van kleden niet lijdt onder je politieke overtuiging. Je ziet er mooi uit in dat zwart met goud.'

Ik bleef uit het raampje kijken. Ik wilde niet dat hij me zag lachen. God, wat ergerde die man me.

Maar ik wist dat hij er een grap van maakte omdat hij vond dat hij tekortschoot. Niet zoals de meeste mensen tekortschoten, in het geniep, ten behoeve van hun eigen zelfobsessie, maar publiekelijk, zichtbaar voor Jan en alleman: een vrouw die hem had verlaten, een zoon die hij niet grootbracht. Dat zou nergens ter wereld makkelijk te verteren zijn, maar hier des te moeilijker. Een vrouw was vernederingen gewend tegen de tijd dat ze volwassen was. Ze kon ze dragen als een kroon die ze voor het effect nog scheef kon zetten ook, en de hele wereld uitdagen om er iets van te zeggen. Een man droeg zijn vernederingen als een veel te grote mantel.

'Ga toch opzij met die gammele bak,' foeterde hij.

Hij reed verschrikkelijk, alsof we ons naar het vliegveld moesten haasten voor de allerlaatste vlucht weg uit Lagos, en beschuldigde andere bestuurders ervan dat ze zaten te slapen.

'Doe me een plezier,' zei ik. 'Maak geen ongeluk.'

Het Bagatelle was een van de oudste en beste restaurants in Lagos en eigendom van een Libanese familie. Het hele diner door moest ik lachen. Niyi noemde falafel hondenvoer. Toen zijn bord voor hem werd neergezet, zei hij dat hij er winderig van werd. Ik vroeg of er ook gerechten waren waar hij geen aanmerkingen op had. Eten uit eigen keuken, zei hij.

'Sorry,' zei ik. 'Ik kook niet.'

'Serieus?'

Hij overpeinsde mijn bekentenis even en sloeg toen met zijn vuist op tafel.

'Ik trouw toch met je.'

'O, god,' zei ik, met mijn hoofd in mijn handen. Als ik met hem trouwde, zat ik pas goed in de problemen.

'Eet je bord leeg,' zei hij.

'Ik heb genoeg,' zei ik.

'Je verspilt goed voedsel,' zei hij. 'Ik dacht dat je een socialist was.'

'Je maakt me voor van alles en nog wat uit, al sinds je me hebt ontmoet.'

'Eet je bord leeg, o-girl.'

'Alsjeblieft, laat me in vrede verteren.'

Wat ergerde die man me. Hij had een duivelse mond, zelfs als je hem kuste.

Tot mijn verbazing trof ik Sheri's deur op een kier aan toen ik thuiskwam. Ik duwde hem verder open en gluurde de zitkamer in. Een pan lag ondersteboven op de bank. Ik gleed uit en merkte dat er okrastoofpot op de vloer lag.

'Sheri,' zei ik, met mijn hand bij mijn keel.

Ik liep om de bank heen, waar nog meer stoofpot op de vloer lag.

In de keuken zag ik een pak yammeel halfleeg op de grond.

'Sheri!' zei ik.

Haar stem kwam uit haar slaapkamer. Ik rende erheen en zag haar op bed liggen.

'Wat is er gebeurd?'

Ze werkte zich moeizaam op een elleboog.

'Niemand slaat mij. Sla me, en ik sla terug. *God no go vex.*'

Er zat yammeel in haar haar.

'Wie heeft jou geslagen?'

Ze klopte zich op de borst. 'Zeggen dat ik een hoer ben omdat ik buitenshuis kom. Je moeder is hier de hoer. Hef je hand op tegen Sheri Bakare, en je hand is nooit meer dezelfde. De sukkel, het zal 'm van nu af aan niet meevallen om polo te spelen.'

'Sheri, heb je de brigadier geslagen?'

Met een pan, zei ze. De Burgeroorlog had hem niet op haar voorbereid. Ze had hem een klap verkocht voor iedereen die haar ooit de voet dwars had gezet. Ik zei dat ze geen spatje blank bloed in zich had. Iemand met blank bloed zou geen brigadier aanpakken, niet zo, met een pan okrastoofpot.

Ze stond op en schuifelde stijfjes voor me uit naar de keuken. 'Ik ben opgegroeid in hartje Lagos,' zei ze. 'Breng de koningin van Engeland daar maar heen. Dan leert ze vanzelf hoe ze moet vechten.'

Ze begon het yammeel van de keukenvloer te vegen.

'Je weet dat je hier nu weg moet,' zei ik.

'Ik weet het,' zei ze.

'En je weet dat hij misschien knokploegen op je afstuurt.'

'Al stuurt-ie de president,' zei ze. 'Of vn-troepen voor mijn part.'

'Wil je soms dood?'

'Ik ken mensen die hem al voor tien naira afrossen,' zei ze. 'En ik weet dingen over hem die hem voor de rest van zijn leven in de zwaarbewaakte afdeling van Kirikiri zetten, als hij iets stoms probeert. De man is een lafaard. Daarom sloeg hij me. Hij durft niemand op me af te sturen. Als-ie dat waagt, leest-ie in *Weekend People* hoe een vrouw hem heeft afgeranseld.'

Ik schudde mijn hoofd.

'Jij of ik, ik weet niet wie er gestoorder is.'

'Na wat ik met mijn eigen ogen heb gezien? Als ik niet gestoord ben, wat dan wel? De man is jaloers op me. Kun je je dat voorstellen? Hij is jaloers op mijn succes, ook al heeft hij alles al. Hij wil dat ik niks heb, alleen wat híj me geeft. Hij zegt dat-ie het allemaal terug wil. Ik zei: Neem mee! Neem het allemaal maar mee! Ik kwam hier niet in mijn blootje.'

Ik keek naar de zitkamer.

'En de meubels?'

'Hebben we geen tafels en stoelen in mijn vaders huis dan? Hij mag ze houden. Het enige wat ik wil, zijn mijn Barbra Streisands.'

Ik kon zien dat elke beweging haar pijn deed.

'Laat mij dat doen,' zei ik.

Ze trok een stoel bij terwijl ik het meel op een hoop veegde.

'Enitan,' zei ze na een tijdje. 'Ik ga je iets vertellen en het is niet vanwege wat er vanavond is gebeurd. Ik hoop dat je naar me luistert.'

Ik hurkte om de rommel op het blik te vegen. 'Ja?'

'Mijn moeder is niet dood. Mijn vader heeft me dat wel verteld, maar de waarheid is dat hij me van haar heeft afgepakt.'

'Wat?'

'Je weet toch hoe het in Engeland was in die tijd. Zwarten waren net apen voor de oyinbo's. Hij was net afgestudeerd. Zij werkte in een hotel. Ze bracht hem zijn eten. Ze waren niet getrouwd, en hij wilde dat ik onze tradities zou kennen.'

Ik fluisterde: 'Welke tradities?'

De man had niet eens de moeite genomen om Sheri op te voeden. Hij gaf haar in handen van zijn moeder en later in die van zijn echtgenotes.

'Alhadja heeft me alles verteld voor ze stierf. Ze zei dat het haar speet. Ik zei dat het achter ons lag. Kijk me niet zo aan. Ik ben niet de eerste noch de laatste. Hij liet me tenminste niet in Engeland achter, zoals sommige anderen, en ik héb twee moeders.'

'Maar je echte moeder...'

'Is iemand die me nooit is komen zoeken. Dat noem ik geen echte moeder.'

Ik sloot mijn ogen. 'Wat je vader deed was fout. Fout!'

'Als ik het kan accepteren, kan iedereen dat. Zeg je me nou dat jij mijn pijn meer voelt dan ik?'

Ze glimlachte; ik wist dat ik er niet op door moest gaan.

'Sorry.'

'Maak het goed met je vader. Meer vraag ik niet. Het is genoeg geweest. Morgen vertrek ik uit dit huis en ik ga terug naar mijn familie. Ik vind dat jij dat ook moet doen. Die dingen gebeuren in een familie. Ze gebeuren. Wat je daarna doet, dat is belangrijk. Je vader heeft je opgevoed. Hij heeft je nooit verlaten. Niet koppig zijn.'

'Ik heb het recht om boos te zijn.'

'En dus verloochen je degene die jou heeft opgevoed.'

'Het zijn niet alleen zijn leugens.'

'Wat is er nog meer dan?'

'Ik kan hem niet vertrouwen. Zelfs niet met mijn vriendinnen.'

'Welke vriendinnen?'

Ik wees.

Haar ogen werden groot. 'Jij denkt dat je vader achter mij aan zit?'

Ik deed hem na: 'Liefje zus, liefje zo.'

'Zo noemt hij jou ook.'

'Nou, ik ken hem. Hij denkt van niet, maar het is wel zo.'

Ik kwam overeind, me ervan bewust dat ik net als mijn moeder klonk.

'Dit is Lagos,' zei ze. 'Dit kun je zo niet doen. Je bent de eerste niet en je zult ook niet de laatste zijn. We kennen onze vaders, ja. We zullen ze moeten accepteren zoals ze zijn.'

Ik kiepte het blik leeg in de grote vuilnisbak.

'Enitan!'

Beschaamd liep ik over het grindpad. Dochters hoorden te luisteren, en ik had niet geluisterd. Ik wachtte even voor ik de bel indrukte, drukte toen twee keer en hoorde voetstappen. De deur ging open. Haar haar was helemaal grijs. Voor het eerst maakte ik me er zorgen om dat mijn moeder weleens dood kon gaan zonder dat ze me had vergeven.

'Ben jij dat?' vroeg ze.

'Ja,' zei ik.

'Kom binnen,' zei ze.

Ze luisterde naar wat ik te vertellen had.

'Je bent onbeschoft tegen hem geweest,' zei ze. 'Je zult je excuses moeten aanbieden. Je kunt je vader geen leugenaar noemen.'

Ze schopte haar sloffen van haar voeten. Aanvankelijk waren ze lichtblauw geweest, maar haar voeten hadden er bruine afdrukken in achtergelaten, en het weefsel klitte stoffig samen.

'Hij deugde niet. Nadat jij was geboren, heb ik gezegd dat ik geen kinderen meer wilde. God had ons met een gezond kind gezegend. Waarom dat risico nemen? Maar zijn familie wilde er niet van horen. Hij moest en zou een zoon hebben, dus dreigden ze dat hij er een echtgenote bij zou nemen; zelfs zijn moeder, die vrouw die zelf zo had geleden, zij dreigde er ook mee. Je vader nam het geen moment voor me op.

Ik was heel gereserveerd, weet je. Hooghartig. Dat stond je vader wel aan. Sunny, die moest altijd een treetje hoger staan dan de rest. Misschien omdat hij als jongen zo verwaarloosd was. En ik vond het niet erg om te dragen wat hij kocht; kleren, sieraden. Ik had het allemaal, maar toen je broertje werd geboren, wie gaf daar toen nog om? Denk je eens in hoeveel verdriet je om een kind kunt hebben. Hij krijste en krijste, en we konden hem niet helpen. Ik kon mijn zoon niet helpen. En waar was het allemaal voor? Voor een man die zich niet liet vasthouden. Altijd uit, alsof mijn zoon niet bestond, alsof ik niet bestond. Hij zei dat ik mezelf niet meer verzorgde. Ik had geen tijd voor mezelf. Hij zei dat ik de hele tijd boos was. Allicht was ik boos. Het was alsof ik glasscherven had ingeslikt. Glasscherven krijg je niet uit je lichaam. Ze snijden je aan flarden. Het is het beste als ze daarbinnen blijven zitten.

Offer jezelf nooit op voor een man. Tegen de tijd dat je zegt: "Kijk toch wat ik allemaal voor je heb gedaan," is het te laat. Ze herinneren het zich nooit. En de dag dat je begint terug te slaan, die vergeten ze nooit. Bid ook maar dat je nooit zult weten wat het is om een ziek kind te hebben. Je weet niet of je er te veel van moet houden of te weinig. En als ze nog zieker worden, hou je van ze op de enige manier waarop je kunt: alsof ze een deel van jou zijn.

De dag dat je broer stierf, was je vader niet thuis. Ik nam je broer mee naar de kerk. We hebben gebeden. Wat hebben we die dag gebeden. Je vader vergaf het me niet, bleef aan de gang over het ziekenhuis. "Waarom heb je hem niet naar het ziekenhuis gebracht, waarom heb je hem niet naar het ziekenhuis gebracht?" Wat kon dat ziekenhuis nog doen? Het ziekenhuis kan de sikkelcelziekte niet uit een kind halen, het ziekenhuis kan een stervend kind niet dwingen om te leven. Ik ben geen onbenullige vrouw. Geen moeder ter wereld die niet zou hopen dat geloof haar kind kan genezen als de medische wetenschap heeft gefaald, zelfs de jonge vrouwen van tegenwoordig niet, zo slim als ze zijn met hun voorzorgen.'

Ik knikte. In die tijd nam een stel het risico. Tegenwoordig trokken degenen die het zich konden veroorloven naar overzee voor een test in de eerste drie maanden. Als dat onderzoek een sikkelkind uitwees, onderging de vrouw stilletjes een abortus. We geloofden al evenmin in de heiligheid van ongeboren leven als in wedergeboren geesten.

'Ja,' zei mijn moeder. 'Een zoon, zeg je. Het verbaast me niet. Het was een kwestie van tijd voor er een opdook. Ik ben blij dat ik het nu weet. Al die jaren wilde ik dat je vader zou toegeven dat hij verkeerd had gedaan. Hij heeft het nooit toegegeven.'

Ik probeerde me mijn broertje voor de geest te halen. Hij was schriel, werd altijd in de lucht gegooid en gekieteld, zelfs door mij, behalve wanneer hij ziek was. Soms wilde ik weten hoe het was om ziek te zijn. Ik heb een keer gedaan alsof ik een toeval kreeg. Hij lachte en duwde me van mijn bed af, schreeuwde tot mijn moeder aan kwam rennen.

'Denk je dat je grappig bent?' had ze gezegd.

Niemand van ons was bij zijn begrafenis. Mijn ouders niet, want volgens de traditie kunnen ouders hun kinderen niet begraven. En ik was bij hen gebleven omdat mijn vader zei dat ik te jong was. Jaren later nog droomde ik dat mijn broertje weer eens een grap uithaalde, dat hij dit keer deed alsof hij dood was. Ik wilde hem weer zien, wilde dat hij me weer in de problemen bracht en dan stiekem naar me keek om mijn reactie te peilen, maar ik was bang voor geesten. Mijn broer was de dapperste van ons twee, dacht ik. Telkens als hij in het ziekenhuis lag, verstopte ik me liever onder mijn bed dan bij hem op bezoek te gaan, en nadat hij was doodgegaan, was ik bang dat hij me zou opzoeken als een van de lelijke demonen uit een maskerade. Een tijdlang was de dood het logische besluit van elke situatie. Mijn hoofd jeukte, dus krabde ik, dus zou ik bloeden en bloeden tot de dood erop volgde. Een spin op mijn klamboe zou in mijn mond vallen en me achter in de keel bijten, waardoor mijn keel zou opzwellen en ik dood zou gaan. Naarmate ik ouder werd, werd het verband tussen gebeurtenissen minder hachelijk.

Er waren ook dingen die ik me van mijn moeder herinnerde; dat ze citroengrasthee maakte als ik ziek was en 's nachts regelmatig bij me kwam kijken, als een verpleegster, zonder medelijden: 'Mond open. Goed zo.' In een ander land had ze misschien de hulp ingeroepen van een psycholoog en was ze in therapie gegaan. Hier was je waanzinnig of je was het niet. Als je waanzinnig was, ging je naakt over straat. Als je dat niet was, bleef je thuis. Op mijn moeders kaptafel hadden ooit drieëndertig flesjes parfum gestaan, voordat ze die kerkgewaden begon te dragen die naar chloor en stijfsel roken. Ik had ze geteld. Ik kon me de glamour van vroeger herinneren, de fluwelen kaftan met de ronde spiegeltjes. Ik stelde me haar voor met glasscherven in haar maag. Ze waren in haar ogen te zien. Ze was een prachtige vrouw. Dat was ik vergeten.

1995

De mensen zeggen dat ik een heethoofd was, zo rond mijn vijfentwintigste. Zo herinner ik me dat niet. Ik weet wel dat ik voor mijn mening uitkwam. Hoe minder een vrouw in mijn land protesteerde, hoe meer ze werd gewaardeerd. Uiteindelijk stierf ze dan met alleen haar onbaatzuchtigheid om aan haar dochters door te geven; een schrikwekkend erfgoed, als tranen die door een uitgedroogde keel omlaag glijden.

De eerste keer dat ik met Niyi over trouwen sprak, had ik net ontdekt dat mijn moeder ons huisvuil doorspitte op zoek naar mijn gebruikte maandverband, dat ze meenam naar de kerk voor gebeden. Haar priester had gezegd dat ik anders kinderloos zou blijven. Ze hing nog altijd dezelfde kerk aan en was nu een senior-zuster. 's Morgens en 's avonds stak ze een kaars op om bij te bidden, mompelde in zichzelf en neuriede kerkliederen. Tegen zessen zat haar voordeur op het hangslot en waren haar gordijnen dicht. Ik ging vaak naar Niyi, al was het maar om te ontsnappen aan haar en aan haar huis, waar ik het gevoel had dat de navelstreng tussen ons nooit was doorgeknipt. Het huis was nu van haar, sinds mijn vader het had overgedragen. Dat was drie weken nadat ik bij haar was ingetrokken gebeurd. Ik kreeg de overdrachtsdocumenten van hem met een begeleidende brief waarin hij me van overlopen beschuldigde. In mijn antwoord heb ik hem bedankt voor het feit dat hij me had grootgebracht, en hem eraan herinnerd dat ik nooit de kans had gekregen om zelf partij te kiezen. Ook heb ik me verontschuldigd voor mijn onbeschoftheid. Echt, ik had mijn eigen vader geen leugenaar moeten noemen.

Mijn moeder ging er bij haar kerkvrienden prat op dat ik zijn hypocrisie nu uit de eerste hand had leren kennen. Elke zondag vertrok ze, om diezelfde kerkvrienden dan bij terugkomst te beschuldigen van zelfzuchtigheid. Ik deed alsof ik luisterde. Ik wist dat ze leed vanwege alles wat ze in haar huwelijk had opgeofferd. En eindelijk begreep ik waarom ze zich zo fanatiek op de kerk had gestort. Als ze haar heil had gezocht in bier of wijn, dan hadden de mensen haar een dronkaard genoemd. Had ze haar toevlucht gezocht bij andere mannen, dan hadden ze haar een slet genoemd. Maar als je je tot God wendde? Wie kon daar iets op aan te merken hebben? 'Laat haar met rust,' zouden ze zeggen. 'Ze is vroom.'

Ik had mijn moeder haar vroomheid zien belijden en gezien hoe ze met haar armen wuifde en haar glimlach overdreef. Telkens als ze amen zei, had ze evengoed haar tong uit kunnen steken. Ze had ons allemaal een rad voor ogen gedraaid. Haar religieuze obsessie was niets anders dan een levenslange rebellie. Het geloof had haar niet geheeld, en ik hoopte dat de geboorte van een kleinkind dat op een dag wel zou doen.

Maar toen ik haar vertelde dat ik met Niyi ging trouwen, zei ze dat er waanzinnigheid heerste in zijn familie. O, ja. Een van zijn tantes waste voortdurend haar handen, en een andere, zo'n mooi meisje, had een baby gekregen en moest er dagenlang niets van hebben. 'Stel je toch eens voor dat je zo'n moeder hebt,' zei ze. Ik vertelde mijn vader over mijn verloving, en ook hij werd ineens vroom. 'Dat is niet toegestaan,' zei hij met opgeheven vinger; niet toegestaan door de paus, bedoelde hij. Niyi was een gescheiden katholiek, dus hij weigerde ons zijn zegen te geven. Pas toen oom Fatai op hem had ingepraat, stemde hij met het huwelijk in en vervolgens las hij Niyi de les over hoe ons huwelijk in elkaar zou moeten steken. Dat smoorde elke vader-zoonrelatie die zich tussen hen had kunnen ontwikkelen in de kiem, en Niyi, die mijn moeders kerkelijke activiteiten met argusogen bezag, meed haar alsof ze een tovenares was.

Op de dag van mijn traditionele verloving knielde ik volgens de rituelen voor hem neer. Hij overhandigde een bruidsschat aan mijn familie, een handgeweven kleed en wat gouden sieraden. Ik wilde geen bruidsschat en ik wilde niet knielen. Niyi nam met de grootste tegenzin deel aan de rituelen, waarin hij figureerde alsof hij nog eenentwintig was en niet al een kind had, en had daar niet eens willen staan. Tijdens de ceremonie maakten mijn ouders ruzie. Mijn moeder weigerde naast mijn vader te zitten. Hij vertelde haar dat ze wat hem betrof ook buiten de hekken kon gaan staan. Bij de burgerlijke ceremonie een week later was de sfeer in het kantoor van de burgerlijke stand in Ikoyi om te snijden.

Ik liet er geen traan om dat ik uit huis ging. Terwijl ik zo gemakkelijk huilde! Na de laatste rituelen, wanneer de bruid voor haar ouders knielt en die haar hun zegen geven, wordt ze verondersteld om te huilen. Bij een trouwerij wacht het hele gezelschap op dat moment, zodat ze kunnen zeggen: 'Ach, ze huilde. Ze huilde, dat meisje. Zo veel houdt ze van haar ouders.' Ik had dat altijd verdacht gevonden. Waar kwamen die tranen vandaan, zo op afroep? Een van de bruiden, een vrouw van tegen de veertig met een hoofd vol grijze haren, snikte het uit alsof haar ouders haar hadden verkocht. Ze hadden bijna de hoop opgegeven dat ze ooit nog zou trouwen. Waar moest zij nou om huilen? Ik was niet verbitterd jegens mijn ouders. We hadden ons verzoend zoals de meeste gezinnen deden, voldoende om ons van dag tot dag bij elkaar te houden maar met de gerede kans dat we onder de geringste druk bezweken. Ik had nog altijd mijn vaders buitenechtelijke zoon, mijn halfbroer, niet ontmoet. Aanvankelijk omdat ik mijn vader wilde laten weten dat ik zijn bedrog nog niet was vergeten. Toen uit loyaliteit jegens mijn moeder. En na een tijdje gewoon omdat ik andere dingen aan mijn hoofd had, zoals mijn werk.

Indertijd werkte ik voor het ministerie van Justitie en vulde mijn inkomen aan met een bedrijfsovername hier en daar. Nadat we getrouwd waren, stelde Niyi me voor aan een paar vrienden van hem in het bankwezen, en ik vond een baan als debiteurenbeheerder. Ik was niet voorbereid op mijn nieuwe werkomgeving, waar onder hoge tijdsdruk enorme sommen geld door mijn handen gingen. In mijn nek voelde ik de hete adem van Financiën om de deals die ze wilden sluiten goed te keuren, terwijl in mijn oren de vermaningen van het management echoden om kredietlijnen scherp in de gaten te houden. De doordouwers van Financiën kwamen gewoonlijk tegen sluitingstijd binnen en rekenden me tot op de cent voor hoeveel de bank erbij in zou schieten als ik hun transactie niet goedkeurde. Ik kreeg nog een maagzweer van de discussies die ik met hen voerde. En op een dag keurde ik een transactie goed zonder voldoende kredietlijn, waarop het management me de volle laag gaf.

Na het werk reed ik huilend naar huis. Niyi wierp één blik op me en zei: 'Je zult meer eelt op je ziel moeten kweken, o-girl. Je kunt je niet door de mensen in een hoek laten drukken. Zeg dat ze de boom in kunnen als ze je te veel onder druk zetten.'

'Je hebt geen idee,' zei ik. Bankiers waren geen advocaten. Wij waren eraan gewend om te wachten tot de reguliere rechtsgang zich eindelijk had voltrokken. Uitstel maakte deel uit van de standaardprocedure. Niyi kneep in mijn neus. 'Niet doen,' zei ik en ik sloeg zijn hand weg.

Hij gaf een klopje op mijn hoofd. 'Zo mag ik het horen.'

De volgende ochtend kon ik mijn werk weer aan. Sindsdien begeleidde Niyi me met soortgelijke rituelen. Toen de algemeen secretaris maanden later vertrok, stapte ik in haar schoenen.

Op het werk probeerde ik Niyi bewust te imiteren. De manier waarop hij 'nee' zei, zonder zijn hoofd te bewegen; zoals zijn blik, als hij je eenmaal aankeek, geen moment weifelde. Thuis liet hij me brullen van het lachen om de dingen die hij deed of zei met die blik. Hij speelde op mijn piano en had het lef het jazz te noemen. Mij klonk het in de oren alsof er een rat in doodsangst over de toetsen heen en weer krabbelde. Hij liep rond in alleen een tanga. Bij meer dan één gelegenheid keerde hij me zijn rug toe en trok het kledingstuk omlaag; ter controle. Minstens twee keer per jaar had hij last van aambeien. Wat mij betrof zei dat iets over zijn persoonlijkheid en schuilden er verborgen zwakheden in zijn binnenste. Dan antwoordde hij dat ik me maar beter kon neerleggen bij de kwaaltjes en de smeerseltjes. Uiteindelijk wende ik wel aan deze en andere matrimoniale verrassingen. Ik had nooit geweten dat een man er een geheel eigen wijze op na kon houden om tandpasta uit een tube te knijpen. Ik had nooit geweten dat ik het in me had om een man over de eettafel heen aan te willen vliegen vanwege de manier waarop hij kauwde. En dan waren er de moeilijke momenten, waarop Niyi fronste en ik wist dat er stilte zou volgen. Dit gebeurde altijd als hij werd herinnerd aan de grieven die hij koesterde, de grieven tegen zijn ex-vrouw, tegen vrienden die partij hadden gekozen en tegen zijn eigen familie. Daar zou ik nooit aan wennen.

Nadat hij zijn vaders firma had verlaten, hadden Niyi's broers hem gemeden uit angst dat ze hun vader tegen de haren in zouden strijken. Alleen zijn moeder had in het geniep bezoekjes gebracht. Toen verliet zijn vrouw hem. Zodra ze een nieuwe vriend had, hielden de telefoontjes van zijn zoon op. Nu, jaren later en ofschoon ze allemaal weer min of meer op goede voet met elkaar stonden, zwoer Niyi dat hij nooit zou vergeten welke rol ieder van hen had gespeeld. Als hij met zijn zoon wilde praten, moest ik zijn ex-vrouw bellen. Hij was op zijn hoede voor zijn vader en zijn broers, en beschermde zijn moeder alsof ze zo breekbaar was als een eierschaal.

Toro Franco. Zij was een van die vrouwen die vanaf de dag van haar huwelijk haar stem had ingeslikt. Ze was gediplomeerd verpleegster, maar desondanks dachten haar man en zoons, allemaal advocaten, dat ze de beginselen van Bod en Aanvaarding niet kon bevatten, en dus hield ze zich van den domme. 'Precedent' noemde ze 'president', en ze liep rond in een onderjurk die onder haar rok uit piepte. Als ze zich in hun juridische discussie probeerde te mengen, plaagden ze haar ermee: 'Mama, zie nou eens hoe je erbij loopt. Je zaterdagse hangt onder je zondagse uit.' En dan lachten ze terwijl zij haar onderjurk rechttrok. Zodra ze het woord 'honger' lieten vallen, rende ze naar haar keuken en begon de huisjongens te koeioneren. Binnen de kortste keren riep ze me om te helpen. Ik wist dat ze mijn keukenflaters – ik liet lepels vallen, schrok terug van hete handgrepen, sneed me in mijn vingers – met lede ogen aanzag.

'Wat is het hier warm,' voerde ik dan aan.

'Maak je niet zo druk,' was haar antwoord.

'De jongens zouden je moeten helpen.'

'De jongens? Wat kunnen jongens nou?'

'Ze kunnen je ontzettend goed plagen.'

'Wie moeten ze anders plagen?'

Eén keer probeerde ik een bekentenis uit haar los te krijgen. 'Voel je je nooit eenzaam hier, ma? Is de keuken niet een verschrikkelijk eenzame plek?' Ze keek me aan alsof ik een striptease had voorgesteld.

'Genoeg,' smeekte ze. 'Hou op.'

Ik roerde weer in haar stoofpot terwijl ik me voorstelde hoe ze in het mortuarium op een stenen tafel lag met haar onderjurk die onder haar rok uit piepte en haar man en kinderen om haar heen, die zeiden hoe lief ze wel niet was geweest.

Iedereen zei dat mijn schoonmoeder lief was. Ik geloofde ze geen van allen tot ik een woord van waarheid uit haar mond had horen komen. Haar man was iemand die zijn stoofpot graag op traditionele wijze bereid wilde zien, met vlees dat gebakken was in vette aardnootolie, en hij hield zo veel van zijn vrouw dat hij geen stoofpot aanraakte als die niet van haar hand was. Vijfenveertig jaar later was het slecht gesteld met zijn aders, en waren haar handen zo droog en rimpelig als het vlees dat ze bakte. De weledelgestrenge heer Francis Abiola Franco. Bij onze kennismaking vroeg hij: 'Je bent Sunny Taiwo's dochter?'

'Ja, meneer,' zei ik.

'Ras herken je altijd,' zei hij.

'Ik ben een paard?' vroeg ik later aan Niyi.

'Hij is een paard,' zei Niyi. 'Een met lange tanden.'

Francis Franco was een van de meest vooraanstaande advocaten van Nigeria, al had hij geen voeling meer met de wet of met de

realiteit. Als hij moest bellen, liet hij zijn zoons het nummer in-
toetsen. Hij zat achter in de auto, altijd, zelfs wanneer een van zijn
zoons reed. Hij weigerde nog met me te praten nadat ik met hem
in discussie was gegaan over een wetsartikel. Ik was het opzettelijk
met hem oneens geweest. Van hem moest ik niet veel hebben,
maar van mijn zwagers hield ik. Ze troepten samen in mijn huis,
alle vier Niyi's evenbeeld, met dezelfde donkere huid en smalle
neus, en dan zoende ik ze een voor een in een roes van libido en
moedergevoel terwijl ze me begroetten: 'Enitan van Afrika!' 'Obi-
rin Meta! Driemaal vrouw!' 'Alaiye Baba! Meesteres van de Aarde!'
Het was alsof ik mijn man vier keer achter elkaar begroette. Ik
vond het niet eens erg om erbij te zijn terwijl ze hun kruis krab-
den en vrouwelijke lichaamsdelen omdoopten in 'voorhoede',
'achterhoede', 'pluspunten', 'eetbare delen'. Over Sheri: 'Ze heeft
ehm... vele talenten. Huh-huh-huh.'

Ik wist dat ze doodsbang waren voor vrouwen, al ontkenden ze
het bij hoog en laag. 'Wie? Wie is hier bang van meiden?' zeiden ze.

'Dat stiekeme gedoe,' zei ik. 'Dat liegen. Liegen met je laatste
adem. En dan niet eens iemand in de ogen durven kijken om te
zeggen dat een relatie voorbij is? Dat is angst.'

'Als jij het zegt. Huh-huh-huh.' Krab-krab-krab.

Soms brachten ze een vriendin mee, die bij het volgende bezoek al verleden tijd was. Soms speelden ze verstoppertje met hun
vriendin. Op een gegeven moment vroeg ik: 'Zeg jongens, wachten jullie tot je met je moeder kunt trouwen of hoe zit dat?'

'Allicht,' zeiden ze allemaal, inclusief Niyi.

'Nou eh...' zei ik, 'denken jullie ook niet dat je de lat wat lager
moet leggen?'

'Nee,' zeiden ze, behalve Niyi.

Niyi speelde de baas over zijn broers zoals hij de baas speelde
over mij, maar hij kon midden in het spel ineens geïrriteerd raken. Dan nam hij me terzijde en zei vermanend: 'Kijk uit met wat
je zegt. Dadelijk noemen ze me nog een vrouwenwikkel.' Een
wikkel was de doek die vrouwen om hun middel bonden. Een
vrouwenwikkel was een doetje, een man die zich door zijn vrouw

liet ringeloren. Ik vond dat hij zich aanstelde. Ik zei: Jammer dan. Hij was juist degene die me had aangemoedigd krachtig op te treden op mijn werk. Nu vroeg hij me om mijn vleugelwijdte aan te passen aan de situatie. Ik kon daar als een furie over tekeergaan terwijl hij zich terugtrok in volmaakt stilzwijgen. Hij zei dat hij het niet gewend was om op die manier gesprekken te voeren. 'In onze familie,' zei hij, 'verheffen we onze stem niet.'

De Franco's waren zo'n typisch Lagosiaanse familie, nazaten van bevrijde slaven uit Brazilië en ooit de crème de la crème van Lagos. Ze ontleenden hun stand aan het feit dat overgrootvader Franco, Papa Franco, zijn opleiding in Engeland had genoten. In zijn tijd had Papa Franco een wijdvertakt vastgoed verworven; een dat de sloppensloop, die het gros van het Brazilian Quarter in Lagos met de grond gelijk had gemaakt, had overleefd. Sommige gebouwen zagen er daar nu uit alsof er een reusachtige vuist vanuit de hemel was neergekomen en ze had verpletterd. Wat was blijven staan was wankel, met hoge rolluiken en smeedijzeren balkons. Er was geen hand uitgestoken naar de riolering; de goten en latrines dateerden uit de koloniale tijd. Er woonden voornamelijk straatventers en marktlui.

Papa Franco's enige zoon, Niyi's grootvader, had zesentwintig kinderen bij drie verschillende vrouwen die hem alle drie voorgingen in de dood, en er waren verscheidene gedocumenteerde rechtszaken gevoerd over zijn onroerend goed. Elke Franco-fractie had eigen, afzonderlijke banken in hun katholieke kerk die me aan mijn moeders kerk deed denken: wierook, witte gewaden, gezangen. Wanneer de collecteschaal werd doorgegeven, doneerden ze het minimale. De olie was aan hen voorbijgestroomd en het ambtenarenloon was karig. De Franco-mannen staken hun neus in de lucht, terwijl de vrouwen hun decolletés, beladen met goud en bloedkoraal, koelte toewuifden en hun kleren de lucht van mottenballen uitwasemden. Ze hadden de trots en het gebrek aan ambitie van een generatie waaraan de rijkdom voorbij zou gaan, en negeerden elkaar omdat ze het beneden hun stand vonden om openlijk te ruziën. Zo losten zij hun meningsverschillen op: tantetje Doyin, de Schone, sloot zich op in haar kamer tot haar vader toestond dat ze met een protestant trouwde; Niyi's vader praatte een jaarlang niet met hem nadat hij Franco & Partners had verlaten; Niyi zelf negeerde me dagen aan een stuk.

De eerste keer dat dat voorviel, hadden we ruziegemaakt over drankjes. Over dránkjes. Zijn broers waren op bezoek, en ik was net terug van mijn werk. Zoals gewoonlijk vroeg hij: 'Enitan, kun je die beesten iets te drinken voorzetten?'

Niyi beweerde dat hij volslagen incompetent was in de keuken. Zijn lievelingstruc was om bij de deur te doen alsof hij een paniekaanval kreeg; dan greep hij naar zijn keel en stortte ter aarde. Meestal gaf ik hem zijn zin omdat we hulp in de huishouding hadden, maar vanavond wilde ik alleen maar ophouden met beven door een te lage bloedsuikerspiegel. De hele dag had ik Financiën het hoofd moeten bieden.

'Er is niks mis met je handen,' zei ik.

'Vriendin van me,' zei hij, 'toon eens wat respect.'

'Loop naar de maan,' zei ik.

Geen man had me in mijn negenentwintig levensjaren gezegd dat ik hem respect moest tonen, behalve mijn vader. En behalve mijn vader had geen man dat ook moeten proberen. Ik had gezien hoe vrouwen mannen respect betoonden en uiteindelijk rondsjouwden met een veel te zware last, als iemand die brandhout op zijn hoofd meesjouwt, met een nek als een wiebelige kerktoren en een afgeplat voorhoofd. Te veel vrouwen deden huiselijke frustraties af alsof het een lichte aanval van indigestie betrof: schuifel-schuifel, por-por en vervolgens niets. Al in mijn grootmoeders tijd haalden we diploma's en bullen en werkten we voor ons geld. De generatiegenoten van mijn moeder drongen door tot het hogere kader. Van ons, hun dochters, werd verwacht dat we die lijn voortzetten. Met de huidige recessie moesten we trouwens wel. Maar er bestond een uitdrukking, en ik had die alleen door vrouwen horen gebruiken, dat boeken niet te eten waren.

Het waren te veel taken, én het huishouden én een carrière, dacht ik, en in sommige gevallen waren ze zelfopgelegd. Dat er bovendien nog onderworpenheid van je werd verwacht, vond ik niet te verteren. Hoe kon ik me onderwerpen aan een man wiens naakte achterste ik had gezien? Had aangeraakt? Hem gehoorzamen zonder te stikken in mijn nederigheid, die als een visgraat in mijn keel bleef steken? Degene die hem eruit pulkte, zou zeggen: 'Kijk, haar nederigheid. Ze is erin gestikt. En nou is ze dood.' Misschien was dat mijn redding wel, aangezien mijn man behoefte had aan een echtgenote met wie hij op zijn minst medelijden kon hebben. Later die avond nam hij me terzijde: 'Waarom moest je zoiets zeggen in bijzijn van mijn broers?'

'En waarom kun jij nooit eens iets te drinken voor ze halen?' zei ik. 'Waarom kun jij nooit eens de keuken in? Wat gebeurt er als je de keuken in gaat? Ben je bang dat je gebeten wordt door een slang?'

Twee weken lang zei hij geen woord tegen me, en alleen al daarom overwoog ik hem te verlaten; híj kon zich toch herinneren dat hij volwassen was als ík dat niet was en opzettelijk tegen hem opbotste en achter zijn rug mijn tong naar hem uitstak. Maar niemand die ik kende had haar man verlaten omdat hij mokte, en ik wilde een gezin en ik had gezien hoe Niyi het zijne miste. Ik kende hem tot op de geur van zijn adem 's ochtends. Als we geen ruzie hadden, genoot ik ervan hem te zien kronkelen op het hese stemgeluid van een of andere vrouw, zoals die ene die hij Sarah Vaughn noemde. Ik kon de ene scat niet van de andere onderscheiden, maar zij wist in een handvol woorden zo ongeveer alles te zeggen wat ik niet wilde zeggen:

Sometimes I love you
Sometimes I hate you
But when I hate you
It's becau-au-ause I love you

Ik raakte zwanger en kreeg kort daarna een miskraam. Ik was op mijn werk toen ik de eerste wee voelde. Tegen de tijd dat ik thuiskwam, was het te laat en had ik een klompje bloed afgestoten. Ik doorweekte mijn kussen met tranen. Niets is erger dan het verlies van een kind, al is dat kind nog niet geboren. Als een kind onder jouw zorgen sterft, begrijpen mensen dat je je verantwoordelijk voelt. Als een kind binnen in je doodgaat, proberen ze je meteen vrij te spreken: Het is Gods wil. Er mag niet gerouwd worden. Onbegrijpelijk vind ik dat.

Ik raakte opnieuw zwanger. Dit keer groeide de baby buiten mijn baarmoeder en had hij mijn dood kunnen betekenen als die ene slimme arts er niet was geweest. Ik moest een spoedoperatie ondergaan. De arts vertelde ons dat mijn kansen om daarna nog kinderen te krijgen, waren afgenomen. 'Maar gewoon blijven proberen,' zei hij. Een jaar later probeerden we het nog steeds. Niyi's familie begon zich te roeren. 'Is alles in orde?' Ze keken naar mijn buik voor ze hun blik op mijn gezicht richtten. Sommigen voeren onverbloemd tegen me uit: 'Waar wacht je op?' Mijn moeder nodigde me uit om mee te gaan naar haar gebedsbijeenkomsten; mijn vader bood aan de reis overzee te betalen om andere artsen te raadplegen. Ik vroeg waarom ze vrouwen hier zo mee lastigvielen. We waren meer dan onze baarmoeder alleen, meer dan de som van onze lichaamsdelen. 'In godsnaam,' zei mijn vader ernstig. 'Ik meen het serieus.'

Sheri stelde voor dat ik vruchtbaarheidsbevorderende medicijnen zou slikken. Wist ik dat dan niet? Iedereen slikte ze. Echt waar? vroeg ik. 'Allicht,' zei ze. 'Als er na een jaar nog niks is gebeurd? Joh, met zes maanden al.'

'Zes maanden!'

Ze begon namen te noemen. Een vrouw die geen kinderen had. Een andere die er twee had, maar allebei meisjes. En weer een andere die het deed om een man aan zich te binden. 'Waar halen ze die medicijnen vandaan?' vroeg ik. 'Van dokters,' zei ze. Vruchtbaarheidsspecialisten? Eh... dat wist ze niet, maar ze behandelden onvruchtbaarheid, dat wel. En waar halen die dokters de medicijnen? Op de zwarte markt, zei ze.

Meerlingen, laparoscopie, medicijnen. Ze lichtte me volledig in, vroeg of ik een telefoonnummer wilde. Ik wilde alleen maar met rust gelaten worden, zei ik. Tenslotte had mijn man al een zoon. Niemand die me ervan kon beschuldigen dat ik de Francolijn liet uitsterven.

Ik had er nooit aan getwijfeld dat ik moeder zou worden. Nooit. Ik wist alleen niet wanneer het zou gebeuren en ik had er geen zin in om tot die tijd als proefkonijn door het leven te gaan. Er gingen nog eens twee jaren voorbij, en Niyi en ik waren het nog steeds aan het proberen. Eindelijk stemde ik ermee in om naar een gynaecoloog te gaan die gespecialiseerd was in vruchtbaarheidsonderzoek. Niyi maakte de afspraak, en ik stopte mijn hoofd onder mijn kussen terwijl hij met de receptioniste sprak, maar hij weigerde een valse naam op te geven. 'Het is niet alsof we erheen gaan voor een SOA-test,' zei hij. Toen we er aankwamen, stond er een flink aantal auto's, en bij binnenkomst zag ik dat sommige vrouwen zo oud waren als mijn moeder. Ik was een van de weinigen met een man aan haar zijde. De arts kwam een uur later, kin in de lucht, buik naar voren. Hij gromde in antwoord op onze begroeting. Ik dook een beetje in elkaar, net als de andere vrouwen. Zonder zelfs maar te weten waarom.

Binnen de kortste keren hadden Niyi en ik ruzie over het vruchtbaarheidsregime. Het maakte dat we ons een stel parende dieren voelden. Het minste of geringste was aanleiding voor verwijten, en ik kromp ineen tot het formaat van mijn baarmoeder. Ik staarde naar andermans kinderen en stelde me hun zachte, kleverige handjes in de mijne voor, zweepte mezelf op tot ochtendziekte en vloekte luid en duidelijk wanneer ik ongesteld werd. Soms werd ik dat niet, dan kocht ik zwangerschapstests en plaste ik over de staafjes. Al gauw overtuigde ik mezelf ervan dat het een straf was; dat het kwam door iets wat ik had gedaan of gezegd. Ik herinnerde me het verhaal van Obatala, die vrouwen op aarde onvruchtbaar had gemaakt. Ik bood haar mijn verontschuldigingen aan. Ik herinnerde me ook dat ik regelmatig mijn grote mond niet had gehouden en dacht dat ik kinderloos zou blijven als ik nog één onvriendelijk woord zei, nog één onvriendelijke gedachte had, en dus slikte ik mijn stem in als boetedoening.

Zo trof het leven me vanaf mijn dertigste aan, in stilte. Ik had het gevoel alsof ik al jaren met mijn voeten een paar meter boven de grond probeerde te rennen. Dat beeld maakte dat ik om mezelf moest lachen. 'Tevreden?' vroeg ik op een ochtend hardop aan mezelf. Toen ik geen antwoord kreeg, zei ik: 'Mooi zo.'

Dieper dan dat wilde ik niet graven; ik parkeerde mijn huwelijk liever op een slap koord dan dat ik dieper groef.

De dag dat ik zwanger bleek, liet ik me huilend op de vloer van de badkamer zakken. 'Dank U, God,' zei ik. 'God zegene U, God.' Ik waggelde op Niyi af – in mijn verbeelding was mijn buik al enorm – en stortte me in zijn armen, en zijn ogen vulden zich met tranen.

'Ik dacht dat het afgelopen was met ons,' zei hij.

'Het is nooit afgelopen met ons,' zei ik.

We beloofden dat we geen ruzie meer zouden maken. Dit keer schreef mijn arts drie maanden bedrust voor, en ik nam ontslag omdat mijn manager, een man met eeuwig ontstoken neusholten – die me ooit segsy, echt heel segsy had genoemd, en hij was abgoluut achter me aan hehaan, als ik niet van die magehe benen had hehad – omdat die man zijn kans schoon zag om zijn neef op mijn post te zetten en mijn verzoek om verlof niet wilde inwilligen. 'Mizeez Frango,' zei hij, 'onze bang kan zich heen afwezihe algemeen secretaris niet veooloven.' De bank kon zich evenmin de rechtszaak veroorloven die ik ertegen zou aanspannen, dreigde ik. Dit was geen baan om zonder strijd op te geven. Een poos dacht ik er serieus over een zaak aan te spannen, maar gaf het idee op, want echt, ik was liever moeder dan algemeen secretaris. Dat wist ik omdat ik 's ochtends boven een toiletpot kon overgeven en mezelf dan toch nog glimlachend in de spiegel kon aankijken. Wel nam ik mijn vaders aanbod aan om zijn partner te worden.

In mijn eerste maand op bed las ik de plaatselijke dagbladen waar ik normaal gesproken, als ik moest werken, geen tijd voor had, en met name de verhalen uit de minder vooraanstaande: VROUW BAART SLANG. HONDERDEN BIJEEN VOOR MARIAVISIOEN OP WC-RAAM. Ik las ook de overlijdensberichten: RUST IN VREDE, O

GLORIEUZE MOEDER EN ECHTGENOTE, OVERLEDEN NA EEN KORT ZIEKBED. TER LIEFHEBBENDE HERINNERING VAN ONZE VADER. Dat was het echte nieuws, dacht ik. De overlijdensberichten waren altijd actueel en ongecensureerd, behalve wanneer ze aids als doodsoorzaak moesten verzwijgen.

Af en toe las ik achtergrondartikelen over de toekomst van de democratie. 12 juni 1993, de dag waarop ons land voor de derde keer de overstap zou maken naar een democratisch regime, was al meer dan een jaar voorbij. Aan het voornemen was twee weken later een einde gekomen, toen de militaire overheid onze verkiezingen ongeldig had verklaard en was afgetreden. De interim-regering had het drie maanden volgehouden voor er weer een coup werd gepleegd. De nieuwe overheid herstelde onze grondwet gedeeltelijk in ere, verbood politieke partijen, ontmantelde zowel senaat als het Huis van Afgevaardigden en riep vervolgens iets in het leven wat de constitutionele vergadering werd genoemd om democratische hervormingen door te voeren.

Sinds de Burgeroorlog was de rancune niet zo hoog opgelopen. Uit de kranten bleek dat sommige Yoruba de schuld gaven aan hun oud-bondgenoten uit de Burgeroorlog, de Hausa. Degenen die zich minder lieten overrompelen keken naar een kleine maar machtige kliek van Hausa, die de junta van ons land steunde. Het overgrote deel van de bevolking was het simpelweg om hun stemrecht te doen. Pro-democratische groeperingen riepen onmiddellijk op tot een boycot van de constitutionele vergadering. Er werden protestacties georganiseerd, die eindigden in geweervuur en doden. De Nationale Democratische Coalitie werd gevormd. Toen werd de winnaar van de landelijke verkiezingen gearresteerd en gevangengezet, nadat hij zichzelf tot president had uitgeroepen. De oliearbeiders gingen in staking, wat tot benzinetekorten leidde. De Nigeriaanse orde der advocaten, de onderwijsvakbonden, de universitair studenten, allemaal verenigden ze zich in protest. Onze militaire overheid sloeg terug door vergaderingen te verstoren en iedereen die als staatsvijand werd beschouwd op te pakken: studenten, advocaten, vakbondsleiders, ex-politici, journalisten. Ze vaardigden nieuwe decreten uit om de oude te versterken, namen paspoorten in beslag, legden journalisten uitreisvisa op.

Een van de pro-democratische actievoerders was mijn vaders oude cliënt, Peter Mukoro, nu uitgever van een blad dat *Oracle* heette. Met de jaren had Mukoro zich een breed lezerspubliek verworven vanwege het soort verslaggeving dat hij bracht: onthullingen over drugskartels, olievlekken in de Nigerdelta, sekten en bendes op universiteiten, religieuze oorlogen in het noorden, Nigeriaanse prostitutiekartels in Italië. Als Peter Mukoro schreef, lazen de mensen, en zo raakte hij met de regelmaat van de klok in de problemen. Hij had het meer dan eens aan de stok gehad met het gerecht. Mijn vader vertegenwoordigde hem nog altijd. Sommige rechtszaken wonnen ze, andere niet en weer andere waren nog in behandeling. Er was twee keer ingebroken in Peter Mukoro's huis, zonder dat er iets gestolen was. En er was een mysterieuze brand geweest in zijn kantoor. Nadien riep Mukoro zichzelf uit tot de grootste pechvogel van de stad, omdat zijn leven, zelfs naar Lagosiaanse maatstaven, 'waarachtig was vervloekt'. Toen hij een redactioneel stuk uitbracht waarin hij eiste dat de uitkomst van de landelijke verkiezingen geldig zou worden verklaard, werd hij opgepakt. Zijn krant ging ondergronds. Er werden geen formele beschuldigingen tegen hem geuit, maar zijn opsluiting was wettig onder Decreet Twee, dat tien jaar oude militaire decreet waaronder personen die verdacht werden van handelingen die in strijd waren met de staatsveiligheid, zonder tenlastelegging konden worden vastgehouden. Zelfs ik had medelijden met hem. In elk geval was hij niet een van die persmuskieten die de overheid bekritiseerden tot ze er een baan kregen. Mukoro weigerde voor een staatskrant te werken. Hij weigerde te werken voor wie dan ook die gelieerd was aan het leger.

Mijn vader publiceerde onmiddellijk een verklaring in de *Oracle*, waarin hij zei dat hij zou blijven rekestreren tot Mukoro werd vrijgelaten. Ik maakte me zorgen om mijn vaders veiligheid, gezien het feit dat onder Decreet Twee elke arrestatie kon worden gerechtvaardigd. Inmiddels ging mijn vader zelfs zo ver dat hij het militaire regime verzocht af te treden. Ook ik wilde ervan af, zeker nadat het leger actievoerders had doodgeschoten tijdens politieke onlusten. Maar mensen in mijn land vonden de dood op duizenden manieren: onopgemerkte kuilen in de weg, placebo's tegen malaria. Mensen stierven omdat ze zich geen intraveneuze druppel konden veroorloven. Mensen stierven omdat ze besmet water dronken. Mensen stierven door ontberingen: 'geen water-geen licht', noemden we dat in Lagos. Mensen stierven omdat ze op een morgen uit bed stapten en tot de ontdekking kwamen dat ze in een getto waren opgesloten, veroordeeld tot armoede. Het jaar 1995 liet me dankzeggen voor alle rampen waaraan mijn familie en vrienden waren ontsnapt, niet voor de protesten tegen de overheid. Ik was bijna twee maanden zwanger en meende, zoals zoveel Nigerianen, dat mijn prioriteit thuis lag. Wat ik aan het begin van dat jaar hoopte, was dat ik mijn baby in vrede kreeg.

Niyi gaf me het recentste exemplaar van de *Oracle* aan.

'Lees,' zei hij.

'Wat is er dan?' vroeg ik.

'Je ouwe heer,' zei hij. 'Hij staat weer op zijn zeepkist.'

Hij liep onze slaapkamer uit en ik las het artikel. Mijn vader had een interview gegeven over recente arrestaties onder Decreet Twee. Hij riep op tot een landelijke staking. Ik smeet het blad op bed en kleedde me snel aan. Niyi reageerde verrast toen hij me naar beneden zag komen. Hij liet zijn krant zakken. 'Ga je ergens heen?'

'Ja. Naar mijn vader. Proberen hem tot rede te brengen.'

'En de bedrust?'

'Ik heb het gehad met rusten.'

Hij sloeg de krant recht. 'Wees voorzichtig.'

Ik beloofde het. Terwijl ik naar mijn vader reed, ademde ik met diepe teugen in. Het was even geleden dat ik er in mijn eentje opuit was geweest, en in het harmattanseizoen koelde het 's avonds af. Meer dan vijfhonderd meter kon ik niet voor me uit zien vanwege het waas van stof, dat bladeren omhulde en in je ogen waaide. Kinderen noemden conjunctivitis nog steeds Apollo.

Ik had van tevoren moeten bedenken wat ik tegen mijn vader zou zeggen. Ik trof hem binnen aan. Hij zocht 's avonds zijn plekje op de veranda niet meer op, niet sinds dieven per boot een bezoek hadden gebracht aan het huis van de buren.

'Wat doe jij uit je bed?' vroeg hij.

'Ik ben niet ziek,' zei ik.

Met de jaren was zijn haar grijzer geworden en waren de pupillen van zijn ogen vervaagd tot een grauwbruine kleur. Zijn schouders waren gekromd, alsof hij in voortdurend gemopper verzonken was.

'Jij zou rust moeten houden,' zei hij.

Ik hield de krant op. 'Ik heb je interview gelezen, papa.'

'Ja?' zei hij.

'Je roept op tot een landelijke staking?'

'Ja.'

'En als ze je oppakken?'

'Kom je voor de gezelligheid of zoek je ruzie?'

'Voor de gezelligheid.'

'Dan mag je blijven. Anders is daar de deur.'

Hij pakte een kussen en sloeg er een paar keer tegen voor hij ging zitten. Ik maakte het me gemakkelijk op de bank. Ik kon de bijenwas op de vloer ruiken. Mijn vaders vloer werd elke maand in de was gezet. Dat zou hij nooit opgeven. Aan de wanden hingen drie nepkristallen klokken die eruitzagen als relatiegeschenken. Ze waren alle drie stil blijven staan: kwart voor vijf, halfacht, zevenentwintig over twee. Een batterij vervangen was mijn vader te veel moeite, en hij omringde zich met rommel: schilderijen die nooit waren opgehangen, lavalampen zo oud dat ze weer in de mode waren. De plek waar mijn piano had gestaan was nu een opslagplaats voor elpees en cadeaus. Uit de chaos viste hij dan een fles port, een biografie, een elpee van Nat King Cole of Ebenezer Obey.

'Hoe moet ik je dit nou vragen?' vroeg ik.

'Wat?'

Ik hoefde het niet uit te leggen. 'Dat weet je best.'

Hij gaf een zwaai met zijn arm. 'Dus ik mag niet praten? Een... een onschuldig man wordt opgesloten, en ik mag niets zeggen?'

'Ik bedoel alleen dat je voorzichtig moet zijn.'

'Voorzichtig zijn waarmee? Met op straat lopen? Autorijden? Onder mijn dak slapen? Eten? Ademen?'

'Maak er nou geen grap van.'

'Maar jullie zíjn grappig, jullie allemaal, Fatai en iedereen. "Doe dit niet. Doe dat niet." Misschien ben ík wel degene die dit land naar de knoppen helpt.'

'We maken ons zorgen om je.'

'Nou, maak je maar zorgen om jezelf. Dan regel ík mijn zaken wel.'

Hij was niet voor rede vatbaar.

'Heb je enig idee?' zei hij, met zijn normale stemgeluid. 'Heb je dat? Honderd miljoen van ons tegen minder dan tienduizend van hen, en zij willen dit land besturen...' Hij zocht naar woorden. 'Alsof het hun club is?'

'Ja, dat weet ik.'

'En dan zeggen ze tegen ons,' hij klopte op zijn borst, 'zeggen tegen ons dat wij niet mogen praten? Wij mogen niks zeggen, anders worden we opgesloten? Fatai ook al, die komt me hier vanmorgen ook vertellen dat ik voorzichtig moet zijn. Hij stelt me teleur. Hij is zo bang als een vrouw.'

Hij merkte mijn uitdrukking op en trok een gezicht dat even lang was als het mijne.

'Wat? En hoe komt het trouwens dat die man van je jou zomaar de deur uit laat?'

Ik lachte. 'Ik ben geen huisdier.'

'Jullie moderne echtgenotes.'

'Je neemt het allemaal niet zo serieus, merk ik.'

Hij sloeg zijn armen over elkaar. 'Humor is alles wat ik nog heb.'

Zijn woede was niet beheerst. Hij was als een jochie met een bloedneus, zinnend op wraak.

'Dus,' zei ik, 'ik kan je niet op andere gedachten brengen?'

'Nee,' zei hij.

'Activisten komen in de gevangenis terecht.'

'Ik ben geen misdadiger. Waarom zou ik bang zijn om in de gevangenis te komen? En wie noemt mij nou een activist? Heb je mij al bij zo'n pro-democratische groepering gezien?'

'Nee.'

'Heb je me al bij Amnesty International zien aankloppen?'

'Nee,' zei ik.

'Nou dan. Ik doe alleen maar mijn werk, net als altijd. Ik verdien mijn brood met andermans juridische kopzorgen, en ik kan dit niet laten passeren, niet zo gemakkelijk als zij wel zouden willen. Ze moeten Peter Mukoro vrijlaten. Hij heeft niets verkeerds gedaan.'

Er waren advocaten die naam maakten in de strijd voor de mensenrechten. Mijn vader hoorde daar niet bij. Groeperingen zeiden hem niets, en bij de orde der advocaten werd hij door sommigen scheef aangekeken vanwege zijn connectie met Peter Mukoro, die in plaats van 'senior-advocaten' 'seniele advocaten' zei.

'Kijk nou in wat voor toestand we leven,' zei hij. 'Oudere mensen te bang om te praten, en de jongere te druk met geld najagen. Zit deze situatie jullie dan niet dwars?'

'Jawel.'

'En toch zeggen jullie niks?'

'We maken ons zorgen om geen water, geen licht. Jullie vormen groeperingen en ze slaan jullie in elkaar en spuiten traangas in je gezicht. Wat kunnen wij daaraan doen?'

'Vrouwen,' mopperde hij, 'die hoor je ook nooit.'

'Vrouwen? Waarom wil je van vrouwen horen?'

'Waar zitten ze? Meer dan de helft van onze bevolking.'

'Wij hebben onze eigen problemen.'

'Zoals? Belangrijker dan dit? Dan mensen die een loopje nemen met onze grondwet?'

Ik begon ze op mijn vingers af te tellen: 'Geen echtgenoot, slechte echtgenoot, maîtresse van echtgenoot, moeder van echtgenoot. Mensenrechten kwamen pas ter sprake toen de rechten van mannen in het geding kwamen. In onze grondwet staat niets over zachtmoedigheid thuis. Al vertrekt het leger, dan hebben we nog steeds met onze mannen te maken. Dus wat wil je dat vrouwen zeggen?'

'Twee heel verschillende kwesties,' zei hij.

'O jawel,' zei ik, 'haal de vrouwen vooral van stal als de staat je vijand is. Niet als de vijand in je eigen huis woont.'

Mijn vader keek me dreigend aan. Als ík op mijn zeepkist klom wilde hij dat ik eraf stapte. Als hij op de zijne stond was het geen zeepkist, maar een fundamentele waarheid. Ik glimlachte om hem nog verder op stang te jagen.

'Is alles thuis in orde?' vroeg hij.

'Zou dat niet zo moeten zijn, dan?'

Hij keek naar de bank. Ik wist dat hij zijn leesbril zocht. Hij maakte boksbewegingen. 'Jij bent veel te...'

'Ik?' zei ik. 'Zo ben ik niet meer.'

'Sinds wanneer?'

'Ik ben nu de vreedzaamheid zelve.'

'Je bezorgde me wahala.'

En jij mij, zei ik bijna.

'Zorg nou maar dat je niet in de gevangenis komt,' zei ik. 'Ik zoek je daar niet op.'

Hij vond zijn bril tussen de kussens. 'Ik heb je waarschuwingen niet nodig.'

'Je wordt er niet jonger op.'

Hij zette zijn bril op. 'Als je me komt herinneren aan mijn leeftijd, dan heb je jouw tijd verspild en ook de mijne. Ik weet hoe oud ik ben.'

'Ik heb je gewaarschuwd, papa.'

'Ik heb het gehoord.'

'Je krijgt er spijt van.'

'Ik kan nooit meer spijt krijgen dan ik al heb.'

De rest van de avond bespraken we onze plannen om samen te werken zodra mijn baby was geboren. 'Weer eens als een echte advocaat aan de gang,' zei hij, 'in plaats van te notuleren of wat je ook bij die bank doet.'

Mijn vader stond wantrouwig tegenover mijn generatie bankiers, met hun MBA's en andere kwalificaties. Glad en onbetrouwbaar, noemde hij ze. Wilden rennen voor ze konden lopen. De tijd had bewezen dat hij gelijk had. Sommige managers die ik kende, zaten opgesloten vanwege een bankiersbesluit dat verkeerd was uitgepakt.

Op weg naar huis kwam ik langs de Lagos Lagoon. Ik kon dierlijke kadavers, zoet fruit en brandende autobanden ruiken. Geuren waren nog altijd doordringend, al was de misselijkheid verleden tijd. Een motor kwam brullend voorbij. De bestuurder zat over zijn stuur gebogen. De vrouw achter hem hield hem bij zijn middel vast. Haar witte sjaal wapperde als een nietige vredesvlag. Ik raakte even de harde zwelling onder mijn navel aan en stelde me voor dat mijn kind opgekruld lag. Vanbinnen borrelde het nerveus. Dit keer moest het goed gaan. Nog een miskraam kon ik niet verdragen.

Ik reed langs een rij huizen met balkons en groene, piramidevormige daken. Ze lagen verscholen achter hoge muren, waar kokos- en oliepalmen boven uitstaken. In dit deel van de voorsteden waren maar weinig staatsscholen. Kinderen liepen er rond in uniform en kniekousen. Ze kwamen uit de nabijgelegen sloppenwijken. Vanaf hier waren alleen de torens van de El-Shaddai en de Celestial Church zichtbaar. Ik stopte bij de wachtpost van onze compound. Straatventers vormden een langgerekte, smalle markt van houten kraampjes langs de muur aan de voorkant. Het waren Fulani's uit het noorden. De mannen hadden witte keppelachtige petjes op en de vrouwen hadden sjaals van chiffon om hun hoofd gewikkeld. Hun kraampjes werden verlicht door kerosinelantaarns. Ze voerden luidkeels gesprekken in hun taal, en alles bij elkaar klonk het als het rouwende geweeklaag van een menigte. Toen ze mijn auto herkenden, deden de wachters het toegangshek open. ''n Avond, mevrouw,' zeiden ze.

'Goeienavond,' zei ik.

Ons afgeschermde wooncomplex, Sunrise, lag aan de rand van Ikoyi, al beweerden de mensen hier dat ze in oud-Ikoyi woonden. Voor het overgrote deel waren het jonge stellen met goedbetaalde banen. Kavel één was bankier en zijn vrouw advocate. Kavel twee zat ook in het bankwezen en zijn vrouw verkocht Tupperware en babykleding. Niemand wist wat kavel drie uitvoerde, maar hij droeg kwaliteitspakken, en zijn vrouw Busola runde een montessorischool in een opgeleukte schuur in hun achtertuin. Wij woonden op kavel vier, en ga zo maar door. Onze straten hadden geen naam.

Er werd heel wat af geroddeld in Sunrise: wie er minder verdiende dan hij beweerde, welke echtgenoot onvruchtbaar was, wie er schulden had bij de bank. Als we bijeenkwamen, zaten de vrouwen aan de ene kant en de mannen aan de andere. De mannen praatten voornamelijk over auto's en geld, de vrouwen over voedselprijzen, kinderartsen en hun medicijnen, kantoorpolitiek en Disney-speelgoed. De marketingwereld mocht zich dan niet bewust zijn van ons bestaan, we kochten desalniettemin de op andere doelgroepen afgevuurde handelswaar zodra die in ons land verkrijgbaar was, of wanneer we het Westen aandeden. We kochten om voorraden aan te leggen, om met ons geld te koop te lopen, ter compensatie voor affaires en voor onszelf. We kochten wat anderen hadden gekocht, wat iedereen kocht. Een ander mocht zich zorgen maken over consumentisme; wij waren blij dat we het geld hadden om deel uit te maken van een kring waarop veranderingen vrijwel geen vat hadden, tenzij ze de mode betroffen.

Sommigen zouden ons Nieuw Geld noemen. Maar ik vond dat al het geld in ons land nieuw was; onze munt, de naira en de kobo, was nieuw, devalueerde met een sneltreinvaart en was ten slotte toch niet in staat om ons land drijvende te houden. Dus in wat voor auto reed je? En waarheen, met die kraterdiepe kuilen in onze wegen? Wat voor horloge droeg je als een dief het zó van je pols griste? Wat voor stereo-installatie had je, wat voor schoenen, wat voor jurken? Hoeveel geld je ook had, je zag het resultaat van je darmspasmen 's morgens in de toiletpot drijven; dat ging nergens heen, omdat er geen water was om de wc door te spoelen.

We leefden onder benijdenswaardige omstandigheden: in prefabhuizen die miljoenen naira waard waren omdat de naira geen cent waard was. We zaten midden in een nieuw watertekort, maar elke dinsdag brachten grote tankauto's water, dat wij dan in enorme tonnen opsloegen: om de wc mee door te spoelen, om in bad te gaan, om mee te koken en tanden te poetsen. Drinkwater kochten we in pakken. Soms troffen we er sedimenten in aan. We dronken het toch. Achter de hekken waren we niet aangesloten op het telefoonnet, dus hadden we allemaal een mobieltje. Stroomstoringen deden ons vlees rotten, en onze pannen zagen zwart van de kerosineaanslag, tenzij we een eigen stroomgenerator hadden. 's Nachts boorden de muggen gaten in onze benen en elk jaar viel er wel een naaste te begraven; door gewapende overvallers in het hoofd geschoten; verpletterd onder een grillig koersende vrachtwagen; bezweken aan een plotselinge aanval van malaria, tyfus of god-wist-wat.

Naderhand groepten we dan samen in het huis van de overledene om te rouwen. Meestal kwamen we bijeen om iets te vieren: een verjaardag, een feestdag, een doop. Als ik de gastvrouw was, gold als mijn enige regel dat de vrouwen de mannen niet van voedsel voorzagen. Dat lokte altijd commentaar uit. Van de vrouwen: 'Je houdt er wel uitgesproken ideeën op na, hè.' Van hun echtgenoten: 'Niyi, je vrouw heeft een slechte invloed.' Van Niyi zelf: 'Ik kan haar niet tegenhouden. Zij is hier de baas in huis.'

Ik droeg bij tot die illusie door te doen alsof ik geen hand hoefde uit te steken in het huishouden, en moedigde onze vrienden aan om het over de huishoudelijke taakverdeling te hebben. De mannen verkondigden dan dat ze het echte mannenwerk voor hun rekening namen: ze programmeerden videorecorders, draaiden potten open en nieuwe peertjes in lampen. De vrouwen reageerden dan zo koket verontwaardigd dat ik in de verleiding kwam om partij te kiezen voor de mannen, al was het maar om een echte discussie aan te zwengelen. Ik deed het niet. En toen kwam er uit het andere kamp een beschuldiging zo giftig dat ik er bijna van achteroversloeg: feministe.

Was ik dat? Als een vrouw maar nieste in mijn land, noemden ze haar al een feministe. Ik had het woord nog nooit opgezocht, maar bestond er een woord om te beschrijven hoe ik me dag in, dag uit voelde? Moest er een bestaan? Ik had de metamorfose gezien die vrouwen doormaakten; hoe hun tred met de jaren trager werd, hun gezicht uitdrukkingslozer en hun stem gedempter, en hoe hun woorden steeds meer verbloemden. Ze verhulden hun ongenoegen, zodat andere vrouwen hen er niet van konden beroven. Tegen de tijd dat ze volwassen waren, waren miljoenen persoonlijkheden in ongeveer drie prototypen gekanaliseerd: sterk en zwijgzaam, kletsgraag maar in elk geval vrolijk, zwak en lief. De rest viel onder de noemer feministe. Ik wilde iedereen zeggen: 'Ik! Ben! Niet! Tevreden met deze opties!' Ik was bereid om elk beeld dat ze van vrouwen hadden aan flarden te rijten, net als zo'n klein hondje met een broek tussen zijn tanden. Zo'n beest liet niet los tot er hooguit rafels over waren, en ik liet niet af tot ik gehoord werd. Soms was het alsof ik vocht tegen vernietiging. Het was toch een kwestie van zelfbehoud dat je de strijd aanging met alles wat als vernietiging aanvoelde? Als iemand naar een vlieg sloeg, en de vlieg ging hoger vliegen, werd die vlieg dan een vlieginist?

Ik meende van niet, maar dat was voorheen, toen ik nog in de twintig was. Als ik tegenwoordig de confrontatie aanging, leek het net een oefening in ijdelheid: kinderachtig op het gevaarlijke af.

De huizen achter het toegangshek stonden in een rijtje langs de straat en deden hun best om zich een afzonderlijke identiteit aan te meten binnen hun krappe grenzen. Bij de een stond er een palmboom in de voortuin, bij de ander een rietgedekt tuinhuisje. Bij verscheidene huizen waren enorme satellietschotels op het dak geplaatst om CNN en andere tv-programma's van overzee te ontvangen. Bij allemaal waren ramen en deuren getralied. Mijn koplampen beschenen ons stalen hekwerk. Daarachter stond ons huis met de roze bougainvillestruik. Onze poortwachter deed open. Zijn gebedskralen hingen om zijn pols en ik realiseerde me dat ik zijn avondgebed moest hebben verstoord. Al gauw zou de islamitische vasten aanbreken, de ramadan.

'*Sanu*, mevrouw,' zei hij.

'Sanu, *mallam*,' zei ik in het enige Hausa dat ik kende.

'Hé,' zei Niyi.

Hij richtte zijn afstandsbediening op de stereo. Het geluid van trompetten was als het verkeer in Lagos, een aanslag op mijn trommelvliezen. Hij was schietgraag, mijn man, en luisterde weer naar jazz.

Ik stopte mijn autosleutels in mijn tas. 'Hé,' antwoordde ik.

'En, wat had hij te zeggen?'

'Je kent hem. Hij luistert nergens naar.'

Hij drukte op een knopje om het volume lager te zetten. 'Dit keer moet hij wel.'

'Het zit me niet lekker dat ik met hem ga samenwerken. De man sluit geen compromissen.'

Niyi knikte op de maat van de muziek. Hij hield ervan als vrouwen zongen en mannen de instrumenten bespeelden. Nooit andersom. Stel dat een vrouw saxofoon speelt? vroeg ik weleens. 'Kunnen ze niet,' zei hij dan. Stel dat een man zingt? 'Kunnen ze niet.' Hij droomde ervan om tegen 2000 een Bang & Olufsen aan te schaffen, zodat hij elk afzonderlijk instrument duidelijk kon horen. Ik hoopte maar dat hij zich tegen 2000 tevreden had gesteld met onze Hitachi. Ons spaargeld was bedoeld voor een nieuwe stroomgenerator, nu de oude de geest had gegeven.

Ik stapte uit mijn schoenen en deed een lamp uit waarvan het licht me stoorde. Onze zitkamer was gemeubileerd met zwartleren stoelen en glazen tafels die mooi stonden bij het klavier van mijn oude piano, waarop een stapel financiële tijdschriften lag. De kamer deed me aan een schaakspel denken. Er stonden planten, maar geen snijbloemen, omdat die binnen een dag verwelkt waren. Niets was van mij, behalve een ingelijste zeefdruk van gazelles uit Ivoorkust en een ebbenhouten krukje, waar Niyi zijn voeten op legde.

Ik zette de muziek zachter en liep naar hem toe. Niyi zette zijn voeten op de grond en zijn knieën maakten een scherpe hoek. Waar hij ook was, er was nooit genoeg ruimte voor hem.

'Je hebt reuzengenen,' zei ik en ik legde mijn hand op zijn hoofd.

'Goed zo. Ik zal ze doorgeven.'

'En als het nou een meisje is?'

'Dan wordt zij ook een reuzin.'

'Wie gaat er nou uit met een reuzin?'

'Ze gaat met helemaal niemand uit. Maar ze is beeldschoon en ze lijkt op mij.'

'Grote voeten en een magere neus?'

Hij keerde me zijn profiel toe. 'Dat zijn mijn buitenlandse wortels.'

Mijn lach vloog door mijn neusgaten naar buiten. 'Buitenlandse wortels, schei toch uit.'

Niyi herinnerde me graag aan zijn Braziliaanse afstamming, zoals een Brit zich erop kon laten voorstaan dat hij deels Frans was, of deels wat dan ook. Hij deelde zich in bij de zwarten met een rechtstreekse claim op buitenlandszijn: West-Indiërs en Afrikaans-Amerikanen. Ik wees hem er steeds op dat er geen zwarte ziel was die niet uit Afrika stamde. Zijn voorouders zouden gejuicht hebben. Die waren terug waar ze thuishoorden.

Ik bekeek hem geamuseerd. Met zijn kale kop kon hij doorgaan voor zo'n Amerikaanse basketbalspeler, maar als een meisje er zo uitzag, kon ze het vergeten op een plek waar mannen van kleine, weelderige vrouwen hielden.

'Heb je nog naar Londen gebeld?' vroeg ik.

Hij knikte. 'Dat geschifte vrouwmens nam op.'

'Wat zei ze?'

'Dat hij aandacht wil trekken.'

Ik haalde mijn schouders op. 'Och, tieners. Misschien is het ook zo. Het is verleidelijk om je ouders tegen elkaar uit te spelen.'

Hij had de hele dag geprobeerd zijn ex-vrouw te pakken te krijgen. Hun zoon weigerde zijn stiefvader papa te noemen. Zijn moeder stond erop dat hij dat deed, en Niyi vond dat de jongen dat helemaal niet hoefde.

'Dom mens,' zei hij. 'Ik zorgde voor hem terwijl zij werkte. Ze heeft hem zo goed als ontvoerd. En nou klaagt ze dat hij moeilijk doet. Ik zei dat ze hem maar terug moest sturen als ze niet met hem kon leven. Hij kan hier evengoed naar school. Ik ben niet in het buitenland naar school geweest, en er mankeert niks aan mij. Zij is niet in het buitenland naar school geweest, en er mankeert niks ...'

Het drong tot hem door dat hij op het punt stond zijn ex een compliment te maken. Hij strekte zijn been zo snel dat hij mijn krukje omverschopte.

'Domme vrouw. Als ze hier was, had ze me gesmeekt om met hem te praten.'

'Maak het enige meubelstuk dat ik heb niet kapot,' zei ik met een glimlach.

Twee verstoorde mannen op een avond. Ze waren het geen van beiden gewend om zich machteloos te voelen, dat was het punt. Niyi steeg niet boven zijn woede uit omwille van zijn zoon. Hij schopte het leven van de jongen liever in de war door hem na twaalf jaar nog naar huis te halen.

'Ze weet niet hoe blij ze mag zijn,' mopperde hij.

'Vergeet dat je zo'n hekel aan haar hebt,' zei ik, 'voor de jongen. Het doet er niet toe wie er gelijk of ongelijk heeft.'

'Waarom kletsen de mensen toch zo'n onzin?'

'Oké, het doet er wel toe. Maar vanaf nu voer je zelf je telefoongesprekken. Ik ben niet aan mijn ouderlijk huis ontsnapt om bemiddelaarster te worden in mijn eigen huishouden.'

Hij gaf geen antwoord, en ik dacht dat ik ongevoelig uit de hoek was gekomen.

'Geef me op zijn minst de kans,' zei ik, 'om haar te verachten of jaloers op haar te zijn of wat ik dan ook voor haar zou moeten voelen, in plaats van voor jouw therapeut te spelen. Kijk nou naar jezelf: je maakt je zorgen, je belt op, je schrijft, je luistert. Er is geen betere vader dan jij. Pech voor haar. Niemand die tussen een vader en zijn zoon komt. Heb je al gegeten?'

Ik vroeg het alleen om hem te vermurwen.

'Er was niks.'

'Heb je wel gekéken?'

'Het was oud. Ik hoef het niet.'

Ik wuifde koninklijk met mijn vrije hand. 'Hmm. Misschien komt er ook een dag waarop ík met mijn voeten omhoog kan zitten mopperen over het eten. Ik zal dit weekend boodschappen moeten doen, aangezien mijn heer en meester zich niet tevreden toont over wat ik in huis heb.'

'Vrouw, waarvoor denk je dat ik je bruidsschat heb neergeteld?'

'Voor goede seks,' zei ik en ik schreed weg. Als ik dan toch uit bed kon komen en van hot naar her kon vliegen, zei hij, moest ik ook mijn huwelijkse verplichtingen maar eens nakomen en hem een goede neukpartij geven.

'En zo praat jij tegen de moeder van je kind?'

'Je borsten zijn gegroeid.'

'De jouwe ook, en je mag van geluk spreken als ik je ooit nog neuk na alle seks die ik heb gehad om deze baby te maken.'

'En mijn behoeften dan?'

'Handel je behoeften zelf maar af,' zei ik.

Ik was getrouwd met een man met wie ik in slaap kon vallen, niet met een die me 's nachts wakker hield. Ik zei hem dat hij me in bed alleen aan het schreeuwen kon krijgen als hij onder de dekens een scheet liet. Op een dag zou ik hem mijn bruidsschat terugbetalen; dan hield ik een ceremonie en gaf ik hem zijn geschenken terug. Ik ging naar bed en droomde van boodschappen doen op de markt. Seks kon me gestolen worden.

'Geef me dat andere krat eens,' zei Sheri.

De marktvrouw gaf zonder haar aan te kijken een ander krat aan. Ze ordende de tomaten in de kist die Sheri had afgekeurd.

'Hoeveel?' vroeg Sheri, die het nieuwe krat kritisch bekeek.

'Twintig,' zei de vrouw. Haar haar zat in stiksels en haar gezicht vol moedervlekjes.

'Je houdt me voor de gek,' zei Sheri. 'Twintig naira, hiervoor? Vijftien.'

'Vijftien! Onmogelijk,' zei de vrouw.

Ze wuifde de vliegen van haar handelswaar. De zon beukte op mijn rug. Ik dook onder het plaatstalen dak van de kraam en sloeg de vliegen van mijn vlechten. Ze zwermden rond over de markt, krioelden over mango's, tussen spinaziebladeren en over stukken rundvlees. Later zouden ze zich verzamelen in de goten en verstopte afvoeren en terugkeren naar het voedsel. Ik liet het afdingen over aan Sheri. Ze was er beter in. Soms schatten de vrouwen haar verkeerd in, waarop ze onmiddellijk een fel 'Weet je wel waar ik vandaan kom?' op hen afvuurde. Eén vrouw antwoordde: 'Het is niet mijn schuld. Ik heb nog nooit een blanke ontmoet die zo straf handelt als jij.'

In hetzelfde kraampje zat nog een vrouw achter een houten tafel vol okra's, paprika's en rode uien. Ze had tatoeages op haar armen. Een naakte peuter zat op een mat aan haar voeten. Er droop speeksel van zijn lippen en geel snot bungelde aan zijn neus. Zijn ogen waren met kohl omlijnd.

'Wat moet je daarvoor hebben?' vroeg Sheri.

'Tien naira,' zei de ene vrouw.

'Tien naira!' riep Sheri uit.

Het was een spel. Ik keek naar de andere vrouw. Ze hees het kind op en zoog aan zijn neus. Het kleintje hapte naar adem en de vrouw spuugde zijn snot in de goot. De eerste vrouw wikkelde onze tomaten in de overlijdensberichten van een krant.

De markt was een opeenvolging van dit soort gammele kraampjes, die zich in rijen over twee vierkante kilometer uitstrekten. Roestige ijzeren platen fungeerden als dak en lieten smalle strepen zonlicht door. Een strook asfalt, net breed genoeg voor één auto, scheidde de oost- van de westzijde. Auto's en fietsers waren er niet toegestaan; die werden bij de ingang geparkeerd, bij een torenhoge, naar rotte groenten stinkende vuilnishoop. De paden waren vol mensen die er hun boodschappen deden; als bedevaartgangers liepen ze allemaal in dezelfde richting. Boven hun stemmen uit hoorde ik auto's toeteren in de straten vlakbij.

Bij de slagers stond ik liever in de hete zon dan bij het kraampje. De lucht van koeieningewanden was meer dan ik kon verdragen. Van een afstand keek ik hoe Sheri de slager instructies gaf. Hij lachte en hakte met een machete dwars door een koeienflank. Al gauw onderbrak hij zijn werk om het zweet van zijn voorhoofd te vegen met de bloederige zoom van zijn hemd.

Sheri kwam naar me terug lopen. Ze was afgevallen; je zag het aan haar gezicht.

'Je wordt mager,' zei ik.

'Denk je?' vroeg ze.

'Ben je aan het lijnen?'

'Da's de sportschool. Ik lijn nooit.'

Ik wuifde mezelf koelte toe. Ik leek te smelten in die zon.

'Iedereen gaat tegenwoordig naar de sportschool,' mompelde ik.

Ik had mannen horen zeggen dat vrouwen als Sheri er met de jaren niet mooier op werden: ze kregen al jong rimpels, net als blanke vrouwen. Het was het slot van de vertelling die was begonnen toen ze haar banaan noemden, en het klonk al even onzinnig, vond ik. Goddank had Sheri zich nooit iets aangetrokken van hun loftuigingen en trok ze zich nu niets aan van hun beledigingen. Ze was niet een van die ouder geworden beautyqueens die zich bij het betreden van een kamer pas ontspanden nadat ze hadden bepaald wie er beter uitzag dan zij.

We stopten nog bij een stoffenkraampje aan de overkant, hesen onze tassen toen in de achterbak van mijn auto en reden weg van de markt. Naast de uitgang zat een straatventer met geroosterde maïskolven.

'Wil je er ook een?' vroeg Sheri.

'Nee,' zei ik.

Ik kon niet riskeren dat ik tyfus opliep. Ze stak haar hoofd uit het raampje en wenkte de venter. Ik reed de gebruikelijke zater dagse drukte in. Auto's vormden twee rijen in de smalle eenrichtingsstraat. Sommige hielden halt bij de straatventers op het trottoir, waardoor ze tijdelijke opstoppingen veroorzaakten. Het winkelend publiek krioelde ertussendoor. Voor ons reed, met een slakkengang, een gele bus. De conducteur liet zich naar buiten hangen en schreeuwde zijn bestemming: 'CMS! CMS!'

De CMS was de Christelijke Missionaris School vlak bij de jachthaven. Er stapten twee mensen uit, en tien drongen zich naar binnen. Er zou geen ruimte voor hen zijn. Lagos begon over te stromen. Het grootste deel van de stad leek op een uitgestrekte sloppenwijk. Gebouwen kregen geen nieuwe verflaag, wegen werden niet gerepareerd. Mijn auto begon zwoegende bijgeluiden te produceren. Met zijn tien jaar gaf hij me bijna elke maand een reden om hem naar de garage te brengen, al leverde hij, zelfs in de staat waarin hij nu verkeerde, drie keer het geld op dat hij had gekost. Ik gebruikte hem nog steeds voor wat ik de ruige ritten noemde. Tegenwoordig legden de mensen geld opzij voor een auto, zoals ze elders ter wereld geld opzij legden voor een huis.

'Niyi wil een feest geven voor mijn verjaardag,' zei ik.

'O, ja?' zei Sheri.

'Ja. Ik heb gezegd dat hij het klein moest houden, alleen voor de mensen die ik graag zie. Wil jij de catering doen?'

'Ja.'

'Met korting?' vroeg ik.

Ze nam een laatste hap van haar maïs en gooide de kolf het raampje uit. Ik zou mijn korting krijgen en Sheri zou helpen koken, maar op mijn feest zou ze niet komen. Ze was niet geïnteresseerd in mensen die over haar zouden roddelen of over hun bezittingen snoeven. En de mensen die ik kende, met name de mensen van Sunrise, bekeken haar kritisch zodra ze haar in het zicht kregen, op zoek naar bewijzen van verdriet, seksuele frustratie of ander gemis, zodat ze konden zeggen dat haar leven waarachtig geruïneerd was. Sheri, die de mensheid altijd had verdeeld in degenen die bereid waren voor haar te sterven en degenen die jaloers op haar waren en haar wilden zien vallen, negeerde hen op een manier die me vanbinnen deed springen en juichen, zo wanhopig graag zou ik boven ons sociale kringetje uit stijgen.

Niyi was er niet toen we thuiskwamen. 'Hij is op zijn werk,' legde ik uit, terwijl we haar boodschappen van de mijne scheidden in de achterbak van de auto.

'Je man werkt te hard,' zei ze.

'Iedereen werkt te hard,' zei ik. 'Ik dadelijk ook.'

'Je moet goed voor je mans thuis zorgen,' plaagde ze als een ouwe zeur.

'O, ik heb er zo'n hekel aan,' zei ik en ik tuurde in een pakketje. 'En dat voor een vent die nog geen glas naar de keuken brengt.'

'Doet hij dat niet?'

'Ik heb 't nog nooit gezien. De man doet alsof ik zijn lakei ben.'

Ik vertelde haar over onze zitkamer, dat ik er bierglazen aantrof die 's nachts waren blijven staan en die vastplakten aan de glazen tafelbladen, zo stevig vastplakten dat ik er het hele tafelblad mee op kon lichten. In onze slaapkamer raapte ik de kleren op waar hij ze had laten vallen. In onze badkamer trof ik plekken aan rond de wc die van bier afkomstig hadden kunnen zijn, ware het niet dat ze van verkeerd gerichte urine kwamen.

'Dat moet je van tevoren toch geweten hebben,' zei ze.

'Ik ben nog nooit zo lang thuis geweest.'

'Het ligt aan zijn moeder, ik zweer het je.'

'De verjaringstermijn is al verlopen.'

'Breng hem manieren bij, *jo*.'

Ik gaf haar een tas en zuchtte. 'We zitten in vredestijd.'

Onze conversatie was even nietszeggend als alle gesprekken in Sunrise. We verdeelden groenten die in gecensureerd nieuws gewikkeld zaten. Sheri vertelde dat ze de week ervoor een man aangereden zag worden door een auto. De bestuurder die de man had geraakt, was ervandoor gegaan uit angst dat hij gelyncht zou worden. Vier voorbijgangers droegen de man van de straat, twee voor de armen, twee voor de benen. Zij schreeuwden en de man zelf ook, alleen schreeuwde hij van pijn.

'Alsjeblieft,' zei ik. 'Waarom vertel je me dit?'

Ze zuchtte. 'Ja, waarom?'

Ik rommelde door nog meer tassen.

'Dit jaar moet je echt het einde van de vasten met ons komen vieren,' zei ze.

'Jij vast niet, Sheri.'

Allah moest het haar maar vergeven. Ze kon geen uur zonder eten.

'Kom nou maar gewoon. We zetten iets lekkers op tafel.'

'Ik zal er zijn.'

Ze zuchtte weer. 'Het is te hopen dat we die dag licht hebben. Al dat gepraat over democratie. Het maakt me niet uit wat voor overheid we krijgen, als ze me maar elektriciteit garanderen.'

'En welke overheid maakt je niet uit?'

'Al waren het communisten.'

Ik wist dat ze dat niet meende.

'Alleen elektriciteit?'

'Meer heb ik niet nodig,' zei ze.

'Sommige mensen zijn niet eens aangesloten.'

'Wie? Mensen uit de dorpen? Wat kan het ze schelen? Die stoken 's avonds hun vuurtje; de rook jaagt de muggen weg. 's Nachts doen ze het vuur uit en gaan ze slapen. Hun probleem is schoon drinkwater, niet elektriciteit. Guineawormen? Vagen zó een heel dorp weg.'

Twee kinderen fietsten joelend voorbij mijn hek. Ze trapten als bezetenen.

'Dan hebben wij het beter,' zei ik.

Sheri gaf me een pakketje aan. 'Ik vraag het me af.'

Ik strekte mijn rug. 'Tel je zegeningen, Sheri. Gezondheid, eten op tafel, een dak boven je hoofd en een bed om in te liggen.'

'Met een chagrijnige echtgenoot,' zei ze.

'In elk geval gaat hij niet vreemd.'

'Er is verder geen vrouw die hem wil.'

'Zie je wel? Wat wil ik nog meer. En ik heb een eigen auto. Zelfs al doet-ie het niet altijd, ik kan weg wanneer ik wil. Ze slaan me niet zomaar neer op straat. Hm-m. Waar moet dat heen? 1995, en nog steeds geen fatsoenlijke ambulancedienst in deze stad. Geen fatsoenlijk ziekenhuis. Niks.'

'Ik sterf liever op straat dan dat ik hier naar een ziekenhuis ga.'

'Ik zeg het je: als je hoofdpijn voelt opkomen, kun je beter je koffers pakken.'

'Als je de centen hebt om ervandoor te gaan,' zei ze.

'Zo niet,' zei ik, 'begin dan je graf maar vast te graven.'

'Roep je familie bijeen voor de laatste sacramenten. En o, niet vergeten, voor op je grafsteen: "Eindelijk hebben ze me dan toch klein gekregen".'

We lachten. Sheri gaf me een pakketje, strak omwikkeld met overlijdensberichten.

'Maar de mensen hebben het moeilijk,' zei ik.

''t Is een moeilijk land,' zei ze.

Eindelijk hadden we de boodschappen verdeeld.

'Zus van me,' zei ik en ik klopte haar op de rug.

'Doe Papa Franco de groeten,' zei ze.

Achter zijn rug om noemde Sheri Niyi 'Papa Franco', omdat hij altijd nors keek, zei ze. Ik kon haar niet vertellen dat hij nors keek omdat hij vond dat zij slecht gezelschap was. 'Opgebrand, zoals alle dorre takken. Daarom wil niemand haar hebben.' Ik kreeg een schorre keel van de ruzies die ik met hem over haar had. Sheri had geen man nodig. Ik was erbij toen ze die waardeloze brigadier van haar de bons gaf. 'Ja, ja, ze heeft een verleden,' zei hij dan.

'Heeft een toekomst,' zei ik.

Toen ze geld aannam van haar brigadier droeg ze avondschoenen overdag, kocht ze allerlei prullaria zolang ze maar een bloemmotief hadden en wílde ze niet eens lange tijd naar het buitenland omdat ze het daar te koud vond. Nu ze zelf haar geld verdiende, bewaakte ze elke cent als een boekhouder. Ik was jaloers op de vrijheid waarmee ze het kon uitgeven waaraan ze wilde, en op haar door onderhandelen en afdingen ontwikkelde zakeninstinct. Sheri zei dat haar hoofd niet naar boeken stond, maar een winstmarge had ze in de smiezen nog voor een deal van de grond kwam. Het was waar dat ze zelden iets las, zelfs niet de roddelbladen die ik af en toe oppakte. Ze zei dat die door idioten voor idioten waren geschreven, zeker als ze weer eens was gekiekt door het handjevol pesterige paparazzi in Lagos, bij de sociale gelegenheden waarvoor zij de catering verzorgde. 'Anderhalve halfbloed,' had een van hen haar pas nog genoemd. Sheri las hooguit liefdesromannetjes, zoals ze als kind al had gedaan. Ze gebruikte een leren boekenlegger om aan te geven waar ze was gebleven. Ze deed weken over zo'n boekje, terwijl handelen haar zo gemakkelijk afging. Een wake, een bruiloft, een doop, ze was er als de kippen bij, pingelend dat het een lieve lust was en de vuile was van haar cliëntèle binnenhoudend als een advocaat onder zwijgplicht. Binnen een jaar nadat ze haar zaak was begonnen, kon ze zich zo'n tweedehands auto veroorloven die mensen zo goed als nieuw noemden, en na twee jaar een eigen huurflat.

Nee, mannen of geld deden Sheri niet veel. Haar grote liefde was eten. Ze kauwde altijd ergens op, gebakken vlees, maïs, koekjes. Ze kon zonder probleem tien bananenijsjes achter elkaar op, en als voedsel haar mond in ging, werden haar ogen groot. Ik was erbij toen haar voedselaanbidding begon en had die onbegrijpelijk gevonden omdat ik juist geen hap door mijn keel kreeg als ik het moeilijk had. Inmiddels begreep ik dat sommige vrouwen precies het tegenovergestelde doen. Sheri was in de loop der tijd zwaarder geworden: Britse maat zestien, Amerikaanse maat veertien, Bakare-maat twee, zei ze weleens. Maar de levenslust die ze als kind had gehad, was ze grotendeels kwijtgeraakt, en vaak haalde ik me de keer voor de geest dat ze lachte tot de hibiscusbloemen uit haar afro vielen. Ik kon nog steeds in de lach schieten bij de herinnering.

Ze was mijn oudste vriendin, mijn beste vriendin. We waren afwezige vrienden geweest en soms onzekere vrienden, maar dat had je met zussen ook, en zij kwam wat mij betrof zo dicht bij een zus als mogelijk was op deze plek met zijn opgerekte notie van 'gezin'.

In mijn keuken laadde ik de boodschappen uit de tassen, die ik opborg voor toekomstig gebruik. Mijn keuken was toegerust op de bereiding van eenvoudige maaltijden, verder niets. Er stonden een houten tafel, twee stalen klapstoelen, een elektrisch fornuis, een kerosinefornuis voor het geval de stroom het liet afweten, een diepvries zo groot dat je er een volwassen mens in kwijt kon, en een koelkast met een ijsmaker die ik nooit had gebruikt. In mijn bijkeuken bewaarde ik plastic tassen, schaars goed in Lagos, vaten palmolie, aardnootolie, zakken rijst, yambloem, gedroogde gemalen cassave, een bundeltje stoffige yams en kleverige pisangs. Op de planken stonden stapels vaatwerk, Tupperware, reusachtige stalen pannen, plastic kommen en kwarten kalebas om mee te scheppen. De deur naar onze achtertuin was vergrendeld. De ramen waren ook vergrendeld en bedekt met groen hordoek. Muggen, stof en regen raakten verstrikt in die horren. Soms, als de wind erop stond, rook ik ze alle drie en moest ik niesen.

Pierre, mijn huisjongen van het moment, begon de groenten te wassen in een kom water. Het was een potige knul van een jaar of negentien uit de republiek Benin, een van onze buurlanden. Frans was de enige taal die we gemeen hadden. Hij sprak het vloeiend, met een Afrikaanse tongval, en mij stond er vaag iets van bij uit mijn middelbareschooltijd. Pierre kon niet koken. Hij poetste, haalde water en zag zichzelf tussen de bezigheden door als een donjuan. Omdat we het Franse accent maar niet onder de knie kregen, spraken we zijn naam uit als 'P'yè', en Niyi zei dat het net goed voor hem was, omdat Pierre een lui stuk vreten was, nooit in de buurt als je hem nodig had.

Ik wilde dat Pierre de okra's op de snijplank legde. '*Ici*,' zei ik en ik wees. 'Hierzo.'

Pierre trok een wenkbrauw op. '*La bas*, madame?'

'Vriend,' zei ik, 'je weet precies wat ik bedoel.'

Ik had het over mezelf afgeroepen door te proberen Frans tegen hem te spreken. Nu trok hij twintig keer per dag zijn wenkbrauwen op.

'Doe me een plezier,' zei ik. 'Leg ze daar neer.'

Ons continent was één grote toren van Babel, met Afrikanen

die naast de koloniale talen – Frans, Engels, Portugees – ook hun eigen talen spraken. Het huishoudelijk personeel in Lagos kwam voornamelijk van buiten Lagos, uit de provincie en de Afrikaanse buurstaten. Als we geen taal deelden, communiceerden we in pidgin-Engels. Nachtwakers, waslui, koks en tuinlui. De duvelstoejagers die we huisjongens of huismeisjes noemden. Het lag niet in onze aard om ons schuldig te voelen over het huishoudelijk personeel of om politiek correcte termen voor hen te verzinnen. Als ze vrienden op bezoek kregen, maakten we ons zorgen over diefstal. Als ze onze bezittingen te nadrukkelijk bekeken, vonden we ze hebzuchtig. En als ze ruziemaakten, vonden we ze grappig. We dronken uit andere bekers dan zij, lieten hen hun handen wassen en stonden onze kinderen toe dat ze de baas over hen speelden. In ruil voor kost, inwoning en een toelage hielpen ze in het huishouden. De meesten waren op een leeftijd dat ze konden werken en hadden een gebrekkige opleiding genoten, sommigen waren op de pensioenleeftijd, en heel veel van hen waren kinderen. In een goed huishouden werden ze behandeld als een verre neef of nicht, in slechte huishoudens kregen ze nauwelijks te eten en werden ze geslagen. Meer dan eens had ik opgemerkt dat hun situatie maar een paar graden verschilde van die van de slaven in het oude Mississippi, of van de zwarten in Zuid-Afrika onder de apartheid. 'Maar dat is racisme,' kreeg ik dan te horen.

Pierre begon de okra's klein te snijden. Ik maalde peper en snipperde uien. Daarna waste hij het vlees en sneed het in blokjes, en ik smoorde ze in de pan. We werkten samen, snijdend, bakkend, roerend en gietend. Mijn ogen traanden van de peper en de walm van palmolie drong in mijn vlechten. Ik brandde mijn polsen aan de stoom. Drie uur later hadden we vier verschillende stoofpotten klaar. Pierre schepte ze in Tupperware-bakjes en zette ze in de diepvries. Ik gaf hem een bord eten en besloot een douche te nemen.

Achter onze badkamerdeur stond een ton water. Ik schepte mijn bademmer vol en deed er kokend water uit de ketel bij. Afgezien van de zwelling onder mijn navel was mijn lichaam hetzelfde als voor mijn zwangerschap. Ik had mezelf nog niet ingezeept of de stroomgenerator naast de badkamer stootte een brullend geluid uit. 'Shit,' zei ik, toen ik aan het eten in de diepvries dacht. Haastig schepte ik water uit de emmer over mijn lichaam en stapte onder de douche vandaan. Niyi kwam naar boven.

'Geen licht?'

Ik stampvoette. 'Het viel net uit.'

'Waarom doe je zo boos?'

Hij keek al even geïrriteerd.

'Ik heb de hele dag staan koken.'

'Heb je gekookt?' zei hij. 'Goed zo.'

Hij ging naar beneden met mij mopperend op zijn hielen. 'Ze zouden een constitutionele vergadering moeten beleggen voor de hervorming van eetwijzen. De dag dat een Afrikaanse vrouw zich met een boterham van de maaltijd af kan maken, is het feest. Ik heb de hele dag in die godvergeten keuken gestaan...'

'Waar is dat eten?' onderbrak Niyi me.

Ik boog me over de trapleuning. 'Als je echt honger hebt, heb je het zó gevonden met dat voedselkompas van je.'

Hij wist dat het me menens was. Als hij per se wilde, kon hij kijken hoe ver hij bij me kon gaan, en dan zou hij kennismaken met de Afrikaanse versie van het meisje uit *The Exorcist*.

De elektriciteit keerde even voor middernacht terug; mijn eten was gered. Niyi zei dat het zoveel beter zou smaken als ik toch eens leerde om met een beter humeur te koken. 'Het probleem is,' zei hij voordat we gingen slapen, 'jij bent geen gedomesticeerde vrouw. Jij hebt gewoon niet die... dat liefhebbende.'

Hij bracht zijn vingertoppen bij elkaar alsof ik de betekenis van wat hij zei niet kon vatten. Hij lag aan mijn kant van het bed. Ik duwde hem naar zijn eigen kant.

'Ik ben verschrikkelijk liefhebbend,' zei ik. 'Wat weet jij er nou van? Schuif eens op.'

Ik was een scrotumknijper, zei hij. Ik was pas tevreden als zijn ballen zo klein waren als rozijnen.

'En wat doe jij voor mijn vrouwelijkheid?' zei ik met een breed armgebaar. 'Ben ik dan geen tempel van het wonder der schepping?'

Op elk plaatje, in elke advertentie en in elke film die ik over zwangere vrouwen had gezien, masseerden hun partners hun voeten en zo. Dat vroeg ik niet van hem; nooit verwachtte ik van hem dat hij zei dat ik mooi was. Het was een godswonder, dat moest ik toegeven, dat hij nooit klaagde als ik me 's morgens met een opgezet gezicht van het overgeven weer bij hem voegde. Dat was zíjn liefhebben ten voeten uit; het beste voorbeeld van zijn hofmakerij vanaf het moment dat ik hem had ontmoet.

Met onze handen in elkaar vielen we in slaap. De volgende ochtend deelden we de zondagskranten, waarbij Niyi beneden zat en ik boven bleef en las wat hij me van tijd tot tijd kwam brengen. Ik bladerde een staatskrant door. Een groepje echtgenotes van militairen had een hulpprogramma voor vrouwen opgericht in een dorp. Ze beloofden de dorpsvrouwen te trainen in kinderverzorging om de uitdroging van kinderen uit te bannen. De voorpagina toonde een van de echtgenotes met een gouden choker om haar hals. Ik sloeg de pagina om; een man had zijn geliefde zoutzuur in het gezicht gegooid. De pagina erna berichtte over een inzamelingsactie voor de oogoperatie voor een jongen. Hij had een zeldzame kankersoort en zou voor de behandeling overzee moeten worden gevlogen. Daaronder besprak een bankdirecteur met schildpadmontuur kapitaalinvesteringen. Op de volgende pagina werden we bijgepraat over onze vredestroepen in Liberia, vlak boven het verhaal van een gemolesteerde straatventster, een kind nog. Ze was tijdens de rechtszaak moeilijk uit haar woorden gekomen en had haar wikkeljurk geopend om aan te wijzen waar de man haar pijn had gedaan. De magistraat had haar verordonneerd zich onmiddellijk te bedekken. De kop: NIET-NOODZAKELIJK NAAKT.

Niyi kwam de kamer in. Ik hield de krant omhoog.

'Heb je dit gelezen?' vroeg ik.

Zijn mond stond open. Mijn hartslag versnelde.

'Wat?' vroeg ik.

'Ze hebben hem gearresteerd,' zei hij.

'Wie?'

'Je vader.'

Ik greep mijn hoofd met twee handen beet. 'Nee.'

'Vanochtend. Baba is het komen zeggen. Hij zit beneden.'

Ik krabbelde het bed uit. 'Ik heb het hem nog zo gezegd. Ik zei het nog.'

Ik rende de trap af. Baba zat in de eetkamer. Zijn ogen waren geel en waterig. Een vlieg daalde op zijn witte wimpers neer, en hij veegde hem met bevende hand weg. 'Ik was aan het werk,' zei hij. 'Aan het werk, net als altijd. Er kwam een auto. Twee mannen. Ik liet ze binnen. Ik ging weer aan het werk. Er ging een poos voorbij. Toen riep je vader me naar de veranda. "Zeg het tegen Enitan," zei hij. "Zeg haar dat ze me meenemen. Zeg het ook tegen Fatai." Daarna stapte hij in en reden ze weg.'

'Politie?' vroeg ik.

'Het leek politie.'

'Wat hadden ze aan?' vroeg Niyi.

Baba streek met zijn zwaar geaderde handen over zijn borst. 'Eh... iets. Iets...'

Ik probeerde me de berichten over de laatste arrestanten voor de geest te halen. Onherkenbaar verkorte achternamen, wazige foto's, krantenfantomen. Mensen die door de staatsveiligheidsdienst werden opgehaald voor verhoor. Ze verdwenen maandenlang.

De rest van de ochtend probeerden we onze vrienden en familie aan de telefoon te krijgen. Ik wist geen enkel telefoonnummer meer, en Niyi moest op zoek naar mijn adressenboek. Mijn moeder had nog altijd geen telefoon. We belden oom Fatai, Niyi's ouders, Sheri. Tegen lunchtijd waren ze er allemaal.

Ze wenden aan mijn vaders verdwijning zoals mensen in Lagos wenden aan een sterfgeval. Eerst waren er de gebruikelijke vragen. Hoe? Wat? Wanneer? Daarna zette de berusting in. Mijn schoonvader begon te praten over anderen die gearresteerd waren: journalisten, advocaten, een vakbondsleider. 'Ik ken hem goed,' zei hij.

Hij sprak langzaam en proefde zijn verkondigingen. Als mijn schoonvader aan het woord was, stak hij zijn kin in de lucht alsof wat hij zei een geweldige bijdrage leverde aan de mensheid, en hield hij zijn ogen gesloten, ervan overtuigd dat er nog steeds iemand zat te luisteren als hij ze weer opendeed. Dat was dan mijn schoonmoeder.

Niyi kwam naar me toe. 'Als het zo doorgaat, moeten we ze dadelijk wel iets te eten voorzetten.'

'Eten?' zei ik, alsof hij paardenmest had voorgesteld.

'Ja. Ze zijn hier de hele morgen geweest.'

Ik begon te stamelen. 'Pierre heeft zijn vrije dag, en ik weet niet of...'

'Ik help wel,' zei Sheri.

Niyi klopte me op mijn schouder. 'Dank je.'

Ik zou voor de lunch gaan zorgen, zei Niyi tegen de rest. Ik stond op. Mijn schoonmoeder ook, maar ik gebaarde dat ze weer moest gaan zitten. 'Nee, ma, Sheri helpt wel.'

Mijn stem klonk onnatuurlijk hoog. Ik voerde gewoon een travestie op, dacht ik, al nam niemand de moeite om ernaar te kijken terwijl Sheri en ik naar de keuken togen.

Daar zette ik een lege pan met een klap op het fornuis. 'Wat dóé ik hier?'

'Waar begin ik?' vroeg Sheri.

'Mijn vader is gearresteerd en ik kóók?'

'Mensen moeten eten.'

Ze keek om zich heen alsof ze een wapen zocht. Ik stelde me voor dat we de borden aan diggelen smeten, dat we deuken sloegen in de pannen.

Sheri wenkte me. 'Vooruit, waar ligt je bestek?'

Ik at niet mee. Mijn schoonvader zat aan het hoofd en oom Fatai aan de voet van de tafel. Hun gekauw inspireerde me tot nieuwe wurgtechnieken.

'Ik moet je even spreken,' zei oom Fatai, toen ik zijn bord weghaalde. Niyi en zijn vader zaten met scheef gehouden hoofd, als wereldleiders op een conferentie. In een opwelling vroeg ik: 'Kun je even helpen?' Niyi keek op als een wereldleider die op een conferentie met zijn maîtresse wordt geconfronteerd.

Mijn schoonvader kwam tussenbeide: 'De jongedame kan dat wel doen.'

Sheri stond haastig op en duwde me de keuken in.

'Ik wil ze uit mijn huis,' fluisterde ik. 'Ik wil ze eruit.'

Sheri raakte mijn schouder aan. 'Ze blijven geen eeuwigheid. Ga met je oom praten. Ga maar.'

Ze duwde me terug de kamer in. Ik ging bij oom Fatai aan tafel zitten. Hij vouwde zijn handen ineen, en zijn knokkels vormden kuiltjes. 'Wie runt je vaders firma nu?'

'Ik,' zei ik.

'Goed zo,' zei hij en hij bracht het servet naar zijn mond.

'Is er iets wat we intussen kunnen doen?' vroeg ik.

Hij veegde zijn mond af. 'Niks.'

'Moeten we niet naar hem op zoek gaan?'

'Waar?' vroeg hij.

'Ik bedoel, is er iemand met wie we contact kunnen opnemen?'

Hij zag de uitdrukking op mijn gezicht en leunde naar voren. 'Enitan, je vader wist waar hij mee bezig was. Begrijp je? Het spijt me, maar dit is het resultaat van een beslissing die hij zelf heeft genomen. Toen hij herrie begon te schoppen, heb ik het hem gezegd: Wees voorzichtig. Het enige wat we nu kunnen doen is ervoor zorgen dat zijn zaak blijft bestaan. Begrijp je dat?'

De naweeën van zijn boer hingen tussen ons in.

Ik knikte. 'Ja, oom.'

'God geve dat hij snel vrijkomt,' zei hij. 'Goed. Ik heb een kom water nodig.'

Zijn knokkels vormden diepere kuiltjes toen hij zijn handen opstak.

'Om mijn handen te wassen,' legde hij uit.

Ik kon niet in slaap komen. Alles wat mijn vader me ooit over gevangenissen had verteld, spookte door mijn hoofd: de duisternis, de klamheid, de stank van oude urine, kakkerlakken, ratten. Er waren geen bedden, er was geen ventilatie, en er waren te veel gevangenen. Sommigen waren gearresteerd omdat ze zich op een sanitatiedag buitenshuis hadden gewaagd, anderen hoorden in psychiatrische instellingen thuis of op het kerkhof.

Tegen zonsopgang dwong ik mezelf me mijn vader voor de geest te halen. Ik kon alleen zijn handen zien, en die zaten onder de zweren. 'Kijk nou hoe ik mezelf in de nesten heb gewerkt,' zei hij. 'We slapen hier in elkaars pis. Het eten lijkt wel onder uit een latrine te komen. Ik heb het niet aangeraakt.'

'Je handen,' zei ik.

Hij hield ze op. 'Het heerst. Jeukt als de hel, maar ze willen er geen arts bij halen. Ze sturen steeds de gevangeniszuster. Die vrouw heeft geen flauw benul, maar de mannen zijn blij om haar te zien.'

'Mannen?'

'Ik ben niet alleen. Ik heb vrienden. Een gewapende overvaller, Tunji Rambo noemt hij zich. Een overdaad aan heroïne in zijn bloed en aan Amerikaanse films in zijn hoofd. Zegt dat hij net zomin een moordenaar is als de generaal die hier zit, die in de Burgeroorlog heeft gevochten en Biafranen heeft gedood, of de oudminister die geld verduisterde dat apart was gelegd voor gezondheidszorg. Volgens hem oordeelt God eender over iedereen.'

'Dood is dood.'

'De generaal was vroeger dik, nu is hij net zo mager als jij. Ze hebben hem hier opgesloten omdat hij een coup had beraamd. Hij had onze president kunnen zijn. Nu is het gewoon een crimineel. Hij bidt samen met de bibliothecaris. Die noemen we de Professor. De man is een wandelende encyclopedie. Hij werd opgepakt omdat hij de deur uit ging op een sanitatiedag. Nu werpt hij zich aan de poten van ratten en noemt ze goden.'

'Ga alsjeblieft niet ook die kant op.'

Maandagmorgen ging ik naar mijn vaders kantoor. Peace barstte in tranen uit zodra ik het woord 'arrestatie' uitsprak. Ik voelde me een bedriegster toen ik hun ter plekke beloofde dat hun baan veilig was. Wat wist ik van mijn vaders zaken af? Sinds mijn diensttijd had ik bij een bank gewerkt. Mijn ervaring met vastgoedbeheer was beperkt en bovendien gedateerd.

'We zullen gewoon moeten doorgaan tot hij terugkomt,' besloot ik.

Terwijl het groepje uiteenging, knarste ik mijn tanden. Mijn vaders bureau lag bezaaid met paperassen. Wat hij gevoelige informatie noemde, deelde hij nooit, en een systeem voor zijn dossiers bestond alleen in zijn hoofd. Meneer Israel, de chauffeur, kwam binnen. 'Er is iemand voor je,' zei hij.

'Wie?'

'Een journalist.'

'Zeg hem maar dat hij binnen moet komen.'

De journalist was een vrouw. Haar glimlach was zo minzaam dat ze een bijbelverkoopster had kunnen zijn.

'Mijn naam is Grace Ameh,' zei ze en stak haar hand uit. 'Van de *Oracle*. Vorige week hebben we je vader geïnterviewd. We hadden voor vanmorgen weer een afspraak staan, en ik hoop dat jij met ons wilt praten.'

Er zat een spleetje tussen haar voortanden en haar tandvlees had de kleur van pure chocolade.

'Waarover?' vroeg ik.

'Zijn arrestatie. De chauffeur, meneer Israel, vertelde het me. Het spijt me om dit te moeten horen.'

'Het is gisteren pas gebeurd.'

Ik was er niet klaar voor om met een vreemde te beraadslagen. Vanaf haar middel naar boven was ze zwaar. Aan haar jurk zat een vlinderkraag en ze had een rimpelig, bruinleren portfolio bij zich. Ze haalde er een notitieblok uit.

'Ik heb maar een paar woorden van je nodig, over wat er is voorgevallen.'

Er klonk tromgeroffel in mijn borstkas. 'Is het veilig?'

'Om te praten? Het is nooit veilig om te praten.'

'Ik heb dit nog nooit gedaan.'

'Je bent bang?' vroeg ze en ze keek even op.

'Ik weet niet of u hier wel zou moeten zijn.'

Ze wachtte tot ik dat terug zou nemen. Ik keek als eerste weg. Grace Ameh was ouder dan ik, zelfverzekerd, en haar afkeuring was als een donkere wolk die zich samenpakte in mijn vaders kantoor. Ze kon je doordringend aankijken.

'Wat jammer,' zei ze. 'Ik had gedacht dat je wel met ons zou willen praten.'

'Vorige week,' zei ik, 'heeft mijn vader met mensen van uw krant gesproken. Vandaag zit hij in de gevangenis.'

'Misschien zijn we verkeerd begonnen...'

'Ik weet niet wie "we" zijn.'

'Laat me je alsjeblieft vertellen waar wij tegenop boksen.' Haar stem klonk nog steeds kalm, maar haar lippen bewogen met nauw merkbaar ongeduld. 'Elke week worden onze verslaggevers opgebracht, zonder nadere verklaring. Ze worden wekenlang vastgehouden en ondervraagd of met rust gelaten, wat nog erger is, heb ik gehoord. In de gevangenis praat niemand met je, snap je? Werk je niet mee, dan word je overgeplaatst naar een andere gevangenis, tjokvol gevangenen. Zieke gevangenen. Je loopt er longontsteking of tuberculose op, en je krijgt geen medische verzorging. Geelzucht, diarree; het eten in Nigeriaanse gevangenissen is niet best. Neem me niet kwalijk. Het spijt me. Maak ik je overstuur?'

'Nee.' Dat deed ze wel.

'Ik wil dat je begrijpt waarom de mensen je verhaal moeten horen. Dit kan tegenwoordig iedereen overkomen. Je vader had geen enkele reden om zich erbij te laten betrekken. Hij had makkelijk zijn mond kunnen houden. Nou, wil je met ons praten?'

Ik knikte met tegenzin. 'Ja.'

'Dank je.'

Haar hand bewoog zich in snel steno over haar notitieblok.

'Mijn vader is geen misdadiger,' begon ik.

Die middag zocht ik mijn moeder op. Oom Fatai had beloofd dat hij haar over mijn vader zou vertellen, maar ik kon er niet zeker van zijn. Toen ik aankwam, zat het dochtertje van haar buurvrouw boven op het hek. Een meisje van een jaar of zeven, in een t-shirt met kiss me i'm sexy over haar borst. Haar bovensnijtanden ontbraken. Achter haar speelden twee van haar broers een rumoerig potje tafeltennis; een derde broer trok op het ritme van het pingpongballetje met zijn mond. Het meisje leek elk moment te kunnen vallen.

'Hé, kiss me I'm sexy,' riep ik, 'kijk je uit daarboven?'

Dubbel van het lachen stortten haar broers zich op de tennistafel.

'Ik heet niet kith me I'm thexy,' zei ze.

'Sorry,' zei ik. 'Hoe heet je dan wel?'

'Shalewa.'

'Shalewa, kom daar eens vanaf.'

Ze trok een lang gezicht. Haar broers dansten joelend rond de tafel: 'Kith me I'm thexy!' Een van hen trok gekke gezichten. Ik voelde me schuldig omdat ik hun een aanleiding had gegeven om haar uit te lachen.

Shalewa sprong van het hek. Haar magere benen trilden. 'Thelletje opgeblathen kwalbakken!' riep ze.

Mijn moeder deed open. 'Die kinderen maken zoveel lawaai.'

'Zijn het de kinderen van je huurders?'

'Ik ben ze helemaal beu. Maar hun moeder is in elk geval aardig.'

In de loop der jaren waren mijn moeders zegswijzen versmolten tot één betekenis: triest dat iets goeds zich had voorgedaan, blij met iets triests. Ik rook menthol. Zoals gewoonlijk praatten we in het Yoruba.

'Fatai heeft het me verteld van je vader,' zei ze.

'Ja,' zei ik.

'Het is gisteren gebeurd, zei hij.'

'Meer weten we niet.'

'En,' zei ze, 'wat wordt eraan gedaan?'

'We kunnen niets doen. We weten niet waar hij is. Een journalist die ik vanmorgen sprak, zei dat hij misschien in een van de kantoren van de veiligheidsdienst wordt vastgehouden.'

Ik drukte mijn vingers tegen mijn slapen. Mijn moeder keek naar de bewegingen van mijn handen.

'Welke journalist mag dat dan wel wezen?'

'Van de *Oracle*.'

'En je hebt met hem gesproken?'

'Met haar. Ik heb een verklaring afgelegd.'

'Je legt verklaringen af? Aan de pers?'

'Het had niets te betekenen.'

'Toch niet in jouw toestand,' zei ze en ze sloeg met haar vuist in haar hand. 'En toch niet voor je váder. God vergeef me, maar die man heeft zijn problemen zelf veroorzaakt. Fatai heeft het me verteld. Hij zei dat hij hem had gewaarschuwd. Hij zei dat jij hem ook had gewaarschuwd. Waar ben je nou mee bezig? Moeten ze jou ook opsluiten?'

'Ze sluiten mij niet op.'

'Hoe weet jij dat nou? De regering doet al jaren wat ze wil. Dus wat doe je dan? Je láát ze, dát doe je. Weet je echtgenoot hiervan?'

Ik gaf geen antwoord. Mijn moeder hoestte en wreef over haar borst.

'Wees voorzichtig,' zei ze. 'Als vrouw moet je je hier niet mee bemoeien. Niet in dit land. Dat hoef ik je toch niet te vertellen.'

'Ik wil mijn vader daar weg hebben.'

'Stel dat ze jou ook te pakken nemen? Zwanger en wel? Wil je dit kind of niet?'

'Ja.'

'Nou dan,' zei ze. 'Je hebt er zo lang op gewacht. Niks ervan. Hoor je me? Niet voor een man die... die mij niks dan kwaad heeft gebracht.'

Ik wilde net antwoord geven toen een meisje van een jaar of twaalf haar keuken uit kwam. Ze had bolle wangen en een puntige kin. De zoom van haar jurk hing scheef.

'Ah, Sumbo,' zei mijn moeder. 'Ben je klaar?'

'Ja, ma,' zei ze.

'Goed zo. Dan kun je gaan.'

Het meisje vertrok. Haar blote voeten maakten het geluid van schuurpapier over de vloer. Er zaten kloven in haar voetzolen.

'Heb je een nieuw huismeisje?' vroeg ik.

'Ja,' zei mijn moeder. 'Maar ik moet haar alles nog leren. Ze wast nooit haar handen.'

'Hoe oud is ze?' vroeg ik.

'Veertien, zeggen haar ouders.'

'Ze is wel jong,' zei ik.

Mijn moeder haalde haar schouders op. 'De ouders hebben haar zelf naar me toe gebracht. Kijk naar die bolle wangen van haar. Ze is hier beter af. Ze eet goed en neemt geld mee naar huis. Ze is niet te jong. Waarschijnlijk heeft ze meer gezien dan jij. Keer d'r je rug toe en ze steekt haar hand in je tas of gaat achter de mannen aan.'

'Mám.'

'Het is waar.'

Ik zocht haar regelmatig op, uit vrije wil. Ik kon mijn antwoorden en mijn stiltes bepalen. Als ik me de slechte tijden herinnerde, bande ik ze uit mijn gedachten. Als ik me overmatig bekritiseerd voelde, wist ik dat het gevoel over zou gaan. Ik gaf geen tegengas, en ik groef niet naar een verklaring voor het hoe of waarom daarvan. Wat mij betrof, was het net als dat ene stuk vers fruit uitzoeken tussen de voornamelijk rotte in de mand.

'Die nieuwe huurster van je,' zei ik. 'Betaalt ze de huur op tijd?'

'Dat is geen probleem.'

'Fijn,' zei ik.

Mijn moeder nam me van top tot teen op. 'Je ziet er moe uit, Enitan. Als ik jou was, ging ik naar huis, wat rusten.'

'Zo moe ben ik niet.'

'Ga nou maar. Je hebt je rust nodig. Het is jammer voor je vader. Laat oom Fatai zich maar voor hem in bochten wringen, als hij dat zo graag wil. Het zijn tenslotte vrienden.'

'Oom Fatai heeft het druk.'

'Jammer dan. Dan heeft je vader pech. Hij kan niet eens zijn gezin bijeenhouden, en dan wil hij zijn land redden?'

Mijn vader kon zichzelf niet eens redden, zei ze. Ze begon hun oude veldslagen op te sommen. Ik zei geen woord. Toen ik haar huis verliet, zat Shalewa van de buren met een steen kringen in het zand te tekenen. Haar tongpuntje stak opzij uit haar mond. Er was geen spoor van haar broers. Ze hebben haar vast in de steek gelaten, dacht ik.

'Hoe laat kwam ze?' vroeg Niyi.

Ik zat boven aan de trap en keek tussen de spijlen van de trapleuning op hem neer. Hij zette zijn aktetas neer.

'Om een uur of tien,' zei ik.

'Ameh,' zei hij.

'Grace,' zei ik.

'Met zo'n naam moet ze wel uit Benue komen.'

Ik trok mijn ochtendjas strakker om me heen. Wat maakte het mij uit waar in Nigeria Grace Ameh precies vandaan kwam. Onze airco stond te koud afgesteld. Ik rilde.

'Waar drukken ze hun krant nu?' vroeg hij. 'Hadden ze de zaak niet gesloten?'

'Ze zijn ondergronds gegaan.'

'Wat houdt dat in?'

'Weet ik niet.'

'Hoe weet je dat ze een van hun verslaggevers was?'

'Dat zei ze.'

'Heb je haar om een ID gevraagd?'

'Nee.'

'Stel dat ze van de veiligheidsdienst was?'

'Dat was ze niet.'

'Hoe weet je dat?'

'Dat was ze niet.'

Hij zou het ook geweten hebben als hij Grace Ameh met eigen ogen had gezien, en waarom trok hij trouwens mijn oordeel in twijfel? Hij gooide zijn sleutels op de eettafel.

'Je had mij eerst moeten bellen.'

'Daar was geen tijd voor.'

'Stel dat ze je oppakken als dit artikel wordt gepubliceerd?'

'Ze pakken me niet op. Niet híérvoor.'

'Ze heeft misbruik van je gemaakt. Sorry, hoor. Maar die vrouw wist precies wat ze deed. Ze doen alles om in de publiciteit te komen, die journalisten.'

'In welke publiciteit?'

'Jou vragen om een verklaring af te leggen, om je veiligheid op het spel te zetten op een moment als dit. Eigenlijk mag je niet eens werken.'

'Ik mag eigenlijk ook geen etentjes verzorgen, en dat heb ik evengoed gedaan.'

'Hè?'

'Gisteren,' zei ik.

'Ik meen het serieus,' zei hij.

'Ik ook,' zei ik.

Hier was geen precedent voor, niets waarop we konden voortborduren. We gingen naar de overheid om misdaden aan te geven. Waar moesten we heen als de overheid er een beging? Het was alsof ik de bijbel opensloeg en de bladzijden leeg aantrof.

'De volgende keer moet je me bellen,' zei hij.

Woensdagochtend betaalde ik mijn vaders personeel hun salaris uit, eerst Dagogo en Alabi, daarna de anderen. Ik was stomverbaasd: Dagogo en Alabi verdienden maar een fractie van wat ik bij de bank had verdiend. Ik had hen eerder wel grappen horen maken over twee maaltijden per dag, over bonen in plaats van vlees. Het was het in-elk-geval-principe waarop de mensen in Lagos overleefden: in elk geval hadden ze eten op tafel; in elk geval hadden ze een dak boven hun hoofd; in elk geval waren ze in leven. De mensen zeiden dat er in een land als het onze geen middenklasse bestond, alleen een elite en de massa. Maar die middenklasse bestond wel degelijk, en de enige scheidslijn was het geboorterecht; een belachelijke naam voor een recht, trouwens, want er was geen mens, dood of levend, die niet ooit was geboren. Vergeleken bij de samenlevingen die de onze definieerden, stond bij ons alles een treetje lager. De Nigeriaanse elite werd gevormd door mensen uit de middenklasse. Maar weinigen waren zo rijk dat ze zich konden meten met de wereldelite, en dat waren gewoonlijk topambtenaren, of ex-topambtenaren. De Nigeriaanse middenklasse werd op haar beurt gevormd door mensen uit de arbeidersklasse, en de Nigeriaanse massa, dat waren de armen. Ze smeekten om geld en werk, bedienden en benijdden de elite, waardoor de elite zich in feite nog specialer, belangrijker voelde. Als Lagos er niet was geweest om me eraan te herinneren – wat het dan ook feilloos deed – in welk deel van de wereld ik woonde, had ik mezelf onderdeel kunnen wanen van de Britse landadel. De arrogantie.

Die middag liep ik met gebogen hoofd mijn vaders kantoor uit. Hoe kon mijn vader zijn senior-advocaten zo'n laag salaris betalen? Thuis vroeg ik het aan Niyi.

'Het zijn juist de kosten van levensonderhoud die hoog zijn,' zei hij.

'Hebben werkgevers dan niet de verantwoordelijkheid om dat te compenseren?'

Hij wreef over zijn ogen. 'Het komt door die noorderlingen. Die zijn verantwoordelijk voor de problemen in dit land. Ze hebben de economie compleet om zeep geholpen.'

'De bedelaars op straat, onze nachtwaker, die komen uit het noorden. De venters bij het hek komen uit het noorden. Ik zie ze geen economie om zeep helpen.'

Niyi was niet overtuigd. 'Wie staan er aan het hoofd van de regering? Noorderlingen. Aan het hoofd van het leger? Noorderlingen. Er stapt één zuiderling naar voren om president te worden, en ze sluiten hem op. Kijk naar mijn kantoor: het zit er vol mee. Nauwelijks een opleiding en toch willen ze meer van hun mensen binnenhalen. Ze hebben de economie om zeep geholpen. Hoe kunnen mannen als Dagogo en Alabi overleven?'

Ik hoorde deze overtuiging steeds vaker: noord versus zuid. Wij hadden de olievelden, maar de noorderlingen streken er sinds jaar en dag de opbrengsten van op. In het zuiden gingen er stemmen op voor afscheiding. Ik was van mening dat het weleens kon uitlopen op het soort bloedbad dat we in de Burgeroorlog hadden meegemaakt. Vanuit zijn beperkte ervaring met kantoorpolitiek had Niyi wantrouwen opgevat tegen noorderlingen, en ook tegen moslims, als hij eerlijk was. Hij noemde ze Allahoe-akbars. Zijn manager, noorderling en moslim tegelijk, was een weinig ontwikkeld man. Hij passeerde het senior-personeel ten gunste van andere noorderlingen. Op een rijtje zetten en afschieten, zou Niyi zeggen. 'En dan?' had ik een keer gevraagd. 'Dan heb je op je werk nooit meer last van iemand? Dan is er geen ambtenaar meer die een graai doet in onze schatkist en de helft van ons belastinggeld bij de Zwitsers parkeert? Alsjeblieft, zeg.'

Weer bracht ik me mijn vader voor de geest in zijn gevangeniscel. Onder administratieve detentie had hij niet het recht om de reden voor zijn arrestatie te kennen en mocht hij geen contact opnemen met familie of rechtshulp inroepen. Administratieve detenties konden worden vernieuwd, en de rechtbanken kregen er geen inzage in. Sommige arrestanten kwamen na een paar weken vrij, anderen werden langer vastgehouden, en niemand die wist waarom. Het kon mij niet schelen of daar een noorderling of een zuiderling verantwoordelijk voor was.

'Denk je dat ze hem gauw laten gaan?'

'Ja,' zei Niyi.

'Stel dat ze hem proberen te vermoorden?'

'Dat doen ze niet,' zei hij.

Ik schoof dichter naar hem toe en legde mijn hoofd op zijn schouder.

'Als hem iets overkomt,' zei ik, 'dan zal iemand daarvoor boeten.'

Hij rekte zich uit en de leren bank kreunde.

'Ben je moe?' vroeg ik.

'Kapot,' zei hij.

Hij sloeg zijn arm om me heen. Breuken, verliezen, afwezigen in de familie. De spanning had ons nader tot elkaar gebracht. Niyi's hartslag liep bijna gelijk met de mijne, toen onze airco ineens huiverend tot een halt kwam. We zaten in het donker.

'Jezus,' zei hij.

We hoorden de stroomgenerator in de ruimte ernaast aanslaan. Hij ging naar de keuken en kwam terug met een enorme acculamp. Ik keek naar het helle licht, zo wit als de maan. Buiten zongen de krekels. Ik begon het warm te krijgen.

'Eigenlijk speelt er meer dan noord en zuid,' zei ik. 'We hebben allemaal meegeholpen om er een zootje van te maken, door niet genoeg om mensen te geven, om hoe ze leven. Het is net een boemerang. Alles komt keihard bij je terug. Kijk nou naar ons, in dit huis, en we betalen Pierre drie keer niks...'

'Pierre is lui,' zei hij. 'Ik werk nog wel harder dan hij.'

'Woont in een hók...'

'Hij mag blij zijn dat hij een dak boven zijn hoofd heeft.'

'Slechte ventilatie en een latrinekuil? Zou jij er willen wonen?'

Er zoemde een mug bij mijn oor. Ik sloeg hem weg. Als ik al niet in onze bediendevertrekken zou willen wonen, waarom zou een ander dat dan wel willen?

Niyi keek me aan. 'Waarom hebben we het over Pierre? Hebben we zelf niet genoeg problemen?'

De huid van mijn buik begon vochtig aan te voelen. Niyi had me ooit gezegd dat ik me schuldig maakte aan te veel denken. Ik antwoordde dat dat onmogelijk was; al botsten er een miljoen gedachten met elkaar in mijn hoofd, dan nog was het niet genoeg. Ik benijdde hem om zijn zekerheden.

Hij vouwde zijn handen achter zijn hoofd ineen. 'Als je in dit land woont, heb je op een of andere manier te lijden. De een meer dan de ander, maar zo is het leven.' Hij zag me kijken. 'Zo is het leven, o-girl, of wil je soms dat Pierre vannacht bij ons in bed komt slapen?'

Ik was boos op hem, boos genoeg om me een eindje terug te trekken, maar schoof toen weer naar hem toe omdat tenslotte niets hiervan zijn schuld was. Als de mensen het zich niet aantrokken, kwam dat doordat er zo veel was om je aan te trekken. Na een tijdje kon al dat leed op sabotage gaan lijken, op zout in je zoete pap. Het gezicht van een bedelaar bij het raampje van een auto werd rancuneus, de onhandigheid van een huisjongen opzettelijk. Wat je als slechtheid kwalificeerde, kon voortkomen uit de behoefte aan zelfbescherming.

We sliepen die nacht zonder elektriciteit. De volgende dag kwam Niyi terug van zijn werk met twee potplanten. 'En?' vroeg hij.

'Niets,' zei ik.

Hij schudde zijn hoofd. 'Wel verd...'

Ik ging naar hem toe op de veranda. We voerden verscheidene keren per dag dezelfde conversatie: En? Niets.

'De hele dag,' zei ik, 'belden er mensen naar kantoor. Ik kon ze niks vertellen. Ik bedoel, als je iemand arresteert, dan breng je toch op zijn minst zijn familie op de hoogte?'

Ik pakte de hand die hij op mijn schouder legde. Het beetje tuin dat we hadden, was Niyi's werk: de gouden-toortsrododendron die ik mooi vond, de spinlelies die hij mooi vond. Hij kocht ze bij een kwekerij in de buurt en haalde er allerlei kunsten mee uit: snoeien en verpotten, ze halveren zodat je twee planten krijgt. Ik had hem zelfs de bladeren van de rubberplant zien poetsen. De bloemen van deze nieuwe planten waren bleekroze en wasachtig. Ik wist niet meer hoe ze heetten.

'Je houdt zoveel van dit huis dat je het elke week bloemen brengt,' zei ik.

Hij rolde met zijn schouder. 'Hm.'

'Heb je een spier verrekt?' vroeg ik.

'Het gaat wel over,' zei hij.

'Je had Pierre moeten vragen om je te helpen.'

'Wat, ben ik vandaag geen slavendrijver?'

Ik had me op zijn thuiskomst verheugd. Wat ik wilde, was elke gedachte die vandaag bij me was opgekomen met hem delen.

'Niemand noemt je een slavendrijver. Wat ik wilde zeggen was dat we de dingen misschien anders moeten gaan zien.'

Ik verwachtte een antwoord, maar in plaats daarvan stompte hij met zijn vrije hand in de lucht.

'Hoe was het op je werk?' vroeg ik.

'Hetzelfde. Akin belde net voordat ik wegging.'

Mijn gedachten dwaalden af. Tussen de telefoontjes door bedacht ik dat de enige die ik om advies kon vragen, degene was die zelf hulp nodig had. Verder was er niemand.

'Hij en een stel anderen,' vertelde Niyi, 'gaan voor zichzelf beginnen. Als beursmakelaars. Ze zoeken mensen die mee willen doen. Het lijkt een goed plan, ik bedoel, die privatisering zit eraan te komen. Stel je toch eens voor! Als dat betekent dat we in dit land een elektriciteitssysteem hebben dat werkt... Je luistert niet.' Hij gaf een rukje aan mijn kin.

'Sorry,' zei ik. 'Ik dacht na.'

'Ja?'

'De hele dag door heb ik zitten denken. Aan zoveel dingen. Decreet Twee. Weet je nog wanneer ze dat invoerden? Weet je dat nog? Toen kon het me niet schelen, en ik noemde mezelf nog wel jurist. En nu...' Ik zwaaide mijn arm breed uit. 'Nu hebben we geen veilig land. Het is hier niet eens veilig om te denken.'

'Dus?'

'Dus dit is wat ervan komt, snap je dat dan niet? Niets, níéts wordt er beter op als wij niks doen. Daar zat ik aan te denken.'

Zijn hand viel omlaag. 'Zoiets als...'

Ik deed een stap achteruit. 'Het gaat om bloedgeld als ze privatiseren. Ik zou nooit bij zo'n bedrijf willen werken. Waar gaat het dit keer om? Die klootzakken van het leger zijn altijd wel iets van plan: Verbod op Buitenlandse Investeringen, Structurele Aanpassingsprogramma's, Operatie Voed de Natie, Oorlog tegen Tuchteloosheid, Nationale Vergadering voor Democratische Hervorming. En nu privatisering. Het zit me tot híér. Al die vervloekte initiatieven. Eén persoon steekt het geld in zijn zak en de rest valt nog steeds dood om. Wat, moeten we blij zijn omdat een stel generaals en hun maatjes op het punt staan om op te kopen wat al openbaar bezit is? Laat ze de boel privatiseren als ze dat zo nodig willen. Het volk laat zich niet meer voor de gek houden.'

Niyi keek me aan alsof ik aan het opscheppen was over een ex-vriendje. Hij maakte zich meer zorgen over het verlies van financiële macht dan over wat dan ook. Maar ik was niet geïnteresseerd in de winstgevende plannetjes van mijn vaders gevangenbewaarders, zelfs niet als ze voor Niyi een carrièrekans betekenden.

'Ik neem de verantwoordelijkheid voor wat ik doe,' zei hij.

'Maar alleen voor wat ík doe.'

'En voor wat we niet hebben gedaan?' vroeg ik.

Ik hoopte dat hij me zou zeggen dat ik gelijk had.

'Ergens,' zei hij, 'moet je de grens trekken.'

Grenzen. Mijn vader, onderhands verkregen huisjongens en huismeisjes, kinderen die ventten, bedelaars. Elke dag zagen we hun gezichten, en het deed ons niets. De onuitgesproken gedachte was dat de mensen hun onvoordelige positie op een of andere manier hadden verdiend. Ze waren arm, analfabeet, radicaal of subversief, en ze waren óns niet.

Hoe konden we onder een dictatuur zo'n gezapig leventje leiden? De waarheid was dat we op plekken als Sunrise en zolang we ons gemak hielden, zo vrij waren als maar mogelijk was en naar hartenlust konden klagen over dat verduvelde snertland van ons, over die gestoorde gewapende overvallers, over de inflatie. De autoriteiten zeiden ssst, en wij waren stil; ze kwamen met hun sirenes, en wij maakten de straat vrij; ze sloegen iemand in elkaar, en wij keken de andere kant op; ze hielden een familielid aan, en wij hoopten maar dat het goed kwam. Als onze gebeden werden verhoord, voelden we de dictatuur alleen in onze portemonnee.

Ik had hiermee de conclusie van mijn zelfonderzoek moeten bereiken, maar deed dat vrijdagochtend pas. Ik kwam te laat op mijn werk. Het was een paar minuten over elf. Iedereen was er al, behalve mevrouw Kazeem, die altijd te laat kwam. Ik zat in mijn vaders kantoor toen de telefoon ging. Ik dacht dat het een cliënte was.

'Met Grace Ameh,' zei ze.

'Ja?'

'Ik heb nieuws. Over je vader. Zeg verder niets, alsjeblieft.'

Ze wilde me geen details geven. Ik krabbelde haar adres neer.

'Is hij... Hoe is het met hem?' vroeg ik.

'Kom naar mijn huis,' zei ze.

Zodra ik een kiestoon hoorde, belde ik Niyi.

'Met mij,' zei ik. 'Die journaliste, Grace Ameh, heeft iets over mijn vader gehoord. Ik ga naar haar toe.'

'Wanneer?'

'Nu.'

Er viel een stilte.

'Hallo?' zei ik ongeduldig.

'Zou je dat nou wel doen?'

'Ja,' zei ik.

Opnieuw stilte.

'Oké, maar wees voorzichtig.'

'Zal ik doen.'

Alsof ik het in de hand had.

'En bel me zodra je terug bent.'

'Maak je geen zorgen.'

Ze maakten me zenuwachtig, zoals hechte families me zenuwachtig maakten. Ze praatten luid met elkaar en liepen wanordelijk tussen elkaar door. Achter ons hing een plank tjokvol boeken. Grace Ameh zat naast me op de bank, echtgenote en moeder nu. Haar haar zat in vier dikke vlechten, en ze had de gewoonte om onder het praten haar bh-bandje recht te trekken. Haar man kloste op klompen door de kamer. Hij had een vaalblauwe korte broek aan, en zijn witte hemd spande over zijn buik. Hun dochter, een meisje van een jaar of veertien, vijftien, keek met haar broer mee, die achter een computer zat. Hij zag eruit alsof hij een paar jaar ouder was.

Het was Grace Amehs studeerkamer, legde ze uit terwijl ze voor me uit naar boven liep, maar haar gezin ontvluchtte er de aanloop sinds ze was vrijgelaten. De kamer, met zijn ene neonlamp, had het aanzicht van een opslagruimte. De rest van het huis was te groot voor een gezin van vier en er stonden te weinig meubels. Ze hadden het óf gehuurd óf geërfd. In dit deel van Lagos stonden woonflats in diverse gradaties van afbouw, en overdag vielen gewapende overvallers de bewoners aan als ze door hun poort naar buiten reden. Aan het einde van de straat stond een wegversperring van de burgerwacht.

'Joe,' zei Grace Ameh tegen haar echtgenoot.

'Grace,' antwoordde hij zonder haar aan te kijken.

'Als er weer een journalist op de stoep staat, zeg dan dat ik geen interviews meer geef.'

Hij pakte een krant van haar bureau en liep de kamer uit.

'Ik had het net zo goed tegen mezelf kunnen hebben,' fluisterde ze.

Zijn hoofd kwam om de hoek van de deur. 'Mijn vrouw schrijft. Royalty's krijgt ze niet; ze wordt opgesloten. Snap je mijn probleem?'

'Joe,' waarschuwde ze.

'Maar ik neem aan dat het nog veel erger had kunnen zijn. Ze had ook een andere vent kunnen hebben.'

'Joe!'

'Ik ga al,' zei hij.

Ze wendde zich tot mij. 'Trek je niets van hem aan. Hij denkt dat hij met een rebel getrouwd is. Nou...'

'Mam,' onderbrak haar dochter haar, 'betekent *Nkosi sikelel i-Afrika* "God zegene Afrika" in het Swahili of niet?'

'Swa?'

'Hili,' zei haar dochter.

'Nee.'

'Ik zei het toch,' zei haar zoon.

De dochter keek boos. 'Wat is het dan wel, als het geen Swahili is?'

Grace Ameh zuchtte. 'Xhosa, Zoeloe. Waarom vraag je het aan mij? *Na wa*, heb toch genade, jongens. Waarom zitten jullie eigenlijk hier? Jullie weten dat dit míjn studeerkamer is.'

'Sorry,' zei de dochter.

'Jullie allebei,' zei Grace Ameh. 'Ga in godsnaam naar beneden voor ik mijn geduld verlies.'

Als op afspraak verdwenen ze meteen. Hun benen waren te lang voor hun lijf, en allebei bewogen ze met die tienereigen slungelachtigheid.

'Ik kan niet wachten tot ze hun diploma hebben,' zei Grace Ameh. 'Goed. Ik was gisteravond op Shangisha, het hoofdkwartier van de veiligheidsdienst. Ik was op de terugweg van een conferentie in Zuid-Afrika. Ze hadden een van mijn manuscripten gelezen en zeiden dat het opruiend was. Ik vroeg hoe een fictioneel werk opruiend kon zijn. Ze namen me mee naar Shangisha om uit te leggen waarom ik in een fictieroman melding maakte van een coup. Ik heb hen gesmeekt. Wat moest ik anders met die barbaren? Ik wilde daar niet blijven. Ik smeekte hen om medelijden met me te hebben en ben er vertrokken met de namen van een paar mensen die ze daar vasthielden. Ze zeiden dat je vader daar wel was geweest, maar dat hij was overgeplaatst. Niemand weet waarheen.'

'Je hebt hem niet gezien?'

'Nee.'

'Moet ik erheen gaan?'

'Naar Shangisha?' Ze schudde haar hoofd. 'Laat dat alsjeblieft uit je hoofd, kind. Als ze tegenwoordig niets kunnen vinden, nemen ze je familie. Wat zullen ze niet doen als jij jezelf op een presenteerblaadje aanbiedt? Ze verhoren de gevangenen daar niet, ze martelen ze. Trekken hun nagels uit, gebruiken de waterkerker. Als je geluk hebt, gooien ze je in een cel en laten je met rust. Muggen? Meer dan genoeg. Eten? Onverdraaglijk smerig. Volwassen mannen huilen daarbinnen. Ze huilen als baby's en vluchten weg uit de wereld om hen heen. Ik zeg het je toch, ik heb hen op mijn knieën gesmeekt.'

Ik kneep mijn mond samen. Ze was een waas geworden.

'In elk geval weet je dat hij nog leeft,' zei ze. 'Dat is toch beter dan niets?'

Dat wist ik nog zo net niet.

'Droog je tranen. Je moet sterk zijn.'

'Ja,' bracht ik uit terwijl ze over mijn schouder wreef.

'Het lijkt me maar een vreemd mens,' zei Niyi.

Hij had naar mijn wedervaren bij Grace Ameh thuis geluisterd alsof het een feestje was dat hij had gemist. Ik vond dat hij wrokkig klonk.

'Dat was ze niet,' zei ik.

'Wat schrijft ze eigenlijk?'

'Ze schrijft voor de *Oracle.*'

'Ik heb nog nooit van haar gehoord.'

'Nou,' zei ik, 'ze schrijft.'

We zaten op de vloer in de zitkamer. Niyi verstrakte van pijn toen hij overeind kwam. Zijn knieën gaven hem weleens last.

'Maar ze is wel dapper,' zei hij.

'Ja. Ze smeekte en tegelijk probeerde ze hen te slim af te zijn.'

Zijn maag knorde zo luid dat ik het kon horen.

'Mán,' zei hij, 'wat heb ík een honger.'

Hij had die verdwaasde uitdrukking op zijn gezicht, alsof hij verwachtte dat het eten op magische wijze uit de lucht zou vallen. Ik negeerde hem en trok met mijn vinger patronen over het tapijt.

'Ik moet het de mensen op vaders kantoor vertellen.'

'Dat zou ik niet doen.'

'Waarom niet?'

'Iemand hier iets over vertellen is wel het laatste wat je moet doen.'

'Waarom?'

'Het is niet veilig.'

Ik trok me aan een stoel overeind en liep naar hem toe.

'Over wiens veiligheid maak je je zo'n zorgen?'

Hij stak zijn hand op. 'We hebben het er later wel over.'

'Wanneer?'

'Later.'

Hij was vlak bij de keukendeur. Ik rende erheen en ging pal voor hem staan. 'Je weet dat ik het haat als je wegloopt.'

Hij greep de deurklink, en ik legde mijn hand over de zijne.

'Praat nú met me,' zei ik.

Hij lachte. 'Uit de weg.'

'Nee,' zei ik. 'Wat heb je daar trouwens te zoeken? Sinds wanneer ga jij een keuken in?'

'Sinds ik honger heb.'

'Jij hebt altijd honger. Geef antwoord.'

'Oké!' zei hij. 'Wie zijn die mensen eigenlijk?! Ze komen je kantoor in en jij praat met ze. Ze roepen je en jij gaat. Hoe weet je dat ze je niet in de problemen zullen brengen?'

'Zie je me al in de problemen?'

'Dat zei je vader ook, en kijk nou waar hij zit. En het verbaast me...'

'Wat verbaast je?'

'Je bent zwanger.'

'Dat weet ik.'

'Je hebt al een miskraam gehad.'

'Dat. Weet. Ik.'

'Het lijkt anders alsof je er niet mee zit.'

Ik stak waarschuwend mijn vinger op. 'Zoiets wil ik van jou niet horen.'

'Dit heeft niks met ons te maken!'

'Waarom zei je dat niet meteen? Dat je er niet bij betrokken wilde raken.'

'Jij. Ik wil niet dat jíj erbij betrokken raakt.'

'Maar dat ben ik al.'

'Nog niet,' zei hij. 'Maar zoals jij bezig bent, gebeurt dat vanzelf, en ja, ik ben bang, als je dat zo graag wilt horen. En nou alsjeblieft...'

Hij wapperde met zijn handen om me weg te jagen.

'Nee,' zei ik en ik prikte een paar keer met een vinger tegen zijn borstkas.

Niyi keek naar zijn torso alsof ik er gaten in had geprikt. 'Wat is er met jou?'

'Waag het niet om zo tegen me te praten.'

Zijn stem klonk laag. 'Luister, al dit... dit melodrama ben ik niet gewend.'

'Ah,' zei ik. 'Alleen omdat er in jouw familie eentje vond dat hij als een zombie door het leven moest, wil nog niet zeggen dat jíj dat moet doen.'

Hij drukte zijn vuist tegen zijn mond. 'Ga bij die deur weg.'

'Nee,' zei ik.

'Ik zeg het niet nog es,' zei hij.

Niyi was even groot als de deur. Hij kwam dichterbij, en ik ging aan de kant.

'Ga maar,' zei ik, terwijl hij langs me heen liep. 'Kijk maar of dat iets oplost. En als je daarbinnen klaar bent, waarom kopen we onze problemen dan niet af, zoals we altijd doen?'

Ik hoorde hem de deur van de koelkast dichtslaan. Hij kwam teruggebeend met een zak bevroren brood in zijn hand. 'Als jij je voor kon stellen,' zei hij, 'als jij je toch eens voor kon stellen wat het betekent om te moeten bidden en smeken om geld zoals de meesten in dit land, dan stond je daar nou niet zo'n onzin uit te kramen.'

Ik wees naar de keukendeur. 'Is dat niet de reden dat wij ons halve leven in de keuken staan? Dit koken, dat koken, zodat jij de leiding kunt nemen op een moment als dit?'

Hij worstelde met de knoop in de broodzak. 'Zeg maar wat je wil. Jij werkt jezelf regelrecht in de problemen en dat sta ik niet toe.'

'Toestaan?' gilde ik.

'Ja,' zei hij. 'Als jij je gezonde verstand niet gebruikt, doe ik het. Wat dan? Moet ik het presidentiële paleis binnen lopen en vragen of ze mijn schoonvader alsjeblieft vrij willen laten? Moet ik dat doen? "Alstublieft, meneer. De vader van mijn vrouw zit opgesloten. Laat u hem alstublieft vrij, meneer."'

'Geen elektriciteit,' ging ik verder, 'koop een generator. Geen water, betaal voor een put. Bang? Huur beveiliging in. Een echt land nodig om in te wonen? Koop een vlag. Poot die op je dak. Noem het de Republiek van Franco.'

'En zolang je hier woont,' zei hij, 'moet je niet denken dat je het voor iedereen kunt verzieken door te doen alsof...'

'Doen alsof wat?' schreeuwde ik.

Hij scheurde de zak open.

'Door goddomme activistje te spelen,' zei hij. 'Of wat dan ook.'

De rest van de avond sprak hij niet meer tegen me, en ik verhuisde naar de logeerkamer en zwoer dat ik daar zou blijven tot hij zijn excuses aanbood. Mensen als mijn vader; kwamen die van een andere planeet? Werden ze zo geboren? Bereid om te vechten, taai genoeg om te worden opgesloten? Ik controleerde de ramen en deuren twee keer voor ik naar bed ging. Na middernacht viel ik in slaap. Toen ik drie uur later wakker werd, klopte mijn tandvlees pijnlijk en had ik een smaak in mijn mond alsof ik op ijzeren kralen had gekauwd. Op weg naar beneden om wat water te drinken zag ik een streep licht onder Niyi's deur uit komen. Nee, dacht ik, dit was niet zomaar een van onze echtelijke meningsverschillen. Ik zou hem tijd geven. Hij had het gewoon nog niet geaccepteerd. We lagen allemaal onder vuur.

Mijn geheugen wilde graag liegen. Glashard liegen. Soms herinnerde ik me dat mijn vader stelling nam, dat mijn moeder grapjes maakte. Of mijn geheugen kon alles uitvagen behalve die ene gewaarwording: mijn maag die zich omkeerde, een geur, een smaak, zoals de romig zoete smaak van bananenijs in mijn mond. En dan waren er de momenten waarop mijn geheugen een derde oog werd dat van een afstand toekeek. Zo herinnerde ik me de momenten van zelfoverwinning, de keren dat ik boven mezelf uit steeg: toen ik voor het eerst helemaal zelf fietste, toen ik voor het eerst zonder vleugeltjes rondpeddelde in het water, toen ik voor het eerst in een zwembad dook.

Mijn vader had bij het ondiepe gestaan, ik op het uiterste randje, met het zwempak tussen mijn billen en een loopneus. Ik had gehurkt alsof ik ging plassen en was het water in gefloept.

Hij had me uit het water getild. 'Zie je wel? Het viel best mee.'

Ik had mijn gezicht tegen zijn borst begraven. Het water had me een stevige opdoffer gegeven. Mijn vader had me leren zwemmen, al was hij er zelf niet bepaald goed in. De helft ervan was een les in moed, had hij gezegd.

Ik kon het gevoel dat ik had gefaald niet van me afzetten. Ik vertelde mijn vrienden en familie over Grace Ameh, en verder niemand. Oom Fatai zei dat er niets anders op zat dan te wachten tot hij werd vrijgelaten.

Ik wachtte. In de stilte van mijn huis wachtte ik, terwijl de harmattan voorbijging en de moslimvasten, de ramadan, naderde. Degenen met de tijd en het geld ervoor begonnen zich te verheugen op de komst van de nieuwe maan, de dag waarop moslims zich tegoed zouden doen. Niyi's stilzwijgen duurde voort en de zwelling van mijn buik groeide. Mijn vijfendertigste verjaardag kwam en ging als elke andere dag. Ik was opgelucht.

Zodra het februarinummer van de *Oracle* uitkwam, reed ik naar het nabijgelegen Falomo om een exemplaar te kopen. Zoals gewoonlijk stond er een file. Het verkeer van en naar Victoria Island kwam op één plek samen, onder de brug bij Falomo. Aan de ene kant stond de Church of Assumption, aan de andere had de gemeente een rij betonnen kraampjes gebouwd langs de politiebarakken. Mammy Market heette het daar. De weg zat vol kuilen. De barakken zagen eruit als sloppenwoningen die boven de markt uit staken: stoffig en grauw van de rook uit kookpotten, dichtgetimmerde ramen, kinderen die blootsvoets gingen. Kippen.

Dit was een voorstad. Een zwerfster schraapte met een stuk karton as van een brandstapel. Een man ventte met drinkwater in kleine plastic zakken. Iemand had vier namaak-Perzische kleden over een openbare muur te koop gehangen; een ander had kinderdriewielers op de stoep uitgestald. Een man liep langs met een naaimachine op zijn schouder, klaar om elke scheur of winkelhaak te repareren. Elk hoekje was bezet met manden en houten kraampjes. Eén bewaker voerde een rituele wassing uit in de goot, een andere plaste tegen een muur waarop stond: VERBODEN AFFICHES TE PLAATSEN.

Het tempo mocht dan laag liggen, de mensen waren niet werkeloos. Ze staken vlees aan spiesen, pompten banden op, leurden met koffers vol nepgouden horloges. Als niemand hen in dienst nam, namen ze zichzelf in dienst. De staat gaf hun niets, zelfs niet datgene waarvoor ze betaald hadden. Soms bedelden ze, en soms waren de bedelaars kinderen. Aan de ene kant van de straat stond een meisje met een blad kokosschijven. Naast haar liep een jongen rond met een bord waarop stond HELP ME ALSTUBLIEFT. IK HEB HONGER. Reclameborden vertelden hun handelsverhaal: Kodak vereeuwigde Afrika's glimlach; Canon had kantoorapparaten tot nieuwe hoogten gebracht; met Duracell deed je zes keer zo lang. De Heilandskerk, tapijtreinigers, Alliance Française. Een bank, een veeartsenpraktijk, een kwekerij van potplanten, VERSE SALA-DE TE KOOP. Zonder pesticiden of kleurstoffen, dus de komkommers waren klein en de sinaasappels geelgroen.

Aanvankelijk lukte het me van de zenuwen niet om me op het artikel te concentreren, maar op de terugweg naar huis stopte ik op een privé-oprit om de krant door te nemen. Het artikel besloeg een acht centimeter lange kolom: SUNNY TAIWO'S DOCHTER VER-TELT. Grace Ameh gaf een verslag van de gebeurtenissen zoals ik ze aan haar had verteld, en besloot met: 'Toen haar commentaar werd gevraagd op de arrestatie van haar vader, verklaarde ze: "Mijn vader is geen misdadiger."'

Ik legde het blad op de zitting naast me en reed door. Een paar meter verderop was een controlepost van de politie. Twee agenten stonden bij roestige olievaten aan weerskanten van de weg, met hun geweer over hun schouder. Een van hen gebaarde me te stoppen en ik stopte. Hij bekeek het interieur van mijn auto.

'Rijbewijs,' zei hij.

Ik haalde het uit het handschoenenvakje. Zwaar ademend bladerde hij het door en gaf het terug.

'Verzekering?'

Ik gaf hem het verzekeringsbewijs, en hij hield het ondersteboven.

'*Sistah*, waarom stop jij daar?' vroeg hij, terwijl hij het teruggaf.

'Waar?'

'Daar.'

Hij wees een eindje terug naar de plek waar ik was gestopt.

'Ik zocht iets.'

'Wat?'

'Mijn bril,' zei ik.

Hij krabde aan zijn kin. 'Niet toegestaan, daar stoppen, sistah. Verboden. Jij veroorzaakt bijna ongeluk aan die kant.'

Zijn blik was gericht op de handtas onder mijn benen. Er stonden geen verkeersborden langs deze weg. Ik wist dat ik niet met de politie in discussie moest gaan. Geef ze geld of zeg duizend keer sorry. En ga weer verder.

'Dat is niet waar,' zei ik rustig. 'Er staan geen verkeersborden, niets wat zegt dat ik daar niet mag stoppen.'

'Eh!' schreeuwde hij. 'Wie vertelt jou dat? Uit. Uit.'

Hij sloeg tegen het portier. Ik stapte uit en ging voor hem staan. Van de overkant van de weg keek zijn collega naar ons en toen weer naar het verkeer. De agent verwrong zijn gezicht in een poging kwaad te kijken. 'Sistah, jij niet bang? Ik kan jou hier arresteren.'

'Waarvoor?'

Hij greep mijn arm beet en ik rukte me weer los.

'Ik ben een zwangere vrouw. Kijk uit wat je doet.'

Zijn blik zakte af.

'Ja,' zei ik. 'Kijk maar.'

Zijn gezicht spleet in een brede grijns. 'Waarom jij niet eerder praten? Jij nog kleine tijd tot bevallen.'

Ik gaf geen antwoord.

'Ga,' zei hij en hij wuifde me terug in mijn auto. 'Ga door. Jij bent gelukkig vandaag. Heel veel gelukkig. Ander verhaal kan.'

Zijn mond hing als een hangmat tussen zijn oren. De doden en de zwangeren, dacht ik.

Niyi zat op de bank met zijn voeten op mijn ebbenhouten kruk. Zoals gewoonlijk luisterde hij naar zijn herrie. Ik hoorde een klarinet.

'Hé,' zei ik.

Trommels.

'Het artikel stond er vandaag in. We hoeven nergens...'

Trompetten.

'...bang voor te zijn.'

De instrumenten gingen tegen elkaar tekeer als bij een enorme kijfpartij. Niyi knikte op de maat van de bas. Ik legde de krant op de eettafel en ging naar boven.

De logeerkamer leek gekrompen. Ik stelde me voor dat hij even groot was als de cel van mijn vader. Ik trok de gordijnen dicht en ging op bed liggen. Zacht wreef ik over mijn buik en probeerde me een voorstelling te maken van mijn kind daarbinnen, huid die zich oprekte, beenderen die zich vormden. De manier waarop ik werd genegeerd, deed nog altijd pijn, maar ik was niet langer alleen.

Mijn vader leek magerder in mijn verbeelding, en zijn ogen zagen gelig. Ik moest me inspannen om hem te zien. De rest van hem was een schaduw.

'Ik heb met de *Oracle* over je gepraat,' zei ik.

'O, ja?' zei hij.

'Ze noemen je een gewetensgevangene.'

'Noemen ze me zo?'

'Heb ik er goed aan gedaan om met ze te praten, denk je?'

'Wat denk je zelf?'

'Ja.'

'Dan valt er niets meer te zeggen,' zei hij. 'Maak je er geen zorgen meer over.'

Beneden hoorde ik het dreunen van een bas. Buiten hoorde ik kinderen spelen. Er lag een deken van stilzwijgen over mijn land. Die hoorde ik ook, en in mijn frustratie klonk het me in de oren als mannen die leerden hoe ze vrouw moesten zijn.

In het eerste jaar van mijn huwelijk zat er een ventster bij de toegangspoort van onze compound. Ze was een Fulani, uit het noorden. We hebben nooit een woord gewisseld; ik verstond haar taal al evenmin als zij de mijne. Maar ik glimlachte naar haar en zij naar mij, en dat was genoeg.

De Fulani's waren van oudsher veedrijvers, maar degenen die in Lagos woonden, werkten als stalknecht, nachtwaker, ambachtsman of straatventer. De Lagosianen zeiden dat ze tuberculose verspreidden omdat ze altijd spuugden. Hun elite was van het soort dat door Niyi verantwoordelijk werd gehouden voor de ondergang van ons land: de machtswellustelingen. Het waren moslims, met een cultuur die aan de Arabische raakte, en ze waren rijk. Sheri's brigadier was een van hen.

Deze straatventster verkocht haar waren vanuit een draagbare vitrine: Trebor-pepermunt, Bazooka Joe-kauwgom, Silk Cut-sigaretten, pijnstillers. Vaak trof ik haar over haar vitrinekist gebogen aan terwijl ze de inhoud ordende, alsof ze tegen zichzelf schaakte. Nu en dan kocht ik iets bij haar, en al gauw noemde ik haar 'mijn vrouw'. Ze drukte haar handpalmen tegen elkaar als ze glimlachte, en ik vond haar heel gracieus. Ik keek graag naar haar, zoals je graag naar een mooie boom of naar een mooi uitzicht kijkt.

Niyi vroeg of ik lesbisch was, omdat ik haar zo noemde. Ik zei hem dat ik altijd mannen had gewild, maar dat vrouwen me interesseerden. Op een dag kwam ik terug van mijn werk, en mijn vrouw zat er niet. Ik dacht dat ze misschien was gaan bidden of in het vervallen kraakpand was waar zij en de anderen van haar gemeenschap 's nachts sliepen. Ik vroeg het aan een van de bewakers, en hij bevestigde dat ze weg was. Ik vroeg me af waarheen. Ik keek naar de andere Fulani-vrouwen. Ze staken kerosinelantaarns aan voor de avond en zetten die op hun vitrinekisten. Ik verzon een verhaal over mijn vrouw. Haar naam was Halima. Ze was de echtgenote van een stalknecht. Hij heette Azeez. Op een dag kreeg Halima er genoeg van dat ze in Lagos was gestrand. Ze vertrok te voet, liep naar Zaria in het noorden, trok dwars door de Sahara met haar gewaden en haar sjaal van chiffon. Overdag beukte de zon op haar hoofd, maar ze stierf niet, nooit, en 's nachts maakten haar gouden oorringen muziek in de wind.

Februari zette in met de ramadan en een benzinetekort. Sunrise Estate was vol boze bewoners, die geen van allen naar hun werk konden. De eerste dag belden we elkaar: In wat voor land leefden we eigenlijk? Hoe kwamen we nou de deur uit? Op de tweede dag verkeerden de kinderen in extase. Twee dagen geen school! De derde dag ook niet, en ze maakten hun ouders stapelgek. Oplossingen dienden zich aan. Een bank stuurde een bus. Iemand kende een werknemer van een oliebedrijf, en die had benzine over; iemand anders kende iemand die ook iemand kende, die benzine tegen zwarte-marktprijzen verkocht.

De auto's stonden drie rijen dik. Een paar benzinestations waren open. Ze verkochten benzine recht uit het vat, die met een trechter in de tank van de auto werd gegoten. Ik bleef thuis tot het tekort voorbij was. Ik betwijfelde of mijn vaders personeel kwam opdagen. Het openbaar vervoer reed nog niet op volle kracht en de prijzen ervan waren verviervoudigd. Ik spaarde het beetje benzine dat ik had voor een noodgeval dat zich niet voordeed.

Niyi ging elke dag naar zijn werk. De chauffeur van zijn bedrijf haalde hem op. Ons thuisleven was een aanfluiting. Hij zette zijn stilzwijgen voort en mijn intrek in de logeerkamer had een permanent karakter gekregen. De stilte was lawaaierig geworden: deuren die open- en dichtgingen, gordijnen die over rails werden getrokken, en 's avonds jazz en krekels. Soms hoorde ik Niyi aan de telefoon lachen. Ik wilde hem vertellen dat ik onder in mijn buik een zwaar gevoel had. Ik wilde hem vertellen dat ik 's nachts niet meer op mijn buik kon slapen. Ik wilde met iemand over mijn vader praten.

Op de dag van *Id-el-Fitr* ging ik die maand voor het eerst van huis om met de Bakares het einde van de vasten te vieren. Het was verschrikkelijk druk op straat, en de hitte drukte zwaarder op me dan ik had verwacht. De harmattan liep ten einde in Lagos, en de door het regenseizoen dieper, schoner en glanzender achtergelaten kleuren deden hoop op vernieuwing opleven. Na de regen was het altijd gemakkelijker om in te zien dat een goed seizoen voorbij was. Na de harmattan bleef alleen de vochtige hitte over.

Straatgoten droogden op alsof ze zich niet konden herinneren waarom ze er ook weer waren. Het droge seizoen was niet iets om naar uit te kijken in Lagos, en het duurde het grootste deel van het jaar.

Toen ik door hun hekken reed, hoorde ik een ram blaten in de achtertuin van de Bakares. Hij had twee weken aan een mangoboom vastgestaan en zou worden geslacht voor *Sallah*, zoals het suikerfeest hier heette. Ik parkeerde en liep door het eetcafé naar het betonnen binnenpleintje. Sheri en een paar van haar familieleden stonden te kijken hoe de slager de ram losmaakte. Daar vlakbij had een slagersjongen met kromme benen afwachtend de handen op de heupen gezet. Ik liep meteen door naar Sheri's stiefmoeders en maakte een knixje.

'Kindlief, hoe is het met je?' vroeg Mama Gani.

'Het is lang geleden dat we je zagen,' zei Mama Kudi.

Ik bood mijn verontschuldigingen aan. Het lag aan het benzinetekort. Februari was daardoor een rustige maand geweest.

'Hoe gaat het met je man?' vroeg Mama Gani. Haar gouden tand flitste.

'Goed,' zei ik.

'En met je moeder?'

'Met haar gaat het goed, dank u.'

'Nog geen nieuws over je vader?'

'Nog niets,' zei ik.

Ze klapte in haar handen. 'Insjallah zal hem niets overkomen, nadat hij zo goed is geweest voor ons.'

Er was geen rimpeltje te zien in hun gezicht, alsof ze niet ouder waren dan op de dag dat ik hen had ontmoet, maar ze waren dikker, hadden dezelfde wiegende gang, de hoge jukbeenderen, de waterige ogen en zoals altijd een sjaal van chiffon om hun hoofd. Het schoonheidsideaal mocht dan met de jaren zijn veranderd door satelliet- en kabel-tv en reizen overzee, maar niet voor vrouwen als zij. Zij wílden dik zijn, ze genoten van hun weelderigheid en maakten zich zorgen om de buitenlandse vrouwen die op tv huilden omdat ze zichzelf te dik vonden.

Hun echtgenoot had twee keer dezelfde vrouw getrouwd, dacht ik bij mezelf, ongeacht hun karakter. Mama Gani was degene die me had bevolen om voor haar te knielen toen ik nog een meisje was: degene die gemeen was, maar ook aardig. Dat ze zo gemeen was, had hun familie uiteindelijk gered. Ze liet zich niets zeggen en ging de confrontatie met de familieleden van haar dode echtgenoot zonder pardon aan. Zij was degene die vocht als het moest, zei Sheri, die de sjaal van haar hoofd haalde zodat ze zag waar ze sloeg. Mama Kudi was jonger en sprak drie talen: Yoruba, Hausa, Engels en een beetje Italiaans voor in de handel, maar ze zei amper een woord. Zij was ook degene die een vriend had.

Ik vroeg me af hoe ze het klaarspeelden om volgens hun traditionele rollen te leven. Ik had me ook afgevraagd hoe ze bij elkaar konden blijven zonder de man die hen bij elkaar had gebracht. Sheri vertelde me eens dat ze zelden ruziemaakten, dat ze om beurten met haar vader sliepen zonder dat ze er slaags om raakten. In het huis van haar oom vochten de vrouwen en probeerden ze elkaars kinderen te vergiftigen, maar dat kwam doordat de man zelf niet deugde. 'Dat één-man-één-vrouw-gedoe,' zei ze. 'Als het zo geweldig is, waarom lopen de vrouwen dan rond met een gebroken hart?' 'We breken ons hart niet zelf,' bracht ik haar in herinnering.

Het was het refrein van kinderen uit polygame huwelijken, dat burgerlijke huwelijken toch niet werkten. Ze schepten op over hun talloze familieleden, gaven hun moeders een heiligenstatus. 'Heb maar medelijden met jezelf,' zeiden ze tegen me. 'Wij zijn niet ongelukkig met de manier waarop het bij ons thuis in elkaar steekt.' Ze hadden het zelden over huiselijke disputen: wie meer geld kreeg van papa, welke mama meer zoons had, wie van de kinderen het beste presteerde op school. Ik verdacht ze ervan dat ze zich geneerden voor hun vader, wiens penis groter was dan zijn brein. Maar hoeveel succes hadden burgerlijke huwelijken dan? Koppels die aan elkaar gebonden waren door wettige documenten en in de war gebracht door romantische liefde. Die en die had een man met een buitenechtelijk kind; die en die sliep met haar baas omdat haar man het met zijn ondergeschikte deed. Als we in dit land worstelden met de religieuze en beleidsmatige structuren die ons werden opgelegd, worstelden we evengoed met onze vreemde gezinssamenstellingen. Alleen al binnen onze compound werd er lustig vreemdgegaan, en dan had je Niyi, die er zijn neus voor optrok en anderen veroordeelde zoals alleen een afgewezen man dat kon. Het was triest om vrouwen te zien die zich gedroegen als hun vader omdat ze vastbesloten waren om niet net als hun moeder te worden; of erger, om te zien dat vrouwen zich aansloten bij zo'n nieuwe, fanatieke kerk, omdat ze een toevluchtsoord zochten uit hun huwelijk, net als de moeders van sommigen.

Sheri's jongere zussen en broers begroetten me terwijl ik over het betonnen pleintje liep.

'Hallo, sistah Enitan.'

'Lang niet gezien.'

'*Barka de Sallah*, sistah Enitan.'

Ik forceerde een glimlach. Ik wilde iets terugzeggen, toen de ram uit de greep van de slager ontsnapte en naar voren denderde. Sheri en ik botsten tegen elkaar. De anderen maakten dat ze wegkwamen. De slager had de ram al gauw weer te pakken. Zijn jongen stortte zich op de achterpoten. De ram blaatte harder en ik legde mijn handen over mijn oren om de herrie buiten te sluiten.

'Gaan ze 'm nou slachten?' riep ik.

'Ja,' zei Sheri.

'Dat kan ik niet aanzien,' zei ik.

De slagersjongen tilde de tegenstribbelende ram op van het beton, en de slager haalde een mes tevoorschijn. Hij hield de ramskop naar achteren en trok zijn mes over de keel. Bloed stroomde van het beton in de donkere aarde. De jongere kinderen gaven gilletjes en gingen dicht bij elkaar staan. Sheri's stiefmoeders lachten.

'Ik haat dit,' fluisterde ik.

Het deed me denken aan de kippen die Baba voor mijn moeder slachtte. Hij onthoofdde ze en liet ze dan zonder kop rondrennen tot ze neervielen. Het deed me denken aan Sheri, die door twee jongens werd neergehouden.

De ram lag dood op de grond, en de slager begon zijn buik open te snijden.

'Kom,' zei ik en ik trok Sheri aan haar elleboog mee.

We gingen op het balkon zitten dat over het betonnen pleintje uitkeek. De slager castreerde de ram en legde de testikels naast het dier op de grond. Ze leken op harige mango's.

'Jij hebt nog niet één keer gevast,' zei ik, 'en toch vier je Sallah. Wat ben je nou voor een moslim?'

'Als ik tot aan mijn dood niet vast, kom ik in de hemel,' zei ze vrolijk.

'Weet je dat wel zeker? Ik heb gehoord dat niemand in dit huis in aanmerking komt voor het koninkrijk Gods.'

'En waarom niet?' zei ze spottend.

Ik glimlachte. 'Dat zeggen de christenen.'

Een vrouw stak haar hoofd tussen de schuifdeuren door. Ze wiegde een baby.

'Sistah Sheri, sorry dat ik zo laat ben. Het is de baby weer.'

Er zat een muntje over de navel van de baby geplakt om zijn navelbreuk te genezen.

'Wat is er aan de hand?' vroeg Sheri.

'Hij heeft in geen dagen gepoept,' zei de vrouw.

'Heb je hem sinaasappelsap gegeven?' vroeg Sheri.

'Ja,' zei ze.

'Breng hem eens hier,' zei Sheri.

Sheri bevoelde het buikje van de baby. 'Hé jij, jij moet het je moeder niet zo lastig maken.'

'Hij huilt steeds,' zei de vrouw. 'Ik kan geen stap doen zonder hem.'

Sheri gaf de baby terug. ''t Is in orde met hem.'

De vrouw ging weg met haar baby dicht tegen zich aan.

'Je bent een duivelskunstenaar,' zei ik.

'Trek je niks van haar aan, *jo*,' zei Sheri. 'Ze doet gewoon alsof. Het is altijd hetzelfde liedje met haar, het ene smoesje na het andere. Ze verdomt het om te helpen met koken.'

'Wie is ze?'

'Gani's vrouw.'

'Heb je nog niet genoeg hulp beneden?'

'Eh? Ze weet anders wel hoe ze moet eten, nietwaar?'

'Laat die vrouw toch met rust,' zei ik.

Ons land zat vol passief-agressieve echtgenotes als zij, eeuwig op zoek naar manieren om haar schoonfamilie te tarten.

Net als haar grootmoeder Alhadja verwachtte Sheri dat de echtgenotes van haar broers in de houding sprongen bij familiegelegenheden. Sheri's stiefmoeders waren al niet anders. Via hen leefde Alhadja's geest voort en hield die de volgende generatie echtgenotes in de pas.

Terwijl Sheri het artikel las, keek ik door de spijlen van de balkonreling naar wat zich op het betonnen pleintje afspeelde. De ingewanden van de ram lagen uitgespreid, en de slager overlegde met zijn jongen hoe ze het kadaver klein zouden snijden. Daar vlakbij hielden Sheri's stiefmoeders toezicht op de vrouwen die hielpen koken.

Sheri had ooit gezegd dat het haar niet kon schelen wie de macht in ons land had, het leger of de politici. Ze had hun corruptie aan den lijve ondervonden, hoorde bij de schimmige groep mensen die op hun rug rijk werden. De vrouw die met een hooggeplaatste man naar bed ging om een aanstelling in de directie. De man die met dezelfde hooggeplaatste man naar bed ging om een miljoenencontract. Het was voldoende om me te doen afvragen of er in dit land nog wettige bedrijven bestonden die niet op een of andere manier verband hielden met corrupte, wellustige ambtenaren. Sheri's stiefmoeders hadden een hartgrondige hekel aan het leger, omdat ze Kudirat Abiola steunden, de vrouw van de man die volgens de verkiezingsuitslag president zou zijn geworden. Abiola voerde campagne voor de vrijlating van haar man en voor het geldig laten verklaren van de verkiezingsuitslag. Ze was een zuiderling, een moslima én een Yoruba, net als zij. Ze vonden haar fantastisch, en mijn moeder zei: 'Och, die wil alleen maar

First Lady worden,' wat mij dan weer ironisch in de oren klonk, omdat Kudirat Abiola zich in een openlijk polygaam huwelijk bevond. Het aantreden van Nelson Mandela in 1994 was voor ons in postkoloniaal Afrika een hemelhoog reikend symbool van hoop. Van de andere kant dreef Rwanda ons tot wanhoop. Kudirat Abiola stond symbool voor het Afrika waarmee ik sinds mijn terugkeer overhoop had gelegen; een senior-echtgenote die vocht voor de politieke vrijheid van haar man.

'Goed gedaan,' zei Sheri, toen ze het artikel uit had.

Als Sheri al medelijden had, liet ze het niet merken.

'Hoe gaat het op je werk?' vroeg ze.

'Een zootje,' zei ik. 'Je zou het moeten zien. Overal paperassen. Ik moet het binnenkort allemaal eens uitzoeken.'

'Eén ding tegelijk,' zei ze.

Een tijdlang keken we naar het kleinsnijden van de ram. De slager vilde hem en sneed het vlees. Zijn jongen spoelde met kokend water het bloed weg.

'Hoe was je verjaardag?' vroeg Sheri.

'Rustig,' zei ik.

'Papa Franco had niks geregeld?'

'Doet geen mond open tegen me.'

'Eh, waarom niet?'

Ik tikte op het blad. 'Daarom niet. Hij wilde niet dat ik met ze praatte. De man heeft al wekenlang geen woord tegen me gezegd.'

'Hey-hey, ik denk dat ik liever een pak slaag krijg.'

'Ik haat de stilte.'

'Da's een vriend van me,' zei ze.

Meestal moest ik raden naar wat er in haar hoofd omging. Sheri was gereserveerd geworden over haar privéleven, zoals alle ongetrouwde vrouwen van onze leeftijd; net zo gereserveerd als langdurig werklozen waren over hun vooruitzichten.

Ik keek haar aan. 'Hoe kan ik nou vanuit de keuken beslissen hoe ik de situatie met mijn vader moet aanpakken? En nu ik erover nadenk, hoe kan ik ook maar íéts beslissen met die mini-Idi Amin in mijn huis?'

Ze glimlachte. 'Papa Franco? Zo'n kwaaie is het nou ook weer niet.'

'Wel waar. Hij mokt.'

'Kijk gewoon niet naar zijn gezicht als hij fronst.'

'Serieus, in mijn eentje zou ik het niet half zo moeilijk hebben.'

Ze schudde haar hoofd. 'Zo gemakkelijk is het niet in je eentje. Mannen die denken dat je hen wilt; vrouwen die medelijden met je hebben maar je niet over de vloer willen; je eigen moeder die over je praat alsof je terminale kanker hebt: "Ah, Enitan, ze is nog altijd bij me. Ah, Enitan, we bidden voor haar."'

'Niets is erger dan dít, Sheri. We zien elkaar 's morgens en er kan nog geen hallo af.'

'Negeer de man.'

'Hij is zo kinderachtig.'

'Laat je niet zo op de kast jagen door hem, of door wie dan ook. De mensen die die dag bij je thuis waren, denk je soms dat zij wisten dat je boos was, of dat het ze iets kon schelen?'

Ik klopte op mijn borst. 'Mij vragen om de lunch te maken.'

'De dag dat mijn vader werd begraven, wilden de mensen die ons kwamen condoleren, eten.'

'Wat heb je toen gedaan?'

'Mijn stiefmoeders hebben gekookt. Sommigen kwamen om een tweede portie.' Ze lachte.

'Ik vind er niks grappigs aan, Sheri. We lachen en we lachen en op een dag lachen we ons het graf in.'

'Negeer de man. Hij kan je niks doen. En laat je niet meer zo van streek maken. Dat is niet goed voor jou of voor je baby.'

Ik had kunnen weten dat ze dat zou zeggen. Sheri had me een les geleerd toen ze neerknielde voor de oom die had geprobeerd haar familie te onterven. 'Hoe kón je?' vroeg ik, ervan overtuigd dat ikzelf nog geen knikje had kunnen opbrengen. 'Om een rots heen lopen,' zei ze, 'is makkelijker dan er dwars doorheen gaan, en je komt toch waar je wezen wilt.' Ik begreep dat ik in het verleden de neiging had gehad om dwars door rotsen heen te willen, en dan stampvoeten en een scène trappen als het me niet lukte.

Geen greintje gratie. Ik was zo cynisch over de kern van kracht die een Afrikaanse vrouw moest hebben, onaantastbaar, ondoordringbaar, omdat ik die zelf niet had.

De Bakares waren niet vergeten hoe je pret moest maken. Na de lunch keek ik hoe ze de *electric boogie* dansten. Halverwege viel de stroom uit, wat de hilariteit alleen maar vergrootte: geen elektriciteit voor de electric boogie.

Hechte families hadden zo hun maniertjes, dacht ik. In Niyi's familie werd er gedempt gesproken. In die van Sheri bekommerden ze zich om eten: Heb je al gegeten? Waarom eet je niks? Weet je zeker dat je niks wilt eten? Het leek me het beste om maar ja te zeggen tegen alles wat ze aanboden. Ze kibbelden over aan voedsel gerelateerd wangedrag, zoals weigeren om te eten wat ze op tafel zetten, of niet genoeg eten. Terwijl ze aan het dansen waren, stelde ik me hen voor na een kernaanval, zonder huis of haard, maar nog steeds vol kommer om eten.

Niyi was er niet toen ik thuiskwam, een sneer die me bij de voordeur opwachtte, me op de schouder tikte en me naar boven dreef, waar hij zijn lelijke mond over mijn slaapkamermuur uitspreidde. In de verte hoorde ik de geluiden van Lagos: getoeter van auto's, brullende motoren, straatventers. Van hieraf klonk het alsof er blikgoed rammelend over heet asfalt werd getrokken. Ik ging op mijn bed zitten. Er zat een vlieg op de klamboe, en ik kon niet zien of die daar uitrustte of probeerde door het net heen te dringen. Ik keek weer naar de muur. Aan de ene kant kon stilte een mens verslaan, een heel land zelfs. Aan de andere kant kon je stilte als een schild voor je houden, zoals Sheri deed. Aanval en verdediging, en toch hebben de mensen het over de vredige stilte.

Mijn telefoon ging over. Het was Busola van hiernaast, die me uitnodigde om bij haar te komen eten.

'We eten Bombe Alaska,' zei ze.

Ik kon echt niet, zei ik.

'Ik zag je man vandaag op de club. Ik geloofde mijn ogen niet. Ik zeg: "Jij? Híér? Waar is je beste helft?" Hij keek me aan alsof-ie zeggen wilde: "Meisje, je bent hartstikke knetter." Ik weet dat-ie een hekel aan me heeft.'

'Hij heeft geen hekel aan je.'

'O, ik weet best dat-ie me niet mag.'

'Hij mag...'

'Maar goed, het is tenminste een fatsoenlijke vent en hij werkt hard, anders dan een zekere lapzwans hier in huis. Kom nou, dan-worjeweerblij.'

'Ik kan niet,' zei ik.

Busola en ik gingen terug tot mijn studententijd in Londen. Ze ging met een stel Nigerianen om die in hun Porsche naar college kwamen en cocaïne snoven als extracurriculaire activiteit. Ze werden de *High Socs* genoemd en de *Oppressors*, en waren het onderwerp van afgunst van degenen die na het huiswerk en de feestjes nog tijd hadden voor dergelijke emoties. Ik had haar kringetje altijd een beetje sneu gevonden met hun cocaïneverslavingen en hun onvermijdelijke afkicksessies, wat dan kon betekenen dat ze in een kliniek in Zwitserland verbleven of dat de duivels werden uitgedreven door de zweep van de juju-man in hun geboorte-dorp. Hun hersens waren aan gort, en het gebeurde vaker wel dan niet dat ze geweld gebruikten in hun relaties.

'Andere keer dan,' zei ze.

Over Busola ging het gerucht dat haar man met haar was getrouwd om haar goede Engels en dat hij in het geniep achter vrouwen aan zat die nauwelijks twee woorden aan elkaar konden rijgen zonder ze te breken. Haar vader was een oud-minister, en mijn vader beheerde een deel van zijn enorme vermogen. Terwijl de rest van ons gebogen zat over de inschrijfformulieren voor de universiteit, maakte Busola plannen voor een jaar Parijs. Eén jaar werden er twee, en ze keerde terug naar Londen in een minirok en met het bericht dat ze in de pr zat. Niemand die er iets van begreep. Wíj moesten naar de universiteit. Maar Busola ging niet, en toen haar ouders ontdekten dat ze het met een Britse jongen hield, haalden ze haar terug naar huis. Nu was ze getrouwd met een Nigeriaan wiens enige doel in het leven was om maatkleding te dragen en zich binnen te werken bij de polospelende kliek van Lagos.

Ik mocht Busola graag, tot aan haar Chinese pruiken en Milanese tassen toe. Ik vond dat ze klasse had, dat ze slim was zelfs. Ze had een hele horde mensen zover gekregen dat ze hun kinderen naar haar montessorischooltje lieten gaan, organiseerde kunsttentoonstellingen voor kunstenaars van wie ze niets wist, hobbyde wat in de binnenhuisarchitectuur. Om dat allemaal klaar te spelen moest je toch wat in je mars hebben, zei ik tegen Niyi, die haar 'dat domme schaap van hiernaast' begon te noemen. Vanaf de dag dat ze de huizen in onze compound omschreef als veredelde opslagruimten, had ze wat hem betrof afgedaan. Haar vader had de schatkist leeggeroofd en zij was ook niet bepaald verlegen, zei hij. 'Waarom word je toch altijd vriendinnen met van die types die verder niemand uit kan staan, zoals die Sheri?' vroeg hij. En na een luttele tien minuten in het gezelschap van Busola vroeg Sheri: 'Hé, waar heeft die griet het over? Spoort ze wel?'

Een feilloos vermogen om mensen op hun tenen te trappen was wat ik met beide vrouwen gemeen had. In Lagos woonde een handjevol types als Busola, genoeg om de rota van sociale etentjes op gang te houden. Ze koesterden hun buitenlandse maniertjes, maar niet zoals de generatie van onze ouders met hun bazelende koloniale kopieergedrag. Daar waren ze te schrander voor. Ze gaven hun kinderen Nigeriaanse namen, droegen traditionele kleren, spraken onze talen en pidgin. Ze verschilden niet eens zo heel veel van mij, om eerlijk te zijn. Maar het ontbrak me aan hun aanstellerij, om nog eerlijker te zijn. Ik stelde me voor hoe ze op Busola's etentje werden lastiggevallen door figuren van de veiligheidsdienst. Ze zou haar Bombe Alaska uit haar handen laten vallen en gillend de hekken van Sunrise uit rennen.

Ze was aardig. Zo aardig dat ze van haar man kon zeggen: 'Hij is met mijn auto op stap gegaan en de volgende ochtend pas teruggekomen, en ik wás me toch píssig. Zo... zó... píssig. Weet je wat ik deed? Ik keek hem aan. Zo keek ik. Zodat hij precies wist hoe pissig ik was.'

Telkens als ik die avond een auto hoorde, liep ik naar het raam. Hoe vrij was ik eigenlijk in míjn huwelijk? Niyi raakte in een slecht humeur, en binnen de kortste keren ik ook. Toen ik hem pas kende, volgde ik zijn blik om te zien of zijn belangstelling naar andere vrouwen uitging. Ofschoon ik nu vrij zeker wist dat dat niet zo was, maakte ik me zorgen als hij 's avonds laat wegbleef, en niet alleen om zijn veiligheid. Bij ontrouw trok ik de grens. Sheri trok de grens bij elke vorm van fysieke dwang. Maar er waren andere dingen die een man kon doen. Mijn schoonvader had zijn vrouw onder de duim, bijna alsof hij haar hersens uit haar hersenpan had gelepeld en net voldoende voor haar had overgelaten om hem te blijven gehoorzamen. Zijn zoon deed of ik onzichtbaar was totdat hij zich kon vinden in wat hij voor zich zag.

Ik ging naar beneden en deed een hangslot op de deur, gooide de sleutel met een zwier neer. Losse handjes, bedriegers, lapzwansen. Het ergst waren de zogenaamd fatsoenlijke mannen. Niemand die een vrouw ooit zou vertellen dat ze moest maken dat ze wegkwam van zo iemand. Gelukkig had mijn moeder me de kracht van een hangslot laten zien. Als Niyi terugkwam, mocht hij een poosje wachten voor hij zijn huis in kon. Intussen hielden de muggen hem wel gezelschap.

Het was na middernacht toen ik de deurbel hoorde. Ik deed open in mijn verkreukte nachthemd. Mijn gezicht was opgezet. Ik had niet geslapen. Niyi liet zijn sleutels als altijd op de eettafel vallen. Ik ging op de onderste traptrede zitten. Dit keer was ik vastbesloten om vrede met hem te sluiten. De vloer voelde koud aan onder mijn voeten.

'Busola zegt dat ze je heeft gezien,' zei ik.

Hij trok zijn wenkbrauwen op alsof hij wilde zeggen: Nou en?

Niyi's gezicht was een open boek als hij boos was. Dat was hij niet. Hij mokte niet; wat hij wilde was overgave. Ik was bijna vergeten hoe zwart-wit hij alles zag. Andere vrouwen zag hij niet staan, maar voor mijn bestwil zou hij mijn hart breken.

'Ik vraag je niet om met me te praten,' zei ik. 'Luister gewoon.

Ik weet dat je bang bent voor mijn veiligheid. Ik wilde ook dat mijn vader hier niet bij betrokken was. Hij en ik, er zijn vragen die ik hem zou kunnen stellen, maar dat doet er nu allemaal niet toe. Stel dat ik nooit meer de kans krijg om met hem te praten? God weet wat er gebeurt, maar mijn leven moet veranderen, en jij moet me helpen. Alsjeblieft. Dit wordt me te veel. Kijk me aan.'

Niyi keek alsof hij wilde dat ik nog boven lag te slapen.

'Begrijp je?' vroeg ik.

Zijn uitdrukking veranderde niet. Ik gaf hem tijd.

'Goed,' zei ik. 'Dus zo zit het. Ik kan er niet om liegen, je doet me pijn. Ik heb mijn best gedaan. Vergeet niet om je deur op slot te doen.'

Die hele week woog de woede als lood in mijn handen, en ik wist niet waar ik mijn last neer kon leggen. Ik stak het tafelblad met een potlood, sleurde het gordijn met geweld voort, schopte een deur tegen de schenen. Soms kwam ik in de gang Niyi tegen als hij van zijn werk kwam. Ik had zin om hem een duw te geven, met allebei de handen: Opgeblazen kwallebak! Maar ik gaf niet toe aan de verleiding.

Ik ging nog een keer op bezoek bij Grace Ameh in de hoop dat zij me onpartijdig advies kon geven over wat ik voor mijn vader kon doen. Ze was net zo gekleed als de vorige keer dat ik haar zag, van top tot teen in kleur.

'Hallo kind, is er al nieuws?'

'Nee,' zei ik.

'*Na wa*, wat jammer. Nou, kom binnen.'

Ze legde een hand op mijn schouder. We gingen naar haar studeerkamer, en deze keer keek ik om me heen. Stapels papier in bundels, een oude computer, een typemachine, twee ebbenhouten bustes als boekensteunen. Ik herkende een aantal auteurs op haar boekenplank: Ama Ata Aidoo, Alice Walker, Buchi Emecheta, Jamaica Kincaid, Bessie Head, Nadine Gordimer, Toni Morrison.

'Schrijf je hier?' vroeg ik.

Ze keek niet-begrijpend. 'Wat?'

'Schrijven, of je dat hier doet,' zei ik.

'Je moet wat harder praten,' legde ze uit. 'Ik ben aan één kant doof. Vandaar dat iedereen hier in huis schreeuwt.'

Nu begreep ik dat haar indringende blik betekende dat ze aan het liplezen was. Ik herhaalde mijn vraag.

'De laatste tijd niet,' zei ze. 'Hun aanwezigheid is me te sterk, ik voel 'm in het puntje van mijn pen. Ik wil iets neerschrijven en ik denk aan hoogverraad. Ik ben te erg van streek sinds ik terugben. Ben je weleens in Zuid-Afrika geweest?'

'Nee.'

Ze trok haar neus in rimpeltjes. 'Ik voelde me daar niet op mijn gemak. Al die raciale spanningen. Ik begrijp het niet, waar ik ook heen reis, prachtige landen, betere landen dan het onze, landen die functioneren, ik kom niet voor niets graag weer naar huis. En wat gebeurt er als ik aankom?'

Ik glimlachte. 'Je wordt gearresteerd.'

Ze sloeg haar armen over elkaar. 'Wat doe jij eigenlijk? Dat heb ik helemaal niet gevraagd. Ik nam aan dat je advocaat was, net als je vader.'

'Ik bén advocaat.'

'Dat is te genezen, heb ik gehoord.'

Ik raakte mijn buik aan. 'Ik ben er een tijdje uit geweest. Ik heb in de bankwereld gewerkt, en toen riep het moederschap.'

'Hoe ver ben je?'

'Vier maanden.'

'Na wa, gefeliciteerd. Mijn moeder was vroedvrouw. Ze werkte op de kraamafdeling in Lagos. De dag dat ze erachter kwam dat ratten de placenta's opvraten, is ze ermee gestopt.'

Ze ving mijn blik op.

'Placenta's zijn voedzaam,' zei ze. 'De ratten groeiden er goed van, en dat kon ze niet verdragen.'

'Mijn man wil weten waar je over schrijft,' zei ik.

Ik kreeg hem geen moment uit mijn hoofd, dacht ik.

Ze wierp me een zijdelingse blik toe. 'Heb je van mijn toneel-stuk gehoord, *Het mesthuis*?'

'Nee.'

'Heb je nooit van *Het mesthuis* gehoord? Twee zussen die in hun huis zijn opgesloten en worden gevoerd door hun grootmoeder?'

Ik glimlachte. 'Nee.'

'Kijk nou eens,' zei ze. 'Dat was mijn eerste toneelscript. Wat heb ik een verlies geleden. Ja, die goeie ouwe tijd. In elk geval konden we zeggen wat we wilden. Ik schrijf scripts voor het toneel en voor de televisie. En ik ben kunstredacteur bij de *Oracle*. Nu ze ons ondergronds hebben gedreven, doe ik wat ik kan om te zorgen dat ze ons niet helemaal het zwijgen opleggen.'

Ik greep de kans. 'Mijn vader zegt dat vrouwen niet genoeg van zich laten horen.'

'Zegt hij dat?'

'Over wat er gebeurt.'

'Niet veel mensen laten van zich horen, man of vrouw.'

'Ik kan me voorstellen waarom vrouwen zwijgen.'

'Waarom dan?'

'De druk van alledag: kop dicht en hou het binnenshuis leefbaar.'

'Daar ben ik het niet mee eens.'

'Mijn vader ook niet, maar het is wel de realiteit.'

'Niet de mijne.'

'Jouw gezin staat zeker honderd procent achter je.'

'Iets anders zou ik niet accepteren.'

Was ze nu zelfingenomen of probeerde ze informatie uit me te trekken? Ze was tenslotte journaliste.

'Niet iedereen heeft de wilskracht om op te staan tegen hun geliefden,' zei ik.

'Heb je het over jezelf?'

'Ja. Ik krijg continu waarschuwingen. "Raak er niet bij betrokken", "Niets zeggen". Soms is het makkelijker om te vergeten wie er fout zit.'

Ze knikte. 'Ja, ja. Maar je hebt een stem. Dat probeer ik de mensen altijd voor te houden. Gebruik je stem om verandering teweeg te brengen. Sommige mensen in dit land, wat voor kans hebben die nu helemaal? In armoede geboren, met honger opgegroeid, geen fatsoenlijke opleiding. Ik sta ervan versteld dat de bevoorrechte mensen in Nigeria denken dat achteroverleunen een optie is.'

'Denk je niet dat ik op zijn minst moet proberen mijn vader vrij te krijgen?'

'Als je medestanders hebt. In je eentje ben je alleen maar het volgende slachtoffer. Die mannen die ik in Shangisha heb gesmeekt, die hadden me makkelijk kwaad kunnen doen.'

'Je hebt ze erin weten te luizen.'

'Dat maakt nog geen heldin van me. Vergis je niet, ik zit niet te wachten op postume erkenning, zoals ze dat hier doen, zodat de mensen je vergeten en er geen steek verandert. Misschien kan ik niet vrijuit schrijven met de dreiging van hoogverraad boven mijn hoofd, maar als ik dood ben, krijg ik helemaal geen woord op papier, hè?'

'Jij vindt nog steeds dat ik niet naar Shangisha moet gaan?'

'Ja.'

'Het is frustrerend, afwachten en niets doen.'

Ze pakte een vel papier van een bijzettafeltje en gaf het aan mij.

'Hier. Misschien heb je zin om te komen. Ze hebben me uitgenodigd om te spreken. Het is een goede groep. Ze werken met schrijvers overzee om wat hier gebeurt onder de internationale aandacht te brengen.'

Het was een uitnodiging voor een bijeenkomst ter ondersteuning van journalisten in gevangenschap. Peter Mukoro was een van hen.

'Een lezing,' zei ik.

'Er komen mensen die meewerken aan de campagne voor de democratie en de burgerlijke vrijheid, en vertegenwoordigers van mensenrechtenorganisaties. Niemand die daar verwacht dat je je mond houdt.'

'Dank je,' zei ik.

Ze glimlachte. 'Hm, dus je kwam echt voor mij?'

'Ja.'

'Benzinetekort en al?'

'Ja.'

'Na wa, ik voel me gevleid. Het is fijn om je weer te zien. Kom naar de lezing als je kunt. Het zal prettig zijn om wat steun te hebben. Ze zeggen dat grote geesten één gedachte hebben, maar in dit land zijn het alleen de kleine geesten die consensus bereiken.'

Ik besloot naar de lezing te gaan. Ik wilde me omringen met mensen die stelling hadden genomen tegen onze overheid. Thuis raakte ik alleen maar overstuur door Niyi's zwijgen, en ik kon mijn vaders gevangenschap niet uit mijn hoofd zetten. Ik nodigde Dagogo en Alabi ook uit. Ze zeiden dat ze niet van plan waren kostbare benzine te verspillen aan een avond luisteren naar gedichten of wat het dan ook was.

Als ik terugkijk op mijn keus om te gaan, was ik evenmin geïnteresseerd in een literaire bijeenkomst. Ik wist niet eens dat schrijvers in mijn land lezingen hielden, behalve in academische kringen of wanneer een of andere gepensioneerde senator, generaal of diplomaat, wie dan ook, zijn memoires had geschreven en naderhand een groot feest gaf om geld in te zamelen. Ik had wel gehoord dat er gepubliceerde schrijvers waren die geen cent van hun royalty's zagen omdat de uitgevers simpelweg niet over de brug kwamen. Mijn boekenverzameling thuis was karig, omdat boeken in een land als het onze een schaars goed waren, als ze al niet door de overheid waren verboden. Boeken van Afrikaanse auteurs had ik alleen te koop gezien in Londen, in een wijk waar ik naartoe was gegaan om pisangs te kopen, in een boekwinkel met *kente*-kleden als gordijnen. In geen van die boeken waren de personages zo divers als de mensen die ik kende. En Afrikaanse schrijvers voelden zich altijd geroepen, leek het wel, om het kleinste detail aan de rest van de wereld uit te leggen. Een Afrikaanse lezer werd dat al gauw te veel. Neem nu de harmattan. Die kende je al: een seizoen, december-januari, stof in de ogen, hoesten, kille ochtenden, zweterige oksels tegen de middag. Als ik buitenlandse boeken las, werden de kleine dingen helemaal niet uitgelegd. Sneeuw, bijvoorbeeld. Dat die onder je schoenen kraakte en je gezicht tegelijk warm en koud kuste. Dat je de lokroep om erin te lopen niet kon weerstaan, en je er een hekel aan kreeg zodra hij veranderde in grauwe drab. Al die dingen! Niemand die eraan dacht om ze aan een Afrikaan te vertellen! Het was nooit bij me opgekomen, tot een Britse vriendin me er op een gegeven moment op wees dat mijn accent veranderde als ik met mijn Nigeriaanse vriendinnen sprak. Dat was mijn normale accent, zei ik. Als ik zo tegen haar sprak, zou ze er geen woord van begrijpen. Ze keek stomverbaasd. 'Ik geloof mijn oren niet,' zei ze rechtuit. 'Wat ontzettend beleefd.'

Nadat ik had verwerkt hoe beleefd ik kennelijk was, werd ik razend op de wereld die zo onbeleefd was jegens mij. Boeken waarin te weinig werd uitgelegd, boeken waarin een koloniaal Afrika werd geschilderd dat zo exotisch was dat ik er zelf weleens heen wilde, in een safaripak, bediend door een of andere zwijgzame en waardige Kikuyu, of een willekeurig ander zwijgzaam en waardig stamlid. Of een diepdonker Afrika met slangen, lianen en oengaboenga-talen. Mijn Afrika was licht, niet donker; er was overal zon. Afrika was een aanslag op je zintuigen, zoals ik ooit probeerde uit te leggen aan een groep Britse collega's, alsof je een sinaasappel at. Welke zintuigen werden er niet allemaal aangesproken door een sinaasappel? Vezelig, papperig, scherp, zuur, zoet. De pulp, de pitten, de partjes, de schil. Het prikken in je ogen. De doordringende geur die aan je vingers bleef hangen.

Maar mensen concentreerden zich op bepaalde aspecten van ons continent: armoede, oorlog, hongersnood; de bush, de stammen, de wilde dieren. Ze hielden meer van onze dieren dan van ons. Ze hadden alleen belangstelling voor ons als we in de handen klapten en zongen, of er halfnaakt bij liepen zoals de Masai, die een fotogeniek moment wisten te herkennen als zich er een voordeed. En voor de beter geïnformeerden: 'Wat zeg je me van die Idi Amin Dada-figuur, hè?' Die Mobutu Sese Seko-figuur, die Jean-Bedel

Bokassa-figuur. Alsof wij, omdat we toevallig hetzelfde werelddeel bewoonden, de geestelijke gezondheid van een van die types naar waarde konden schatten.

We hadden eigenlijk geen besef van een werelddeel, of van een natie, niet in een land als het mijne, tot we over de grens kwamen; geen besef van een Afrika zoals dat aan de buitenwacht werd gepresenteerd. In een wereld van Oost en West was geen plaats voor ons. In een getrapte wereld wel, en wel onderaan: de derde wereld, die langzaam naar de vierde afgleed. Een nobel volk. Een primitieve cultuur. Het ene popconcert na het andere voor hongerende Afrikanen. Hele boeken gewijd aan de redding van de genitaliën van de Afrikaanse vrouw. Als die vrouwen die boeken zelf toch eens konden lezen en er commentaar op konden leveren: dit klopt, dat niet, dat is volslagen kul. Als Afrika toch eens te redden was met liefdadigheid.

Volgens Niyi begon en eindigde het bij economische invloed. Economisch prestige stond gelijk aan respect en liefde. Als wij economisch prestige hadden, zou de rest van de wereld ons in de armen sluiten; ze zouden zoveel van ons houden dat ze ons misschien zelfs gingen nadoen. Waarom dacht ik dan dat Engeland op zijn voormalige Amerikaanse koloniën begon te lijken? Waarom dacht ik dan dat de crème de la crème overal ter wereld zich sushi door de strot wurgde? Hij had een punt, dat moest ik toegeven.

De lezing, die plaatsvond in een lokaliteit waar normaal gesproken bruiloftsrecepties werden gehouden, begon om zeven uur 's avonds, maar ik was naar Lagosiaanse mores laat. De ruimte had het formaat van een schoolaula met vouwdeuren die de lucht vrijelijk van de ene naar de andere kant lieten stromen als ze open waren. Er hingen twee witte ventilatoren aan het plafond, en er was een laag houten podium waarvan ik vermoedde dat er heel wat bruiden en bruidegoms op tentoongesteld hadden gestaan, compleet met linten en ballonnen. De verlichting was karig. Ik ging achterin zitten, onder een kapotte lamp naast de deur, met de bedoeling om te observeren. Ik hoopte dat niemand mij zou opmerken.

Er waren een stuk of veertig mensen, voornamelijk mannen. Een van hen trok mijn aandacht omdat hij een pijp rookte. Hij leek van mijn vaders leeftijd. Een andere man, lang en mager, liep rond met een ernstige uitdrukking op zijn gezicht. Hij deelde pamfletten uit. Ik zag Grace Ameh. Ze lachte en klopte op haar borst. Ze kletste met de man naast haar. De magere man beklom het podium. Hij praatte over activisme en schrijverschap. Zijn stem was zo zacht dat ik me afvroeg of hij wel ademhaalde. Hij had het over een vergadering die hij had bijgewoond en waar de veiligheidsdienst mensen had gearresteerd. Ze waren tijdens de eerste toespraak binnengevallen, en van geen van de sprekers was sindsdien iets vernomen. Een vriend van hem, een schrijver en journalist, was een van hen. Zelf schreef hij poëzie, en hij vond niet dat het per se aan de schrijvers was om activist te zijn. 'Waarom moet ik over militaire tirannie schrijven?' vroeg hij. 'Waarom mag ik niet over liefde schrijven? Waarom mag ik de rest van mijn leven niet over een steen schrijven als ik dat wil?'

De volgende spreker was Grace Ameh. Even werd er met stoelen geschoven, en ze wachtte tot het lawaai was afgenomen. 'In het land waar wij leven,' zei ze, 'waarin woorden zo gemakkelijk worden gewist, uit onze grondwet, uit publicaties, uit openbare registers, is schrijven zelf een vorm van activisme.' Het publiek applaudisseerde.

Ze verontschuldigde zich voor het geval haar grip op de actualiteiten te wensen overliet, maar ze had geen krant gelezen sinds haar terugkeer. Het nieuws werd te zeer gecensureerd, en ze had een gloeiende hekel aan de woorden 'sociaal-economisch' en 'sociaal-politiek'; woorden die sleets waren geworden door de hand van haar collega's in de media. Dit bracht een instemmend gesis teweeg onder het publiek. Het verbaasde me dat Grace Ameh het niet over haar arrestatie had, alleen over haar reis naar Zuid-Afrika. Ze vertelde dat ze zich een ere-blanke had gevoeld, zoals ze met een glas Zuid-Afrikaanse wijn in haar hand over literatuur had gepraat. Ze vreesde dat de wereld Winnie Mandela als vrouw zou beoordelen, niet als de generaal in de oorlog tegen apartheid die ze was.

Grace Ameh was een entertainer. Ze was ook openlijk egocentrisch, alsof ze had besloten zichzelf tot koningin te kronen omdat niemand anders het zou doen. Ze flirtte en citeerde Engelse gedichten en Zoeloe-spreekwijzen. Ze bewoog met gedurfde gratie. Na haar las de man met de pijp een fragment voor uit zijn korte verhaal over een chirurg die een vinger miste, gevolgd door een andere man, die een gedicht voorlas vol woorden als 'pijn' en 'inspanning'. Ik vermoedde dat het ging over de neergang van de landbouw in ons land.

Ik had ontzag voor de mensen naar wie ik luisterde; omdat ze schreven zonder erkenning of beloning, maar vooral omdat ze als groep elke onrechtvaardigheid afwezen ten koste van hun vrijheid en hun leven. Tegelijkertijd meende ik dat ze zich geen van allen ten volle bewust konden zijn van de consequenties van hun publieke optreden. Ze hadden hooguit een vage notie; een notie die tot uiting kwam in gefluister, weggelaten namen, aliassen in gesprekken over politiek of over bijeenkomsten of aan de telefoon. Zelf leefde ik al zo lang met dat bewustzijn dat het de norm was geworden. Wat maakte dat iemand de grens van veiligheid overschreed? Woede, meende ik. Zoveel woede dat je erdoor werd verblind.

De avond eindigde met een vraag-en-antwoordronde. Ik zou zijn gebleven als ik niet zo'n honger had gekregen. Tegenwoordig was mijn honger al even hevig als mijn dorst. Ik keek even wanneer de volgende lezing zou zijn en glipte weg door de achterdeur. Buiten liep ik haastig door het donker naar mijn auto. Ik had hem vlak bij de hekken geparkeerd, omdat ik niet ingesloten wilde worden. Het erf was meer dan een halve hectare breed, met een reusachtige flamboyant in de voortuin. Er was geen verlichting, en het duurde dan ook even voordat ik mijn autosleutels had gevonden. Toen ik ze eindelijk had, werd ik verblind door de koplampen van drie auto's. Ik bleef doodstil staan; ik herkende de vertrouwde vorm van de Peugeots. Eén auto kwam voor me tot stilstand, de andere reden door naar de lokaliteit. Het achterportier van de auto voor me vloog open. Er sprong een man uit.

Ik hief mijn handen. Hij had een geweer vast.

'Niet bewegen,' maande hij.

Ze gooiden ons in een cel, Grace Ameh en mij. Ze zeiden dat we de openbare orde hadden verstoord.

De politie bestormde de lezing en loodste iedereen naar buiten onder dreiging van hun geweren. Ze arresteerden Grace Ameh; ze waren voor haar gekomen. Ze arresteerden de vier mannen die haar te hulp schoten. Ik werd gearresteerd omdat ik de eerste was die ze hadden gezien.

'Waarom?' vroeg ik de agent.

'Instappen,' zei hij.

'Waarom?'

'Instappen.' Hij duwde me de auto in.

Door het geblindeerde raampje zag ik de andere agenten de zaal binnen rennen. Ze richtten hun geweren en schreeuwden bevelen; ik deed mijn ogen dicht en sloot de geluiden buiten. Ik dacht dat ze de mensen daarbinnen zouden neerschieten. Ik hoorde Grace Ameh schreeuwen: 'Raak me niet aan!' Ze werkten haar de auto in. Ik schaamde me zo; ik wilde dat ze haar mond hield, maar ze bleef doorgaan tot we bij het politiebureau aankwamen, wreef ze hun lafheid onder de neus.

Er zaten al twaalf vrouwen in de cel waarin wij terechtkwamen; met zijn veertienen in een ruimte die voor zeven was bedoeld, met ventilatiegaatjes over een oppervlak van hooguit twintig centimeter doorsnee. Geen lucht, geen licht. Mijn pupillen verwijdden zich in het donker. Buiten tsjirpten de krekels. Muggen zoemden rond mijn oren. De vrouwen lagen op raffiamatten die elkaar op de betonnen vloer overlapten. Eén vrouw had het bevel gekregen de anderen koelte toe te wuiven met een groot stuk karton. Een andere zat naast een toiletemmer in zichzelf te praten: 'Re Mi Re Do? Fa Sol La Si Re. La Si La Si...'

Grace Ameh stond bij de celdeur. Ik zat op mijn hurken achter haar, zo ver mogelijk bij de toiletemmer vandaan. De stank was mijn neusgaten al binnen gedrongen, hij zat al in mijn maag, keerde die om. Mijn adem kwam hortend.

'Ga weg bij dat raampje,' zei een luide stem.

Het was de vrouw die zich kennelijk het gezag over de anderen had aangemeten. Ze had de waaivrouw zitten commanderen: 'Naar het noorden. Naar het zuiden. Sneller. Waarom ga je nou langzamer? Ben je helemaal gek?'

Haar stem klonk nasaal. Ik kon haar vollemaansgezicht zien, maar niet de uitdrukking erop.

'Ik sta waar ik wil,' antwoordde Grace Ameh.

Als een vrouw van woorden was haar stem gebroken onder haar razernij.

'Ik zeg 't je nog één keer, dame,' zei de vrouw met de harde stem. 'Ga bij dat raampje weg. Vanaf 't moment dat je hier binnen bent zet je de boel al op zijn kop, en daar moet ik niks van hebben.'

'Ik ben niet een van je slaafjes,' antwoordde Grace Ameh.

Ze was doodop van het schreeuwen. Hier en daar sloeg iemand de muggen van haar benen. Iemand hoestte en slikte. Ik klemde mijn kaken op elkaar om de golf van misselijkheid te bedwingen.

'Jij denkt dat je beter ben as mij,' klonk de stem van de vrouw weer, 'omdat je naar school ben geweest. Ik ben ook opgeleid. Ik lees boeken. Ik weet dingen. Je ben geen haar beter as mij. Jij en die boterzachte vriendin van je in d'r hoekje, die de lucht van poep nog niet kan hebben.'

'Kijk jou nou,' zei Grace Ameh, 'je behandelt iedereen hier als oud vuil.'

'Zo praat je niet tegen mij,' schreeuwde de vrouw. 'Je ben niks beter as mij. Niet hier. We slapen op dezelfde vloer, poepen in dezelfde emmer. Ik neem je te grazen as je zo tegen me praat. Al mijn meiden hier nemen je te grazen. Zelfs Do-Re-Mi daar in de hoek. Vraag haar maar. Ze maakt iemand van kant en weet 't zelf niet eens meer. Vraag haar maar. Ze vertelt je alles.'

'Hoe kan ze me iets vertellen als ze het niet meer weet?'

'Hè?'

'Als zij mensen van kant maakt en het zelf niet meer weet, hoe kan ze mij dan vertellen dat ze hen van kant heeft gemaakt?'

De vrouw was even stil, toen lachte ze. 'Dame, jij weet te veel. Meer as God. De cellen moeten wel vol zitten dat ze jouw slag hier brengen.'

Ze ging liggen, en ik sloot mijn ogen. Wie wist dat ik hier zat? Wie zou er naar me op zoek gaan? De hele nacht hier; en morgen? Ik dacht aan Niyi, thuis, wachtend.

Do-Re-Mi begon harder te praten. 'Fa Sol La. Si Mi Re? La Sol La Sol...'

'Do-Re-Mi, dimmen,' beval de harde stem. 'En jij, wapper weer naar het zuiden. De vrouwen daar moeten lucht hebben.'

De waaivrouw keerde zich om. Ze klaagde dat haar armen zeer deden.

'Wat mankeert haar?' vroeg Grace Ameh.

'Ze is lui,' antwoordde de harde stem. 'Ze verrekt 't om haar beurt te doen.'

'Ik bedoelde Do-Re-Mi.'

'Da's een heks. Ze hoort stemmen uit de andere wereld. Ze zeggen d'r wat ze moet doen en ze doet 't.'

'Schizofreen?'

'Als jij 't zegt, dame. Skipsofreen. Ze is een heks, da's wat ik weet.'

Grace Ameh zuchtte. 'Je weet wel beter.'

'Oké, oké,' zei de vrouw. 'Ze is ziek in d'r hoofd. Kan ik 'r wat aan doen? De helft hier is ziek in 't hoofd. Luister maar. Hoe is Uw naam?'

Een stem antwoordde: 'Ik ben die er is.'

'Ik zeg: hoe is Uw naam?'

'Ik ben die er is?' mompelde de stem.

De vrouw met de harde stem lachte. '*In nomine patris et filii et spiritus sancti*. Ik noem 'r de Heilige Geest. Ze denkt dat ze God is. Eén been in 't graf, de dag dat ze d'r binnenbrachten al, 't ouwe lor, klaar om onder de graszoden te gaan. Ziet eruit alsof ze 't zwaar te verduren heb gehad. Onder Pontius Pilatus, bedoel ik. Maar ze doet wat 'r gezegd wordt, ze doet wat 'r gezegd wordt...'

Iemand begon in de emmer te plassen. Ik hoorde haar grommen, gevolgd door een klaterend stroompje. Mijn maag verkrampte.

'Waarom zit jij hier?' vroeg Grace Ameh.

'Waarom moet jij dat weten?' zei de harde stem.

'Ik vraag het maar.'

'Bemoei je niet met mij. Bemoei je met je eigen. We hebben allemaal iets gedaan. Alleen weten we niet allemaal wat, want dat hebben ze ons nog niet verteld.'

'Niet?'

'Zes jaar. Zeshónderd voor mijn part. Wachten op 't proces.'

Er klonk gemompel en een paar petsen. Iemand klaagde over de stank van de vrouw die net was geweest. Tranen welden op in mijn ogen. Ik zonk dieper omlaag. Als ze me hadden gedwongen een toiletpot uit te likken had ik me niet misselijker kunnen voelen. De gal verwrong mijn binnenste, schoot op tot mijn slapen. Ik begon scheel te zien.

Ik probeerde Grace Ameh bij haar been te pakken.

'Die lucht... ik kan niet...'

Ze knielde naast me neer. 'Lieverd, gaat het wel?'

'Dach je dat 't hier naar viooltjes rook?' hoonde de harde stem.

'Ze is zwanger,' zei Grace Ameh.

De vrouw ging rechtop zitten. 'Hè? Wat zeg je daar? Is het botertje zwanger? Geen wonder dat ze niet tegen poeplucht kan.'

'Probeer kalm te blijven,' zei Grace Ameh.

'Ik heb al een miskraam gehad,' fluisterde ik.

'Hé, botertje,' klonk de harde stem weer. 'Wie heeft jou zwanger gemaakt?'

'Genoeg zo,' zei Grace Ameh tegen mij.

'Ik dacht dat jij te goed was voor seks.'

'Niet naar luisteren,' zei Grace Ameh.

'Hé, wat smiespelen jullie daar?' zei de harde stem.

'Niks,' zei Grace Ameh.

De vrouw met de harde stem lachte. 'Zit de zwangerschap d'r nog? Ik hoop het maar, want ik ken jullie botertjes, het minste of geringste en je baby valt eruit, floep, floep.'

Daar in het duister haatte ik haar. Floep, floep, ze zei het telkens weer.

'En dood is je baby,' zei ze tussen de lachsalvo's door.

Ik gaf over, veegde met de rug van mijn hand mijn mond af en ging naast mijn braaksel zitten. Mijn hoofd was helderder. Ik veegde de tranen weg met mijn mouw.

Het eerste protest kwam uit de verste hoek. 'Je hoeft toch niet zo tegen haar te praten.'

'Waarom niet?' vroeg de harde stem.

'Nou, ze is in verwachting.'

'Ze is niet de eerste,' antwoordde de harde stem.

"t Is niet christerlijk,' klonk een dunne stem. "t Is niet christerlijk. Ze hoort hier niet te zijn, niet een zwangere vrouw.'

'Hoor ik hier wel te zijn, dan? Of een van ons, stelletje halvezolen? Waaier!'

Het tempo van de waaivrouw was weer gezakt.

'Moet ik het nog es zeggen? Of heb je 'n tik nodig?'

De dunne stem ging verder. "t Is niet christerlijk wat je doet. 't Is niet christerlijk. Heiligsche...' Alsof de pick-upnaald brak.

De vrouw met de harde stem kwam overeind. 'Kophouwe. Zijn wij gelijk? Dacht 't niet. Christelijk is er niet, shittelijk wel. Waar blijven die vrienden van je, die Hallelu en Halleluja, je roept ze vaak zat, maar ik zie ze niet. Op de Dag des Oordeels weet je wat je nou niet weet, dus klep dicht tot die tijd. Gij spreke niet tenzij u iets gevraagd worde. Neem dat maar as je elfde gebod en onthou 't goed.'

De dunne stem vervolgde: "t Is ongoddelijk wat je doet. Behandelt ons als oud vuil, alsof we nog niet genoeg problemen hebben. Wij zijn Gods kinderen.'

De andere vrouwen pikten het refrein op: Ja, zij waren Gods kinderen. Ze klonken miserabel. Zwak.

'Zo. Is dat de dank die ik van jullie krijg? Twee nieuwelingen, en jullie hakken op me in?' De harde stem brak. 'Na alles wat ik voor jullie heb gedaan.'

Ze begon te snikken. De vrouwen protesteerden. Ze waren niet tégen haar. Ze wilden alleen dat ze een beetje aardiger was voor de zwangere vrouw. Ze hield op en schraapte haar keel.

'Waar is ze eigenlijk?'

Ze baande zich een weg naar Grace Ameh en mij. De lucht van oude urine was sterker dan ooit toen ze als een schaduw boven ons uittorende. Mijn ademhaling stokte.

'Je zet iedereen tegen me op,' zei ze.

'Ze heeft wel gelijk,' zei Grace Ameh. 'We zitten hier allemaal samen in.'

'Ons Bekeerlingetje? Wat weet zij nou? Vruchtbaar maar geen hersens. Ze heb zoveel kinderen dat ze ze niet eens meer kan tellen. Christelijk *ko*, shittelijk *ni*. Wat deed ze helemaal voor ze hier kwam? Neukte voor geld om die monden te voeden. Werkte vijf mannen per nacht af. De stinkende kut. Al schrobde ze d'rzelf met limoenen, was-ie nog niet schoon. Nou zeg ze dat ze bekeerd is.'

Ze knielde.

'Botertje...'

Grace Ameh hield haar hand over mijn buik. 'Raak haar niet aan.'

Iemand in de verste hoek schreeuwde: ''t Gaat tussen jou en mij als je een vinger naar die zwangere uitsteekt. Je bent te slap om te vechten, dat weet je best, je hebt alleen een grote mond.'

De vrouw met de harde stem draaide haar hoofd met een ruk om. 'Ah-ah? Dach je dat ik zoiets zou doen? Dach je dat ik zo'n duivel was? Ik wil alleen met 'r praten, meer niet, vrouw tot vrouw. Ik weet nog dat ík in verwachting was.'

'Jij hebt kinderen?' vroeg Grace Ameh.

'Tweeling,' zei ze.

Haar spuug spatte in mijn gezicht. Ze streelde mijn vlechten.

'Botertje, heb jij ooit een tweeling gehad?'

Ik zette mijn kiezen op elkaar. Haar adem had de lucht van rotte eieren.

Ze lachte. 'Alsof je yams poept. Dit is echt een suffe trut, zeg. Komt geen woord uit...'

'Denk je dat je het tegen een kind hebt?' zei Grace Ameh. 'Ze is advocaat.'

De vrouw trok haar hand terug. 'Advocaat? En nog nooit een cel vanbinnen gezien? Da's nog es een rukadvocaat.' Ze lachte. ''n Echte rukadvocaat. Ik werkte vroeger voor een advocaat, zo eentje as jou. Een echte Afrikaans-Europeaanse. Ze praatte alsof ze een hete aardappel in d'r mond had: *fjuh, fjuh, fjuh*. Ze was overal bang voor: Ik ben bang zus, Ik ben bang zo. Ze was zelfs bang dat ze geen telefoontje kon aannemen, de halvezool. Eh... Edelachtbare, als het eh... het Hof behaagt, kunt u me dan zeggen waarom, onder artikel krijg-de-tyfus-en-de-tering, waarom niettegestaande as dat 'n goeie vrouw as ik hier vreedzaam door het leven ging en niettegestaande as dat mijn levensverhaal rechtuit liep, het zomaar ineens van de rails raakte?'

Ik knipperde één, twee keer. Ze verwachtte antwoord.

'Maandagmorgen,' zei ze, 'gaat mijn man dood. Dinsdagmorgen scheren ze mijn hoofd kaal en zeggen ze dat ik in een kamertje moet blijven. In mijn eentje. In mijn blootje. Ik mag mijn kinderen niet aanraken. Een tweeling. Een tweeling heb ik voor die klotefamilie gekregen.'

Ze begon weer te huilen. De vrouwen smeekten haar om sterk te zijn. Ze schraapte haar keel en ging verder.

'Ze zeggen dat ik mijn tweeling niet mag zien. Ze geven me wel het water waarmee ze mijn mans lijk hebben gewassen. Om te drinken. Om te bewijzen dat ik hem niet behekst heb. Ik zeg dat ik een secretarieel medewerkster ben. Diploma behaald in 1988. Ik ga dat niet drinken. Ze zeggen dat ik 'm heb vermoord.'

'Zit je daarom hier?' vroeg Grace Ameh.

'Ik heb mijn man niet vermoord. Dat zeggen zij. De dag dat ik iemand van kant maak, zeggen ze dat ze er niks van snappen. Niemand van hun familie had zoiets ooit gedaan.'

Ze lachte en wiegde heen en weer op haar hielen. 'Ik was me in geen dagen na mijn mans dood. Ik loop rond in één jurk. Eén jurk aan mijn lijf, en nergens om naartoe te gaan. Niks te eten. Ze hebben me op straat gegooid. Ik heb niks meer. Ik leef op straat. D'r komt een domme vent op me af. Hij noemt me Hey Baby. Ik zeg: Ik heet geen Hey Baby. Ik ben secretarieel medewerkster. Diploma behaald in 1988. Misschien dat-ie dacht dat ik een hoer was, net as ons Bekeerlingetje hier, of gek, net as Do-Re-Mi. Sommige mannen gaan met die gekken mee om rijk te worden, weet je, en sommige gekken gaan met mannen mee. Gek in 't hoofd, maar niet in 't kruis. De sukkel zit aan mijn borsten. Ik sla 'm in z'n gezicht. Hij duwt me tegen de vlakte.'

Ze schraapte haar keel. 'Ik grijp een steen, sla die tegen zijn kop. Ik kan niet ophouden met slaan. Hij schreeuwt: Help Help. Voor ik het weet ligt-ie dood over me heen. De politie komt. Ze zetten me in de gevangenis.'

'Wat verschrikkelijk,' zei Grace Ameh.

Ze veegde haar tranen weg met haar sjaal. 'Ja. Wat kon ik anders doen as 'm van kant maken? Zeg me dat es.'

Ze streek weer over mijn vlechten. Haar hand voelde ruw aan.

'Kan die hier niet praten?' mompelde ze. 'Is ze stom?'

Ik schraapte mijn keel en weerde het trillen uit mijn stem.

'Nee, ik ben niet stom,' zei ik.

'Hè? Ze praat!'

'Ja.'

Ik klonk kalm. Mijn hart klopte als een razende.

'Dan zeg es waarom dit mij overkomt, volgens jouw wetsartikelen.'

'Je zou niet zo lang in voorarrest mogen zitten,' zei ik.

Ze hield haar hand stil.

'En alleen een rechtbank mag beslissen of je schuldig bent.'

De vrouw begon mijn vlechten weer te strelen. 'Heel knap,' zei ze. 'Da's echt heel knap. Je bent Yoruba?'

'Ja,' zei ik.

Ze ging over op het Yoruba. "n Europese. Dat zie ik zo. Nooit gedacht dat ik 'r zo eentje zou tegenkomen, hier. Ruikt zo schoon, zo schoon... Je vriendin is geen Yoruba?'

'Nee,' zei ik.

'Je geeft steeds antwoord in het Engels. Je ben toch niet een van de verloren kinderen van Oduduwa, hoop ik. Je spreekt de taal toch wel?'

'Ja,' zei ik in het Yoruba.

'Dan vertel me es, nou je d'r toch bent, zo schoon en zo goed met je Engels, as ik naar jouw kantoor kom en ik wil je spreken, trek je dan je neus voor me op? Zeg je dan dat iemand me het gat van de deur moet wijzen? Rij je me voorbij in je auto as je me ziet lopen, en denk je dan bij je eigen: Heeft die wel gegeten? Heeft die wel geslapen? Heeft die wel 'n dak boven d'r hoofd?'

Ze trok aan mijn vlechten.

'Zo is het wel genoeg,' zei Grace Ameh.

'Nou?' vroeg ze.

'Je moet me loslaten,' zei ik.

Ze liet mijn vlechten los.

'Zie je wel? Jullie zien ons niet as gelijk, jullie botertjes. Jullie zien ons en jullie denken dat we niks meer zijn as beesten.'

'Dat is niet waar,' zei ik.

Ze wendde zich tot Grace Ameh. 'En jij zegt dat dit geen kind is? Deze hier, die niet eens antwoord kan geven op een simpele vraag. Mij zeggen dat alleen een rechtbank mag beslissen, en meer van die klets?'

Druppeltjes speeksel sloegen me weer in het gezicht. Ik veegde ze weg. Ze stond op en baande zich een weg over de lichamen op de vloer.

'Jij ben niet volwassen,' zei ze. 'Je ben nog een kind.'

'Ik ben er niet verantwoordelijk voor dat jij hier zit,' zei ik.

'Schaam je. Schaam je diep. Nog 'n kind op de wereld zetten.'

'Ik heb mezelf niet gearresteerd.'

Ik probeerde overeind te komen, maar Grace Amehs hand hield me bij de schouder tegen. 'Niet naar haar luisteren. Snap je dat dan niet? Zo krijgt ze macht.'

Ik stond op. Het was geen woede die me voortdreef, maar vernedering. Ze kon een cliënte zijn, en ik stond niet toe dat ze de spot met me dreef.

'Wat weet je van mij?' vroeg ik.

'Ik hoop dat je 't niet in je kop haalt om mij achterna te komen,' zei ze. 'Dat hoop ik echt. Daag me niet uit. Ik ben niet lief als iemand me uitdaagt.'

Ik klauterde over nog een lichaam. 'Ik ben niet bang voor jou.'

Ze lachte. 'Beeft as een rietje bij de eerste stap over de drempel. Oeoeoe, oeoeoe. Kan de lucht van poep niet hebben. De poep van je baby, ruikt die zoet? Nee, niks zoets aan. Dát weet ik van jou.'

'Je stelt mij wel honderd vragen. En je geeft me niet eens de tijd om antwoord te geven.'

Ze wiegde van voor naar achter, zei me spottend na. 'O liefielief. O grote goedheid. O grote genade.'

'Negeer haar,' zei Grace Ameh.

'Nee,' zei ik.

Ze zou mijn dood worden als ik de confrontatie met haar niet aanging. Ik wachtte tot ze ophield met haar gekheid.

'Ben je klaar?' vroeg ik.

'Je heb nog steeds m'n vragen niet beantwoord,' zei ze.

Ik kwam dichterbij. 'Ik heb er eentje beantwoord. En jij beledigde mij.'

'Geen stap meer!' schreeuwde ze.

'Waarom niet?' zei ik.

'Ik maak die dierbare zwangerschap van je kapot.'

'Dan moet je me daarna vermoorden,' zei ik. 'Want als ik nog een greintje leven in me heb, vermoord ik jou.'

Het was een gok. Ze was gewoon een bullebak, meer niet.

Hijgend maaide ze met haar arm door de lucht. Ik hoorde vrouwen mompelen. Gevangenismoeder. Hield ze nou nooit op?

'Wat heb ik jou aangedaan?' vroeg ik.

'Je kletst te veel,' zei ze. 'Je had je kop dicht moeten houden. Dat had je moeten doen. "Alleen een rechtbank mag beslissen." Denk je dat je grappig ben?' Haar stem brak. 'Al die jaren dat ik hier zit. Het enigste waardoor ik niet ben geworden zoals die gekken hier, is dat ik dacht dat er niks, níks voor me gedaan kon worden.'

Ze begon te huilen. Dit keer klonk het echt.

'En dat is jouw hoop?' vroeg ik.

Ik keek om me heen. Een paar vrouwen waren rechtop gaan zitten. Ze dachten dat we gingen vechten. Ik hoorde nog meer gemopper. Gevangenismoeder, altijd ruzie zoeken, en daar was ze te slap voor, ze had alleen een grote mond.

Maar hoe had ik een eerlijk antwoord op haar vraag kunnen geven? Met een overheid die zich erop toelegde om elke oppositie uit te roeien. In een land zonder grondwet. Met een rechtssysteem dat zich in commerciële kwesties nog wist te verslikken. Futloos, traag, als de spijsvertering van een oude man.

'Het spijt me,' zei ik. 'Ik had mijn mond moeten houden.'

'Ik neem jou niks kwalijk,' zei ze.

Ik pakte haar arm. Haar huid was klam.

''t Is al goed,' zei ze.

We lagen op de vloer. Grace Ameh aan mijn ene kant, Gevangenismoeder aan mijn andere. Ze zei dat ze niet naast stinkend volk wilde liggen, en daar zat deze cel vol mee. Iemand protesteerde. 'Kophouwe,' zei ze, en tegen mij: 'Voorzichtig, botertje,' terwijl we een plekje zochten om te liggen. 'Voorzichtig, zachtjes. We willen geen ongelukken. Niet bang zijn, ik zorg wel voor je.'

Er was niet genoeg ruimte voor ons, of we moesten lijf aan lijf liggen. Mijn ogen waren wijdopen. Ik luisterde naar elk geluid buiten. Dadelijk kwam er vast iemand om ons te bevrijden. Dan deden ze de deur open en lieten ons eruit.

Er kwam niemand. Ik bracht me de laatste keer voor de geest dat ik op een politiebureau was geweest. Dat was in mijn dienstjaar, toen ik voor mijn vader werkte. Er had een cliënt gebeld. Kon hij een van zijn 'jongens' naar het politiebureau aan Awolowo Road sturen? Een van zijn expat-huurders zat daar met een ventster die hij had betrapt toen ze over zijn erf liep.

Uit louter nieuwsgierigheid was ik met Dagogo meegegaan. Op het politiebureau troffen we een Brit aan, zweterig in zijn lichte grijze pak: meneer Forest. Zijn haar was nat van het zweet en zijn neusgaten stonden wijd. Hij had me doen denken aan iedere ongeduldige baas voor wie ik in Engeland had gewerkt: ik deed een voorstel, en zij schoven het terzijde. Ik maakte een vergissing, en zij maakten die wereldkundig. Ik maakte een grapje, en zij vroegen: 'Waar heb je het in vredesnaam over?'

Het was moeilijk geweest om geen rancune te voelen.

'D-dagoggle?' vroeg meneer Forest voor de zekerheid, en Dagogo had nog bevestigend geantwoord ook. Het bleek dat de ventster zich wederrechtelijk toegang had verschaft tot meneer Forests tuin, toen ze op bezoek ging bij haar nichtje, die in de bediendevertrekken in het huis achter het zijne woonde. Hij had haar gewaarschuwd, maar ze hield er niet mee op. Telkens als hij uit het raam keek, was ze daar weer, op zíjn erf. Ik bekeek de dienstdoende politieagent, een ronde man met schitterend witte tanden. Hij hoorde het ernstig aan. Ik vermoedde dat hij zat te dagdromen. Dagogo ondervroeg intussen de vrouw. Waarom liep ze over andermans grond? Wist ze dan niet dat dat verkeerd was? De vrouw, een popcorn- en pindaventster, keek alsof ze niet begreep wat haar overkwam. Ik wist dat ze het weer zou doen en even beduusd zou kijken. We hadden meneer Forest geadviseerd om haar te laten gaan, hij had haar genoeg angst aangejaagd. 'Ze heeft er echt heel veel spijt van, meneer Frosty,' had ik gezegd.

De muggenbulten op mijn benen jeukten. De betonnen vloer drukte tegen mijn schouder. Mijn maag rammelde. Ik had honger; zoveel honger dat ik de misselijkheid die me had overspoeld toen ik de cel binnen kwam, vergat. Ik trok met mijn tanden losse velletjes van mijn lippen en slikte ze door tot ik bloed proefde. Mijn lippen prikten. Ik draaide me op mijn andere zij om mijn ene schouder te ontzien.

'Kun je niet slapen?' vroeg Gevangenismoeder.

'Nee,' zei ik.

'Ik ook niet,' zei ze.

De anderen sliepen wel. Een paar snurkten en twee vrouwen hoestten onophoudelijk. Het ritme was storend. Grace Ameh was wakker, al praatte ze niet. Ze had opgebiecht dat dit haar ergste nachtmerrie was, opgesloten zijn, en ik wist zeker dat ze ons gefluister hoorde.

Gevangenismoeder zei: 'Ik kan 's nachts nooit slapen, alleen overdag. 's Avonds ben ik op m'n best.'

Hoe lang hielden mensen het hier uit voor ze instortten? Een week? dacht ik. Twee? Hoe lang voor hun geest gebroken was? Ik moest het haar vertellen.

'Mijn vader zit in de gevangenis,' zei ik.

'Hè?'

'Mijn vader zit in de gevangenis.'

'Wat heb-ie gedaan?'

'Niks. Niks, net als jij.'

'Waar zit-ie? In Kalakuta of Kirikiri, de zwaar bewaakte?'

'Niemand weet het.'

Hij was een politieke gevangene, vertelde ik. De nieuwe overheid hield mensen vast onder een staatsveiligheidsdecreet. Ik legde het allemaal in simpele bewoordingen uit, me afvragend waarom ik vond dat ik haar als een kind moest behandelen. Ze wist heus wel dat een man als mijn vader niet in de gevangenis zou zitten als hij geen politieke gevangene was.

'Ik weet niks van onze overheid,' zei ze. 'Of van onze president, of van welke Afrikaanse leider dan ook. Ik wil d'r ook niks van weten. 't Is één pot nat. Klein, dik, lelijk. Gezond verstand hebben ze niet. Hoe lang zit je vader al?'

'Meer dan een maand,' zei ik.

'Dan heeft ie 't goed voor mekaar,' zei ze.

Er klonk luid gesnurk. Ze klakte geërgerd met haar tong.

'Wie was dat? Die vrouwen, ze zijn erger dan 'n zatte echtgenoot...'

'Je zult de jouwe wel missen,' zei ik.

'Nee,' zei ze. 'De stomme klootzak, kon nog geen baan houden.'

'Maar je...'

'Maar geen gemaar. M'n hele leven ligt in puin om één maar.'

Ik glimlachte. 'Maar je bent met hem getrouwd.'

'Betekent niks. Jij bent toch 'n vrouw? We trouwen overal mee as we maar kunnen trouwen, houwen van iedereen as we maar liefde kunnen geven, en als we d'r één keer van houwen, laten we onszelf in de steek. We maken 'r 't beste van tot hun dood omvallen of tot wij dat doen. Kijk maar naar mij. Alles, alles in dat huis was betaald met mijn centen, en ik stuurde nog geld naar m'n ouders in het dorp, stuurde nog geld naar zíjn ouders ook.'

'Je moet wel een goede baan hebben gehad.'

'Scheepvaartmaatschappij. Pasdipospoeloes, of hoe ze 't ook uitspreken, die Grieken. Blanke mensen betalen goed, weet je, niet zoals ons soort.'

'Was hij goed voor je?'

'Pasdipospoeloes? De beste man ter wereld. Hij gaf me de ouwe kleren van z'n vrouw, zodat ik 'r prefessioneel uit zou zien, al pasten haar broeken nooit om mijn kont.'

'Jee.'

'Toen was ik zo stom dat ik tegen iedereen zei dat mijn man de centen binnenbracht, weet je, om 'm op te beuren. En toen begon hij tegen iedereen te zeggen, ja, dat is zo, hij zorgde voor 't gezin, hij bracht de centen binnen. Welke centen? Hij bracht vijfhonderd extra monden binnen om te voeden. At as 'n godvergeten olifant, die vent. Gulzigheid heb 'm de das omgedaan, niet ik.'

Ze begon te lachen en mopperde verder.

'Mijn kinderen, díé mis ik. Hem niet. Als je zo eet, krijg je 't ook op je bord, God hebbe z'n ziel. At m'n hele provisiekast leeg. Koop je bonen voor een week, heeft-ie ze al op. Pfff! Vlees voor een maand...'

'Alsjeblieft,' zei ik en ik gebaarde met mijn arm dat ze moest stoppen. Haar gemopper werkte op mijn lachspieren en ik was licht in het hoofd van de honger.

'In één dag,' zei ze. 'Zou gebakken mieren eten as je 'm die voorzette. Zou 't verschil niet eens zien. Pasdipospoeloes had me nooit genoeg kunnen betalen...'

Er borrelde een schater op in mijn buik en ik voelde een zoete pijn wat verder naar onderen. Mijn blaas was vol.

Ze bleef maar doorgaan. 'Pasdipospoeloes had me nooit genoeg kunnen betalen. Tomaten, zeg ik je. Tomáten. Dit was toen tomaten duur begonnen te worden. De klojo...'

'Alsjeblieft,' zei ik. 'Hou op, anders moet ik gaan.'

'Huh?' zei ze. 'Waar naartoe? Wie heb jou vrijgelaten?'

'Naar de wc.'

'Pis in de emmer,' zei ze. 'Wat dach je dan?'

Ik kon haar niet in de steek laten. Ze genoot van onze kameraadschap, en ik dacht dat ze haar tirade nog voort wilde zetten. De emmer stond 'rvoor, zei ze. Voor wat ik dan ook moest. We waren hier met allemaal vrouwen. D'r was geen reden om preuts te doen. D'r gebeurde hier wel erger, erger dan ik me voor kon stellen. Eén vrouw rotte zo weg. Rook ik 't niet?

'Wat?' vroeg ik.

'D'r kanker,' zei ze. 'Die is op 't end.'

Ik had nog geen stap gezet toen de vertrouwde vloedgolf me weer liet dubbelslaan. De spieren in mijn nek verstrakten, gal steeg op uit mijn maag en verschroeide mijn keel. Ik was te snel overeind gekomen.

'Wat is 'r?' vroeg Gevangenismoeder.

Mijn mond ging open zonder dat ik het wilde. Ik zonk op mijn knieën tussen twee lichamen, hield mijn zijden vast.

'Gaat het?' vroeg Grace Ameh, die rechtop ging zitten.

'Ze krijgt 'n miskraam,' zei Gevangenismoeder. 'Help d'r.'

De gal smaakte bitter op mijn tong. Er kwam verder niets naar boven. Ik probeerde te zeggen dat alles in orde was. In diverse gradaties van bezorgdheid kwamen de vrouwen overeind. Ze omcirkelden me, de zieken en de waanzinnigen, met hun zweren en hun wormen en hun tuberculose. Hun lichaamshitte sloeg als een deken over me heen. Ik hield een arm voor me uitgestoken om te zorgen dat ze niet over me vielen. Ik ademde oppervlakkig, sloot mijn ogen.

'Geef haar lucht. Geef haar lucht,' zei Grace Ameh.

Ze verdrongen elkaar.

'Ze krijgt 'n miskraam,' zei Gevangenismoeder.

Do-Re-Mi begon weer in zichzelf te praten. 'La Sol Fa Mi. Si Si Re Mi...'

De dunne stem hief een psalm aan: 'Wie onder de hoede van de Hoogste woont, vertoeft in de schaduw van de Al-mach-ti-ge...'

'Alsjeblieft, geef haar lucht, alsjeblieft...' zei Grace Ameh, boven het tumult uit. Ze klonk angstig. Alles is in orde, wilde ik haar zeggen.

'Hij bevrijdt je uit het net van de vogelvanger, uit alle dreigende geváááren...'

Handen lagen op mijn hoofd. Iemand trapte tegen mijn rug. Ik krulde me op.

'Je hoeft niet bang te zijn voor de verschrikking van de nacht, of voor de pijl die suist overdag. Of voor de pest die rondwaart in het donker, of voor de moordende plaag van de middag...'

Ze maakten nog dat ik stikte, dacht ik.

'Al sneuvelen er duizend aan je ene zij, tienduizend zelfs aan je rechter...'

Er werd hard op de deur gebonsd, en er klonk geroep.

'Wat is er aan de hand daarbinnen? Wat gebeurt er allemaal?'

'Doe je ogen open, dan zul je zien hoe de straf zich aan de bozen voltrekt...'

De celdeur ging kreunend open. Er scheen licht op onze gezichten. Het lawaai stierf weg tot gemompel. De psalm stopte.

Een gedrongen gevangenbewaarster verscheen. Het was degene die ons naar binnen had gebracht. Ze sprak op vermoeide toon: 'Gevangenismoeder, ben je weer moeilijkheden aan het maken?'

Terwijl de vrouwen zich verspreidden, kreeg ik haar eindelijk te zien, Gevangenismoeder. Haar haar hing in vervilte klitten. Zweren hadden haar mondhoeken aangevreten. Ze beefde als een oude vrouw. Ze was van mijn leeftijd.

'Moeilijkheden?' zei ze. 'Hoezo moeilijkheden? Zie je me soms moeilijkheden maken?'

Ik kneep mijn ogen samen tegen het licht.

'Wat ben je met de nieuwe gevangenen aan het doen?' vroeg de gevangenbewaarster.

'Ik? Jíj. Je moest je schamen, 'n zwangere vrouw opsluiten. As ze 'n miskraam had gehad, zat 't bloed van d'r kind aan jouw handen. Aan jouw handen, hoor je. Ik heb voor d'r gezorgd. Ik alleen. As m'n hart niet op de goeie plaats zat, was 'r weer 'n verhaal fout gegaan hier.'

Ze waggelde terug naar haar plekje, krabbend onder haar oksels. De anderen gingen liggen. Ze zagen eruit als de kromgegroeide takken van een boom. De gevangenbewaarster liep tussen hen door.

'Hoe is het vandaag met onze zieke?'

'Wat dénk je?' zei Gevangenismoeder. 'Waarom komt 'r volk 'r niet halen?'

'Ze zeggen dat ze de medicijnen niet kunnen betalen.'

'Breng 'r naar 't ziekenhuis. Ze doet al dagen geen oog open.'

De gevangenbewaarster zuchtte. 'Geef haar dan pijnstillers.'

'Kan ze niet slikken.'

'Maak ze fijn tussen je tanden en stop ze in haar mond. Dat heb je al eerder gedaan.'

Gevangenismoeder hief haar vuisten. 'Hoor je wel wat ik zeg? Ze is bijna dood, zeg ik. Hoe moet ze nou slikken? D'r baarmoeder is verrot. We stikken in die lucht van d'r.'

De gevangenbewaarster zweeg even.

'Ik heb mijn best gedaan,' zei ze toen.

'Niet genoeg,' zei Gevangenismoeder.

De gevangenbewaarster wees naar mij en Grace Ameh. 'Jij en jij,' zei ze, nog steeds vermoeid. 'Volg mij.'

Ik voelde naar nattigheid tussen mijn benen. Ik kwam met gebogen rug overeind en ademde behoedzaam in en uit om mijn misselijkheid onder controle te houden.

'Zorg maar dat 'r een dokter kom,' zei Gevangenismoeder, terwijl wij naar buiten liepen. 'Voor je d'r in dit stinkhol weer 'n dood door schuld bij heb. Als je denk dat ik m'n kop hou, dan heb je 't godverdomme goed mis!'

De gevangenbewaarster verzocht ons snel mee te komen naar de hal, 'voor-het-geval-wat-dat' gewapende overvallers onze auto stalen 'plus-inclusief' de echtgenoot doodschoten; we konden gaan. Ze liet ons vrij, zonder een woord van uitleg. Ze waarschuwde Grace Ameh zich verder buiten de politiek te houden.

Grace Amehs man stond op ons te wachten. We reden terug naar het zaaltje, en nu en dan ving ik zijn frons op in het achteruitkijkspiegeltje. Ik wist niet op wie hij kwaad was: op mij, op zijn vrouw of op de mensen die ons hadden gearresteerd. Het maakte me ook niet uit. Ik wilde alleen nog maar naar huis. Door het open raampje dronk ik met diepe teugen de frisse lucht in.

'Het spijt me dat ik je hierin meegesleurd heb,' zei Grace Ameh voor we afscheid namen. 'Ik vermoedde al dat ze me in de gaten hielden, maar ik had niet verwacht dat ze zo ver zouden gaan. Ga naar huis en blijf daar.' Ze klopte me op de schouder, en ik had het gevoel alsof ze iets van zichzelf op me achterliet.

Om vier uur 's nachts kwam ik thuis. Niyi wachtte op me in de zitkamer. Hij stond op toen ik binnenkwam.

'Wat is er gebeurd? Ik heb vijf uur op je zitten wachten. Ik dacht dat je dood was.'

Ik begon me uit te kleden. Mijn kleren vielen op de grond terwijl ik het hem vertelde.

'Ik geloof mijn oren niet,' zei hij.

'Ik zweer het je.'

'Een paar weken geleden was alles nog normaal in dit huis. Ze hielden politieke toespraken. Waarom ben je niet weggegaan?'

Ik stond in mijn ondergoed, verrast dat dit het nu was wat hij niet kon geloven. Ik mompelde: 'Eén iemand. Eén iemand zei iets.'

'Stel dat ze je daarbinnen in elkaar hadden geslagen?'

'Dat hebben ze niet gedaan.'

'Stel dat, zei ik.'

'Dat hebben ze niet gedaan.'

Hij wierp zijn armen in de lucht. 'Kom nou. Was het niet genoeg dat je in de gevangenis hebt gezeten?'

'Ik heb ze niet gevraagd om mij te arresteren.'

'Je luistert niet. Het gaat niet meer om jou alleen.'

'Ze hebben míj gearresteerd. Jij was er niet bij.'

'Ik heb het over de baby.'

Ik wist niet waarvan hij zich weerhield, me slaan of me in zijn armen nemen.

'Het spijt me,' zei ik.

'Hoe is het nu met je?' vroeg hij.

'Goed,' zei ik.

'Ik weet niet wat ik je nog kan vertellen. Ik weet niet wat ik nog moet zeggen. Jouw leven is ze niks waard. Snap je dat dan niet? Wat moet ik tegen de mensen zeggen als jou iets overkomt?'

'Zeg ze alsjeblieft niks,' zei ik.

Hij liep rakelings langs me heen om de voordeur op slot te doen. 'Je snapt het niet, o-girl. Ik geef niet om hen. Wel om jou. Om jou, en jij bent degene die je mond opendoet, niet ik.'

Ik ging naar boven, in bad, en strekte me toen uit op mijn bed in de logeerkamer. Ik smeekte mijn kind om een tweede kans. De lucht van de gevangenis hing nog om me heen.

Niyi zou nooit iemand vertellen over mijn arrestatie, evenmin als ik. Ik zou mijn uren in de gevangenis oppakken en wegzetten. Do-Re-Mi, Gevangenismoeder, Bekeerlinge, Heilige Geest, de vrouw met de wegrottende baarmoeder. Weg. De volgende dag ging Niyi naar het politiebureau. Ze zeiden hem dat mijn arrestatie een ongelukkig misverstand was. Toen ik twee weken later in de krant las dat het feestzaaltje door vuurbommen in de as was gelegd, en hoorde dat sommigen van Sheri's klanten klaagden omdat ze een nieuwe locatie moesten zoeken voor hun bruiloftsreceptie, hield ik mijn mond. Ik nam het de politie niet kwalijk; ik nam het mezelf kwalijk dat ik mijn kind op het spel had gezet. Nee, ze hadden me niet mogen arresteren, en ja, mensen zouden moeten kunnen zeggen wat ze wilden. Maar een Afrikaanse samenleving rechtuit zeggen dat ze een vrouw als mens moest behandelen was één ding; een Afrikaanse dictatuur rechtuit zeggen dat ze mensen als burgers moest behandelen, was iets heel anders.

Ik had die avond geen moeilijkheden gezocht. Niyi wist het, Grace Ameh wist het, en dat was waarom ze afscheid van me had genomen met de oprechte drang van een moeder die haar ten strijde trekkende zoon op het hart drukt dat hij heelhuids moet terugkeren.

De dag na mijn vrijlating ging ik naar mijn gynaecoloog voor een ongeplande controle, en zodra hij aangaf dat ik in orde was, sloot ik het kantoor voor een week. De week daarna ging ik weer aan het werk, omdat ik wist dat mijn vaders mensen hun brood moesten verdienen, al was het maar twee uur per dag, maar ook omdat ik me realiseerde dat ik nergens in Lagos nog veilig was. Veiligheid was een farce, één grote farce.

Had het geleken alsof er geen einde kwam aan februari, maart dreigde nog langer te duren. Op kantoor druppelde het werk nog maar mondjesmaat binnen omdat mijn vaders cliëntèle ervoor terugschrok om met mij in zee te gaan, terwijl thuis de stilte was hervat. Ik pendelde in een staat van verdoving tussen beide locaties heen en weer. Heel af en toe benam de zorg om mijn vaders veiligheid me de adem, en dan onderdrukte ik het gevoel snel. Ik durfde niet anders. Ik leefde van dag tot dag en stelde me niet langer voor hoe een gevangeniscel eruitzag, nu ik er een vanbinnen had gezien. Ik beloofde mezelf bovendien dat ik niet meer voor de vrouwen in mijn land zou spreken, omdat ik hen nu eenmaal niet allemaal kende.

Op een ochtend kwam ik op kantoor met het vaste voornemen om mijn vaders laden op orde te brengen, waarin allerhande correspondentie kriskras door elkaar lag. Ik was ervan overtuigd dat hij die achter slot en grendel hield voor zijn personeel. Eerst sorteerde ik de brieven van de bank, toen die van zijn boekhouder. Ook de map waarin ik de salarisgegevens vond, nam ik onder handen. Ik trof er de scheidingspapieren van mijn ouders in aan: 'Gelieve er notie van te nemen dat bij bovengenoemde rechtbank door Victoria Arinola Taiwo het verzoek is ingediend een echtscheidingsprocedure in gang te zetten, alsmede om de voogdij over het enige kind toe te kennen...'

Mijn moeder had haar redenen voor het verzoek om echtscheiding gegeven: verwaarlozing en liefdeloosheid; het achterhouden van huishoudgeld; de verscheidene keren dat de echtgenoot niet thuis was gekomen en desgevraagd geen redelijke verklaring voor zijn afwezigheid had gegeven; de verscheidene keren dat hij haar kind had aangemoedigd om haar ongehoorzaam te zijn; oneerbiedigheid tegenover haar kerkgemeenschap; hij had kwaadwillend en valselijk haar geestelijke gezondheid in twijfel getrokken en onenigheid met familieleden geschapen om haar van haar familie te vervreemden; hij had haar veel misnoegen en verdriet bezorgd. Er stond ook iets over een auto. Ik kon niet verder lezen.

Peace kwam binnen.

'Er is iemand voor je,' zei ze.

'Wie?' vroeg ik.

'Je broer,' zei ze.

Ik stond mijn hart niet toe dat het oversloeg. Ik had niets verkeerds gedaan. 'Laat hem maar binnenkomen,' zei ik.

Mijn broer leek op mijn vader, maar was wat langer. Hij had grote ogen. Dat had hij niet van mijn vader. Hij droeg een blauwe kaki broek en een geelgestreept overhemd.

'Debayo,' zei ik.

'Ja,' zei hij.

Zijn haar viel in een v over zijn voorhoofd; dat had hij wel van mijn vader.

'Oom Fatai belde me,' zei hij. 'Ik had eerder willen komen.'

Ik hield elke beweging die hij maakte in de gaten. Hij keek fronsend naar een vlekje op mijn vaders bureau, wreef met zijn duim over zijn bovenlip. Ik hield mijn pen met beide handen vast. Hij wist niet of hij had moeten komen, maar zijn moeder zou het hem nooit vergeven als hij het niet deed.

Het geluid van sirenes buiten legde ons even het zwijgen op. Het had een topambtenaar kunnen zijn die voorbijreed, een veiligheidsescorte voor het geld van de Centrale Bank of een zwarte Maria, zo'n politiebusje dat gevangenen afvoerde.

'Wat voor arts ben je?' vroeg ik.

'Patholoog-anatoom,' zei hij.

'Eh? Waarom dat nou?'

'Zo erg is het nou ook weer niet,' zei hij.

'Een arts voor de doden.'

'Ik had rechten willen studeren,' zei hij.

'Waarom heb je dat dan niet gedaan?'

'Wij allebei hier? Dat had problemen gegeven.'

Hij glimlachte. Ik had geen idee waar hij de goedgunstigheid vandaan haalde.

'Je had er net zo goed recht op,' zei ik.

Hij haalde zijn schouders op. 'Het hoeft niet meer zo nodig, voor Sunny werken. Sommige mensen wilden me die kant wel op hebben. Maar wat mij betreft heeft Sunny voor mij besloten.'

Hij noemde onze vader Sunny. Hij was niet zo op zijn gemak als hij leek.

'Debayo,' zei ik, 'het spijt me, maar ik weet niet waar hij is, en het beetje dat ik wel weet... daar slaap je niet rustiger van, denk ik.'

'Wat weet je?'

Ik vertelde het hem. Hij gaf me een telefoonnummer en vroeg me contact met hem op te nemen als ik meer te horen kreeg. Hij ging later die avond bij oom Fatai op bezoek. Hij zag er niet uit alsof hij zich veel zorgen maakte en klonk alsof hij opgelucht was dat hij aan de verplichting jegens zijn moeder had voldaan. Ik liep met hem mee naar zijn auto, waar we een poosje ongemakkelijk bleven staan. Zijn oren staken wat uit; ook dat had hij van mijn vader. Ik schermde mijn ogen af tegen de zon.

'Waar logeer je?'

'Bij familie,' zei hij en hij voegde eraan toe: 'Mijn familie.'

'Hoe heeft je moeder het opgenomen?'

'Mijn moeder? Ze zijn niet meer samen.'

'Niet?'

'Al jaren niet meer.'

'Dat wist ik niet.'

Hij keek me aan. 'Je weet vast wel dat ik de jongste ben.'

'Nee, dat wist ik ook niet.'

'Dat ik drie oudere zussen heb?'

'Nee.'

'Heeft hij je dan niks over mij verteld?'

'Een beetje. Heeft hij jou iets over mij verteld?'

'Nee,' zei hij.

'Heb je nooit eens bij hem gelogeerd?'

Hij glimlachte. 'Eén keer. Eén keer, in de zomer, toen mijn moeder me op roken had betrapt, en toen was het preek na preek na preek...'

'Wat had je gerookt?'

'Sigaretten.'

'Waarom zei je niet dat hij je met rust moest laten?'

'Tegen hem?' zei hij. 'Ik was doodsbang voor 'm.'

'Was je báng voor hem?'

'Jij dan niet?'

'Nee,' zei ik. 'Niet echt.'

Hij wreef weer met zijn duim over zijn bovenlip. Die leek wel van rubber. Zijn vingernagels waren vierkant tot aan zijn vingertoppen. Dat had hij ook van mijn vader.

Misschien verging het een zoon anders. Maar Debayo had op geen enkele manier zijn hulp aangeboden, dacht ik, en dat zou ik ook niet hebben gedaan als ik hem was.

'Je moet wel de laatst overgebleven arts in Lagos zijn,' zei ik.

'Nee,' zei hij, me letterlijk nemend, 'we zijn met een heel stel. Niet iedereen wil weg, al is de verleiding er wel. We blijven maar horen van de artsen die overzee zijn gegaan; ze boeren er goed, vooral in Amerika.'

'Waarom blijf je?' vroeg ik.

'Werk genoeg.'

'O, allemachtig,' zei ik.

Ik had het idee dat hij dat grapje al heel vaak had gemaakt, en dat hij van mijn afkeuring genoot. Mijn broer kende iedereen op kantoor. Hij gaf Dagogo en Alabi zo'n typisch mannelijke handdruk voor hij vertrok. 'Man mi,' noemden ze hem. Toen ik weer binnenkwam, vroeg ik Alabi: 'Kende je mijn broer zo goed?'

Alabi knikte. 'Hij is onze *padi*.'

'Onze padi-man,' stemde Dagogo in.

'En ik ben niet jullie padi-man?' vroeg ik.

Ze lachten.

'Hard als steen,' zei Dagogo.

'Nog erger dan B.S.,' zei Alabi.

Ik herkende mijn vaders initialen, Bandele Sunday. Terug in zijn kantoor hervatte ik mijn werk. Een paar schoolrekeningen trokken mijn aandacht. Ze kwamen niet van scholen waar ik naartoe was gegaan. Ik keek ze door. Schoolrapporten, brieven van een schoolhoofd. Ik las ze allemaal. Ze betroffen mijn broer. Hij was een bovengemiddelde student, speelde hockey, was goed in wiskunde, was een keer in de problemen gekomen wegens spijbelen. Mijn broer. Het was een begin.

Het eerste waar mijn moeder aan dacht, was dat hij kwaad in de zin had. 'Wat moet hij hier?' vroeg ze. 'Nu ineens wil hij je spreken? Niks van hem aannemen, hoor je me? Wat-ie je ook geeft, in de vuilnisbak ermee. Allemaal leuk en aardig, maar als hij meer over zijn vader wil weten, moet hij oom Fatai maar uitvragen.'

Ik zat naast haar aan de eettafel. Ze leunde eroverheen.

'Geen water, geen licht,' zei ze. 'En nou dit. Ah, ik word er moe van.'

'In elk geval heb je Sumbo om je te helpen,' zei ik.

'Sumbo?' zei ze. 'Die is weg.'

'Waarheen?'

'Ervandoor. Twee weken geleden, nu.'

'Terug naar haar ouders?'

'Die ouders die haar het huis uit hebben gezet? Wie weet. Ik heb ze moeten schrijven dat ze verdwenen is. Op een ochtend werd ik wakker, en ze was er niet meer. Ik heb overal gezocht. Ik ben zelfs naar het politiebureau geweest voor dat meisje. Niks. Er is altijd wat met dat volk.'

Ze was gemakkelijk af te leiden. Mijn moeder had een paar rompertjes gekocht. Ze spreidde ze op tafel uit en hield het gele omhoog.

'Ik haal er nog wel een paar,' beloofde ze.

'Zo heb ik je nog nooit gezien,' zei ik. 'Geef er niet al je geld aan uit.'

'Waarom niet?' vroeg ze. 'Ik heb geld genoeg aan mijn kerk gegeven, en wat heb ik ervoor teruggekregen? Voor het eerst in god weet hoe lang waren mijn tienden deze maand laag. Ze kwamen bij me klagen. Ik zei dat ik andere verplichtingen had. Zij zeiden dat ik God op de eerste plaats moest zetten. Ik zei dat ik dat ook deed. Hij heeft me een kleinkind gegeven, en nu moet ik Hem dankzeggen door voorbereidingen te treffen.'

Ik glimlachte. 'Waarom blijf je toch bij die kerk?'

Ze hief haar hand. 'Ik vraag niet om je mening.'

Ik hief mijn handen ook, een gebaar van overgave. De tranen zaten hoog. De rompertjes, het licht in mijn moeders ogen. Ik maakte me zorgen over haar alsof ze een geheelonthouder was met een glas wijn in de hand. Dit keer moest het goed gaan. Als het niet voor mij was, dan wel voor haar.

Terwijl we de rompertjes opvouwden, vertelde mijn moeder over een geloofsgenezing die niet goed had uitgepakt. Een doof geboren man van haar kerk beweerde dat hij kon horen nadat hij de reiniging had ondergaan. Mijn moeder had de man naderhand gefeliciteerd. 'Verstond geen woord van wat ik zei,' zei ze. 'En ik heb onze voorganger al eens eerder gevraagd: "U zegt dat alleen degenen die in God geloven door de reiniging genezen. Maar zou iemand die in God gelooft niet zo snel mogelijk dood willen om bij Hem te zijn? Waarom zouden die mensen nog willen genezen?" Daar had-ie geen antwoord op. "Wat mij betreft," heb ik hem toen gezegd, "als God mij roept, ben ik bereid."'

Mijn moeders analyse verbaasde me. Niemand die de mensen van haar kerk zo op de hak nam als zij. De helft van hen waren zondaars, zei ze, en muggenzifters, en ze gaven de goedkoopste rommel met de kerst. Ik bescheurde me. Ze was een eersteklas roddelaarster. Ze vroeg me of ik een aluminium schaal terug wilde brengen naar haar huurster, mevrouw Williams, zodat ik haar zou ontmoeten. Mevrouw Williams was een gescheiden vrouw met een hoge functie bij een groot visserijconcern. 'Ze zit daar aan de top, echt aan de top,' zei mijn moeder op vertrouwelijke toon. 'Ze zeggen dat haar man haar de deur uit heeft gezet omdat ze continu op pad was: feestjes, bijeenkomsten van de Lionessen enzovoorts, enzovoorts. Je zou haar eens moeten zien, een knappe vrouw en toch slank. Nou zeggen ze dat ze een vriendje heeft.'

'Da's fijn voor haar,' zei ik terwijl ik de lachtranen van mijn wangen veegde.

'Van de ene dag op de andere, zomaar? Da's niet goed.'

'Je zou het zelf eens moeten proberen.'

Ze wierp me een dreigende blik toe. 'Doe niet zo onbeleefd.'

'Waarom niet? Frist je weer helemaal op. Je moet er wel voor zorgen dat-ie jong is en...'

'Hou je nou op?'

Fris, fris, ik bleef het zeggen om haar te plagen. Uiteindelijk gaf ze me een tik op mijn arm.

'Dit huis uit, Enitan.'

Onderweg naar het huis van mevrouw Williams vreesde ik dat me nog een intiem gesprek boven het hoofd hing, en dit keer zou ik degene zijn die zo in verlegenheid raakte. Hoe oud moest een vrouw zijn voor ze tevreden was met het celibaat? Daar hoorde je niemand over. Of ze zichzelf streelden, of ze er genot van ondervonden, daar hadden ze het nooit over. Ik trok een grimas bij de gedachte. Ik was twintig toen ik mijn vader voor het eerst een vrouw had zien kussen. Hij deed het zoals het hoorde, zoals ze het in de film deden. Hij sloeg een arm om haar middel, boog door zijn knieën, ging weer rechtop staan. Ik had mijn handen voor mijn ogen geslagen en in stilte geschreeuwd. De rest van de dag was ik hem uit de weg gegaan voor het geval ik parfum op hem zou ruiken of zo. Ik had mijn moeder nooit een man zien kussen, zelfs mijn vader niet.

'Jij bent vast Enitan,' zei mevrouw Williams, toen ze het hek opendeed. Haar haar was in ingewikkelde patronen geweven die boven op haar hoofd bijeenkwamen in een miniatuurkroon van vlechten. Ze had een van die jurken aan die nauw om het middel sloten en wijd uitliepen als een tutu, waardoor ze er zo slank uitzag als een tiener, al schatte ik haar zeker eind veertig door de beheerste blik in haar ogen.

'Wat ben jij mooi,' zei ik.

'Nee, jij,' zei ze.

Het hek ging verder open.

'Ik heb veel over je gehoord,' zei ze.

'Goed of kwaad?' vroeg ik en ik liep haar erf op.

'Je moeder en ik zijn vriendinnen,' zei ze, met een blik van verstandhouding.

'Ze bedankt je voor de vis.'

Ik hield de schaal over mijn buik als het schild van een schildpad. Ze keek er even naar.

'Wil je ook wat? Kom binnen, dan pak ik wat voor je.'

We liepen achterom naar haar keuken.

'Ik werk bij Universal Fisheries,' legde ze uit. 'Je moeder heeft het je waarschijnlijk al verteld. Ze geven de staf elke feestdag ingevroren vis mee. Maar we hebben de afgelopen dagen dan weer wel licht, dan weer niet, en als ik het niet weggeef, bederft hij.' Ze veegde met haar voet een speelgoedauto uit de deuropening weg. 'Kijk uit dat je er niet over valt. Ik zeg de kinderen steeds dat ze hun speelgoed moeten opruimen voor ze gaan.'

'Zijn ze niet thuis?'

'Ze zijn bij hun vader.'

In de keuken van mevrouw Williams stond een inklapbare stalen tafel die het vertrek grotendeels in beslag nam. Daarachter stond een enorme diepvries, net als de mijne. Ze haalde er een flink stuk bevroren vis uit.

'Zie je?' zei ze. 'Begint al te ontdooien.'

Ik bleef op afstand terwijl ze de vis in een paar lagen krantenpapier wikkelde en in de schaal legde.

'Alsjeblieft,' zei ze en ze gaf me de schaal.

Die was zwaarder dan ik had verwacht.

'Is dit je eerste?' vroeg ze.

'Ja.'

'Zet hem dan neer,' zei ze. 'De vis. Laat hem staan tot je weggaat.'

Ik zette de schaal op de tafel naast haar. 'Ik heb je kinderen gezien. Je dochter, Shalewa, werd boos op me omdat ik haar niet bij haar naam noemde. Ik denk dat ze het erg vond dat de jongens niet met haar speelden.'

'Laat je niet door haar voor de gek houden. Ze zit haar broers op de kop. Als ze haar maar aanraken, rent ze naar haar vader. Ze brengt zelfs over mij verslag uit.'

'Ze is leuk. Vergeef het haar maar.'

'Haar? Haar heb ik niks te vergeven. Maar weet je? De dag dat je er genoeg van hebt, lopen je benen gewoon vanzelf...'

Ze vertelde haar verhaal, en ik vond het niet erg om te luisteren. Het was goed dat ik eraan werd herinnerd dat iedereen, met of zonder lach op het gezicht, zich wel door tegenslag heen had geworsteld.

'Wat erg voor je, dat van je vader,' zei ze. 'Ik hoor dat jij zijn firma nu runt.'

'Ja.'

'Dat kan niet makkelijk zijn.'

'Ik doe mijn best.'

'Meer kun je niet doen,' zei ze. 'Niet hier. Kijk maar om je heen. Niemand heeft om de sores gevraagd waar hij in zit. Mijn kinderen klagen continu, o, ze willen naar hun vader, o, ze willen computerspelletjes spelen en kabel-tv kijken. Ik zeg ze: "Die kinderen zonder computerspelletjes of kabel-tv, dacht je soms dat die van een andere planeet kwamen?" Voor we hierheen verhuisden, zaten ze altijd binnen naar een schermpje te kijken, van 's morgens vroeg tot 's avonds laat. Nou spelen ze buiten. Krijgen ze frisse lucht.'

'Dat willen ze niet horen.'

'Weet ik, maar soms denk ik: hoe eerder ze het leren, hoe beter. Dan komt de teleurstelling niet zo hard aan. Er zijn geen ivoren torens meer in Lagos. Het is de ene golf na de andere. Je houdt je hoofd gewoon weer wat hoger. Wat anders? Ik was gewend aan al mijn luxe. Nu ben ik eraan gewend om het zonder te doen.'

Ik glimlachte. Ja, wij waren de stad van gebroken overleven-den, kinderen inbegrepen.

'Bomen,' zei ze.

'Hmm?'

'Een beetje boom buigt, maar breekt niet onder de wind,' zei ze.

Die week maakte de overheid bekend dat ze een complot voor een staatsgreep hadden ontdekt. De details in de pers waren vaag, en de nieuwste *Oracle* besteedde er amper een kolom aan. Toen kwa-men de geruchten op gang: er was geen sprake van een staats-greep; dit was een smoesje om nog meer oppositieleden achter de tralies te krijgen. Een oud-legerminister en zijn secretaris werden aangehouden. Meer arrestaties volgden.

De overheid had de pers gewaarschuwd om niet over de staats-greep te speculeren. De mensen begonnen zinloze grappen te ma-ken, als een geslagen volk: 'Je zit toch niet te speculeren, hè? Waar-om speculeer je nou? Ze hebben toch gezegd dat je niet mag spe-culeren? Ik speculeer niet met je mee, hoor.'

Ik stak intussen mijn kop in het zand van onzinnige verhalen en redactionele stukken. Een vrouw was vermoord door haar huisjongen. Hij had haar lijk binnen laten liggen en gebruikte haar auto voor zijn eenmans-taxiservice. Ik kon het beeld niet uit mijn hoofd zetten. Volgens een ander verhaal liep er een kanni-baal rond. Een moordenaar in de stijl van Dahmer of een terugval naar heidense gebruiken, speculeerde de redacteur, die immers nergens anders over mocht speculeren. Iemand had voor een aardig bedrag radioactief afval van overzee overgenomen en het in zijn dorp gedumpt. De dorpelingen zetten hun radio's op boomtakken in de hoop dat de radioactiviteit de batterijen weer op zou laden. Aanleiding tot nog meer grappen.

Ik las de angstaanjagendste verhalen om maar aan mijn eigen leven te ontsnappen, en kreeg nog twee verrassingsbezoeken op kantoor. Het eerste was van oom Fatai, die na de lunch langskwam, net toen ik mijn schoenen had uitgeschopt omdat mijn voeten begonnen op te zwellen. Ik stond op toen hij binnenkwam. Hij gebaarde me te gaan zitten en wurmde zich in de bezoekersstoel. Voor het eerst merkte ik hoe zwaar hij ademde onder het praten.

'Ik ga naar Londen,' zei hij, 'me laten onderzoeken.'

'Ik hoop...'

Hij wuifde mijn bezorgdheid weg. 'Jaarlijkse controle. Niks om je druk over te maken. Mijn problemen waren al voor de helft opgelost als ik niet zo dik was. Heb je iets nodig?'

'Nee, dank u.'

Nigerianen hielden nog steeds massaal pelgrimages naar Londen, waar alleen ons geld welkom was.

'Nog nieuws over je vader?' vroeg hij.

'Nee.'

Zijn knokkels vormden kuiltjes toen hij zijn handen tegen elkaar legde. 'Hij komt vast binnenkort vrij, die ouwe Sunny... ehm... personeel uitbetaald?'

'Ja,' zei ik.

'Goed zo,' zei hij.

'En de cliënten?'

'Die blijven weg,' zei ik.

'Dat was te verwachten.'

'Debayo is hier langs geweest, oom,' zei ik.

Ik hield hem scherp in de gaten. Er was geen reactie.

'Ja,' zei hij, 'bij mij ook. Hoe is het met je man?'

'Goed,' zei ik.

'En met je moeder? Ik heb geen tijd gehad om haar op te zoeken.'

'Ze maakt het goed, dank u.'

'Goed zo,' zei hij.

Oom Fatai was er niet aan gewend meer met me te bespreken dan wat de plichtplegingen voorschreven. Zijn vragen raakten op en hij vroeg nog maar eens hoe het met mijn moeder ging. Toen hij eindelijk wankelend en wel uit de stoel overeind kwam, had ik hem gemakkelijk te hulp kunnen schieten, zo lang deed hij er-over. Hij haalde een zakdoek tevoorschijn en veegde zijn voor-hoofd af.

'Weet je, ehm... je bent geen kind meer, Enitan. Je vader, hij ehm... heeft zich altijd schuldig gevoeld over je broertje... dat hij er niet was toen je moeder hem meenam naar de kerk en zo.'

'Ja,' zei ik.

'Sunny heeft jou altijd gekoesterd. Hij is je als een kind blijven zien. Dat was fout van hem. Maar weet je, een Afrikaanse man kan niet sterven zonder een zoon achter te laten.'

Achter de deur kon ik mijn collega's horen praten. Ik wilde zeggen dat ik niet wist hoe ik als een Afrikaanse vrouw moest den-ken. Dat ik alleen wist hoe ik als mezelf moest denken.

'Ja, oom,' zei ik.

'Het werd tijd dat je je broer ontmoette,' zei hij. 'Ik heb altijd te-gen Sunny gezegd dat hij jullie vanaf het begin bij elkaar moest brengen, maar Sunny is eigenwijs.'

'Ja, oom,' zei ik.

'Zorg goed voor jezelf.'

'Goede reis, oom,' zei ik.

De tweede bezoeker was Grace Ameh. Ze glimlachte net als op de dag dat ik haar voor het eerst had ontmoet, en ik was blij haar te zien.

'Ben je alweer aan het werk?' vroeg ik en ik omhelsde haar.

Ze had weer een jurk aan. Deze was lichtgeel met een geplooi-de rok, en ze had haar bruinleren portfolio bij zich. Als een kame-raad klopte ze me op de rug.

'Lieve kind, ik laat me aan hen toch zeker niks gelegen liggen.'

'Ik hoop dat ze je niet nog steeds in de gaten houden.'

'Ze zijn me waarschijnlijk goed beu. Ik ren van hot naar her.'

'Slecht volk.'

Ze legde haar portfolio op het bureau. 'Ik kom je iets vragen.'

'Ja?'

'Ik vroeg me af of je je wilt aansluiten bij een campagne, voor Peter Mukoro en al onze vrienden in de gevangenis, inclusief je vader. Er komen nog meer arrestaties, dat weet ik zeker, met dat rookgordijn van de coup.'

'Ja.'

'Een groep echtgenotes heeft het initiatief genomen. Ik denk dat ze zich buitengesloten voelen van de bredere campagne. Ze zoeken iemand die hun woordvoerder wil zijn. Ik denk dat jij er geknipt voor zou zijn.'

'Ik?'

'Jij bent de meest geschikte kandidaat. De andere is klerk bij een bank, werkt fulltime en heeft drie kleine kinderen. Bedenk dat we in de beginfase zitten. We hebben nog niet zoveel leden. Tien hooguit.'

'Willen ze mij?'

'Ik weet dat je zo je bedenkingen had toen we het er de eerste keer over hadden, maar dat moet nu toch wel anders liggen.'

Ik hoorde Niyi's waarschuwing weer. 'Ja, ik wil mijn vader uit de gevangenis hebben.'

'Het kan weleens zijn dat je meer moet dan alleen willen. Als ze staatsgrepen uit de lucht grijpen, kunnen ze daar ook samenzweerders vandaan plukken.'

'Mijn vader?'

'Iedere willekeurige gevangene. Ik heb altijd gezegd dat mannen voor land vechten en vrouwen voor familie.'

Ik was het daar niet mee eens, maar ze was overgeschakeld op haar journalistieke modus en drong me in de pro-democratische hoek.

'Ik weet het niet,' zei ik. 'Laat ik heel eerlijk zijn: ik ken de agenda van jouw krant. Ik heb hem regelmatig gelezen. Ik voer geen campagne voor afgezette burgerpolitici, als dat is wat je van me vraagt.'

In haar ogen flikkerde ongeduld.

'Sorry,' zei ik. 'Maar ze geven geen snars om democratie. Hebben ze nooit gedaan, alleen om macht. Zoals ik het me herinner: ze gooiden kwartjes naar dorpelingen, manipuleerden verkiezingen, staken leden van de oppositie in brand, verrijkten zich over de rug van...'

'De militairen verrijken zich net zo goed. Hebben ze altijd gedaan.'

'Op hen hebben we niet gestemd, op de burgerpolitici wel. Bij de laatste verkiezingen ging ik alleen stemmen omdat er een verkiezing was. Om geen enkele andere reden.'

'Die verkiezing is zo eerlijk verlopen als kon. En niemand voert campagne voor politici. Het gaat ons om het democratische proces. Laat dat proces beginnen. Goede wil komt dan vanzelf.'

'En als er weer een coup wordt gepleegd? Niks weerhoudt het leger ervan om weer binnen te dringen.'

Ze kende de feiten beter dan ik. De ene staatsgreep na de andere, vooral aan de westkust van Afrika. 1963: Sylvanus Olympio van Togo, vermoord. 1966: Tafawa Balewa, onze eerste minister-president, vermoord. Datzelfde jaar: Kwame Nkrumah van Ghana. Vanaf dat moment was er geen houden meer aan. In de rest van de wereld wist niemand dat Afrikaanse soldaten tegen Hitler hadden gevochten, maar het was algemeen bekend dat we onze regeerders met de regelmaat van de klok afzetten, burgeroorlogen ontketenden van Somalië tot Liberia, oproer kweekten van Algerije tot Angola.

'Wil je nou zeggen dat we niet voor democratie vechten vanwege de dreiging van een coup?' vroeg ze.

'Ik zeg dat een democratisch bewind er niet in zit zolang we een leger hebben.'

'Elk land heeft een leger nodig om zijn volk te beschermen.'

'Kennelijk hebben we in Afrika vooral een leger nodig om ons volk af te slachten.'

Ze glimlachte. 'Je bent niet praktisch. Politici met oprechte bedoelingen en een land zonder leger. Na wa, ik hoop dat je er niet over denkt om je kandidaat te stellen voor het presidentschap.'

'Nee.'

'Dus, neem je in plaats daarvan genoegen met onze kleine campagne?'

Nu dacht ik aan mijn uren in de gevangenis.

'Over een paar maanden heb ik een kind waar ik rekening mee moet houden,' zei ik.

'Ik zou je niet in gevaarlijke situaties brengen.'

'Vertel, in welke situaties breng je me wel?'

'Laat eens zien, een groepje echtgenotes dat eens per maand bijeenkomt bij een van hen thuis om te doen waar vrouwen goed in zijn. Roddelen.' Ze knipoogde.

'Ik heb nog nooit de kans om te roddelen aan me voorbij laten gaan.'

Ze glimlachte.

'Geef me wat tijd,' zei ik, 'alsjeblieft.'

'Natuurlijk,' zei ze.

Zij hadden ook tijd nodig, zei ze, om geld in te zamelen. Het was hun doel om de arrestaties onder de aandacht te brengen. De echtgenotes hadden het idee dat alleen vooraanstaande namen werden genoemd. Grace was het daarmee eens. 'De gevangenen worden niet gelijkwaardig behandeld.'

Intussen zou ze zelf niet in Lagos zijn, maar op jacht naar een verhaal in de Nigerdelta. Op de protesten tegen olieconcerns waren arrestaties gevolgd. 'Peter Mukoro komt uit die streek,' vertelde ze. 'Het had zijn verhaal moeten zijn. Hij is de zoon van een Urhobo-boer.'

'Had hij geen onenigheid met zijn familie om de boerderij?'

'Nee, de onenigheid was met een oliebedrijf. Het heeft zijn vaders boerderij vernietigd. De ironie ervan is dat hetzelfde oliebedrijf Peter Mukoro een studiebeurs heeft aangeboden. Hij wees die af en werd journalist.'

'Dat wist ik niet.'

'Er zijn er maar weinig die het weten. Hij is een echte zoon van het land.'

'Ze zeggen dat het een woestenij is, daar in de Delta.'

'Je zou het moeten zien,' zei ze. 'Olielekken, onvruchtbaar akkerland, dorpen in de as gelegd. Ze bidden daar niet meer om regen. De regen verschrompelt hun gewassen.'

'Olie.'

'Het heeft altijd al om olie gedraaid. De macht erover. Ze zeggen dat we niet door één deur kunnen, praten over etnische spanningen, Afrikanen die niet klaar zijn voor de democratie. Wij weten precies waar we met dit land heen willen, maar een stel hebberige lui houdt ons tegen.'

Ik dacht weer aan Niyi. 'Mijn man zegt dat hij in ons land vijf mannen kan aanwijzen die onze nationale schuld zo kunnen afbetalen, en wel honderd overzeese bedrijven met een hogere omzet dan onze hele olieopbrengst bij elkaar. Volgens mij is het beter als de oliebronnen opdrogen. Misschien dat we dan eindelijk leiders krijgen die zich bezighouden met het runnen van dit land.'

'Misschien wel. Maar intussen is hun hebberigheid ons probleem. Hier, maar in de rest van Afrika evengoed.'

Droogten, hongersnoden, ziekten. Maar de grootste vijanden van dit continent waren wel de weinigen die onze natuurlijke rijkdommen in handen hadden: olie, diamanten en mensen. Ze verkochten alles en iedereen aan kopers overzee.

Grace Ameh pakte haar portfolio op.

'Moet je al weg?' vroeg ik.

'Ja,' zei ze. 'Om eerlijk te zijn, ik weet niet hoe lang we het nog volhouden. We houden onze redactionele vergaderingen tegenwoordig in kerken en moskeeën. De overheid heeft ons gewaarschuwd vooral niet te speculeren over de coup. Heb je het al gehoord?'

'Ik speculeer niet.'

'Ze arresteren iedereen die dat wel doet.'

'Waarom ga jij door?' vroeg ik, toen ik haar uitgeleide deed. 'Je hebt een gezin om aan te denken, en je riskeert je leven voor een verhaal.'

Ze glimlachte. 'Omdat ze ons arresteren en onze kantoren platbranden? De getuigenis van een land of een volk kun je niet vermoorden. En dat is waar we voor vechten, de kans om gehoord te worden. En trouwens, ik hou van mijn land.'

Hield ík van mijn land? Ik meende dat ik nergens anders kon leven. Ik hoopte dat ik nergens anders begraven zou worden. Was dat genoeg om te zeggen dat ik van mijn land hield? Ik kende het amper. Er waren zesendertig geografische staten, ontstaan vanuit de driedeling in noord, west en oost die de Britten hadden gemaakt voor ik werd geboren. Mijn vader kwam uit een stadje uit de middelste regio, mijn moeder uit de westelijke. Ze woonden in Lagos. Ik was hier geboren en getogen. Mijn voorrechten hadden me dan wel niet blind gemaakt, maar er waren wijken in de stad die ik nooit had gezien, nooit had hoeven zien. Wat dat aanging, ik had het grootste deel van mijn lánd niet gezien, zelfs de Delta niet waarover Grace Ameh het had. Ik sprak ook maar één van onze talen, het Yoruba.

Er waren momenten dat mijn hand aanvoelde als die van een lepralijder als ik mijn Nigeriaanse paspoort tevoorschijn haalde; een douanier zou me aan kunnen zien voor een van die drugssmokkelaars die ons wereldwijd een slechte naam bezorgden. Maar bij andere gelegenheden sprong ik vlot in de bres voor de vrouwen van mijn land, Afrikaanse vrouwen, zwarte vrouwen. Wat was precies dat land waarvan ik hield? Het land waarvoor ik zou vechten? Zou het wel grenzen moeten hebben?

Uit mijn raam ving ik een glimp op van Grace Ameh, terwijl ze ons kantoor uit liep. Ze bleef staan om rietsuiker te kopen bij een van de vrouwen aan de overkant van de straat. De vrouw zat er al sinds vanmorgen vroeg, zou er waarschijnlijk de hele dag blijven zitten. Haar waar kon niet meer dan twintig naira waard zijn. De goedkope pen in mijn hand had meer gekost. 'De mensen lijden honger,' zeiden ze vaak, vooral als het politieke debat verhit raakte. 'Daar op straat sterven mensen van de honger!' Ik had horen zeggen, niet zonder trots, dat wij niet hetzelfde soort honger kenden als in andere Afrikaanse landen, waar de mensen stierven omdat hun lichaam uiteindelijk alle voedsel weigerde. In mijn land zag honger er altijd uit als een kind met een opgezwollen buik, en ik vond dat niemand, behalve degenen die honger leden, het recht had om erover mee te praten. Niet tenzij wij bereid waren om de helft van ons voedsel weg te geven. Maar de vrouw die haar rietsuiker aan de man bracht, zou zij beter eten op de belofte van stemrecht? En als haar kinderen honger leden, kon ze dan haar stembriefje in stukken scheuren om het hun te voeren? Ik was er vrijwel zeker van dat ze niet zou stemmen, maar de uitslag van de verkiezingen werd beschouwd als de wil van het volk. Een paar dappere mensen kregen een kogel door het hart terwijl ze die volkswil verdedigden. Ik hoorde niet bij hen. Ik bleef de rest van de dag thuis. De overheid had ons gewaarschuwd niet deel te nemen aan protesten en onze moeders prentten ons die boodschap thuis nog eens in. Welke vrijheid was het nou waard om voor te sterven? Soweto, Tiananmen Plein. Weet je nog?

Ik lag op bed. Eén arm over mijn buik, de andere achter mijn hoofd. Door de klamboe heen kon ik uit mijn slaapkamerraam de satellietschotel op het dak van het huis aan de overkant van de straat zien. Het was het soort middag waarop ik de kleren van mijn lijf kon rukken. We hadden geen elektriciteit.

Ik dacht aan campagnes, aan militaire decreten, aan grondrechten. In een democratisch systeem met een geldende grondwet kon een burger misstanden aan de kaak stellen, zelfs al was het systeem niet perfect. Met het leger aan de macht en zonder grondwet was er hooguit protest mogelijk, vreedzaam of gewelddadig. Ik dacht aan mijn land, waar ik niets voor had gedaan. Als ze een Lagosiaanse was, zou ze me recht in mijn gezicht uitlachen: 'Heb je me te eten gegeven? Heb je me kleren gegeven? Nee. Dus ga uit mijn ogen, met dat ellendige smoel van je.'

Beneden zat mijn schoonmoeder met Niyi te kletsen over *frajon*, een gerecht dat voor Goede Vrijdag werd gemaakt. 'Kan Enitan geen frajon maken?' hoorde ik haar vragen. 'Wat raar. En het is zo makkelijk. Ze hoeft de bonen maar een nachtje te laten weken, ze te koken tot ze zacht zijn, dan malen in de blender, kokosmelk erdoorheen roeren en koken met wat nootmuskaat. Maar ze moet de nootmuskaat wel in katoen wikkelen. Weet je nog dat je oom zijn tand erop brak? Dat wil je niet laten gebeuren, hè? Nou dan. En als de frajon klaar is, kan ze de visstoofpot maken. Heb je vis? Niet met te veel graten, en ik bak hem liever niet, maar dat moet ze zelf weten. Frajon is zo makkelijk te maken. In mijn tijd had je er veel werk aan. Vroeger moesten we de bonen en de kokosnoten malen op een plaat, dan zeven...'

Ik draaide me op mijn zij en stelde me voor dat ze mij in een lap witte katoen hadden gewikkeld en me in de kokende frajon hadden gedoopt. Als ik doodging zou ik verantwoording moeten afleggen over mijn tijd op aarde. Wat zonde als ik dan alleen maar kon zeggen dat ik had gekookt en gepoetst. Wat jammer als ik niet eens een piepkleine zonde op te biechten had.

Ik stelde me voor dat ik naar beneden beende, met mijn vuist op de keukentafel sloeg en schreeuwde: 'Mijn huis uit, jullie!' Mijn longen volzoog zodat de president in zijn presidentiële paleis het nog zou kunnen horen: 'Mijn land uit, jullie!'

Ik kwam overeind en kleedde me helemaal uit. De spiegel van de kaptafel was kort, dus ik kon alleen mijn torso zien. Ik vond de zwelling van mijn buik mooi; rond, strak gespannen, de ronding van mijn heupen zacht, mijn tepels groter, donkerder. Ik was in vier maanden niet aangeraakt.

'Enitan?'

Mijn schoonmoeder stond in de deuropening. Ik rende naar mijn bed om mijn kleren te pakken. Ik struikelde en viel bijna.

'Ga zitten,' zei ze uiteindelijk.

Ze klopte op het bed, en ik ging in opperste verwarring naast haar zitten. Ze sprak zonder haar woorden door elkaar te husselen. 'Niyi heeft me alles verteld. Ik wil dat jullie twee ophouden met dat geruzie. Het is genoeg geweest.'

'Ja, ma,' zei ik.

Ze pakte mijn hand.

'Ik ben niet in deze familie geboren. Ik ben erin getrouwd. Het is niet makkelijk voor me geweest als jonge bruid. Ik had net de verpleegstersopleiding afgerond toen ik Niyi's vader leerde kennen. Hij was een moeilijke man. De Franco-mannen zijn moeilijk. Maar weet je, kindje, als twee rammen met de koppen tegen elkaar slaan, gebeurt er niets tot er eentje een stapje terug doet.'

'Ik weet het, ma.'

'Goed. Wat je voor je vader deed, dat was goed. Maar het was fout van je om het niet eerst met je man te overleggen. Hij is het hoofd van dit huishouden. Hij heeft het recht om het te weten. Goed. Wat er daarna gebeurde, daar zat Niyi fout, vind ik. Je vrouw negeren omdat ze zo'n vergissing heeft gemaakt. Dat was fout. Ik heb tegen hem gezegd: "Je kunt je vrouw niet zo behandelen. Dat kan echt niet. Zeg wat je te zeggen hebt, als een man, en laat het achter je."'

'Ja, ma.'

'En jij, jij moet leren dat een vrouw zich opoffert in het leven. Het zou je niets mogen kosten om je man zijn zin te geven omwille van de vrede in huis.'

'Ja, ma.'

'Laat dit dan het laatste woord zijn. Hoor je me? Ik wil niet nog een dochter kwijtraken.'

Ze omhelsde me, en ik hield mijn adem in. Zo dicht wilde ik haar niet bij me. Ze putte me uit zoals goedhartige mensen dat deden. Op een of andere manier gaf ik uiteindelijk aan haar toe, alsof ik misbruik van haar maakte als ik dat niet deed. Ze vastte met de veertigdagentijd, zei ze, voor de baby.

'Bedankt, ma,' zei ik.

Niyi en ik liepen met haar mee naar de auto. Nadat ze was weggereden, stonden we elkaar op onze kleine oprit aan te kijken. 'Het spijt me,' zei hij. 'Ik kon je zo'n risico niet laten lopen. Ik heb liever dat je me haat.'

Hij draaide met zijn voeten rondjes in het grind en ging toen rechtop staan, met zijn handen in zijn zakken. Vier maanden hielden ons gescheiden alsof ik aan mijn wijsvinger had gelikt en een onuitwisbare lijn in de lucht had getrokken. Waar moest ik beginnen?

'Ik haat je niet,' zei ik.

Die nacht droomde ik in de logeerkamer, een droom zo helder als een voorspelling. Ik had een pasgeboren baby in mijn armen. 'Hij is dood,' hoorde ik mijn moeder zeggen. Ik probeerde haar te troosten, maar hoe meer ik dat probeerde, hoe groter haar verdriet werd. Ik begreep dat het mijn baby was. Ik werd wakker met een onverdraaglijke pijn. Ik waggelde onze slaapkamer in en deed het bedlampje aan.

'Wat is er?' vroeg Niyi.

'De baby,' zei ik. 'Hij schopt.'

Hij klopte op mijn kant van het bed en ik glipte erin. Ik ging dicht tegen hem aan liggen om mijn hartslag tot rust te brengen. Hij legde zijn hand over mijn buik.

'Wat is daarbinnen gaande?'

Mijn ogen waren groot. 'Is dit normaal?'

Hij gaf een klopje op mijn buik. 'Ja. Hé, wie je ook bent, laat je moeder eens slapen.'

Op Goede Vrijdag maakte ik frajon met mijn schoonmoeder. Zij had familie uitgenodigd en ik Sheri. Sheri en ik zaten aan de keukentafel terwijl Pierre de borden waste die in stapels om hem heen stonden. Wij werden omringd door lege flesjes Star-bier en coca-cola. We waren moe. Sheri had de kinderen van haar nichtje meegenomen, Wura en Sikuru. Sikuru hadden we naar de woonkamer verbannen, waar hij met de armen om zich heen slachtofferig van voor naar achter wiegde. Ik had geen kind van vier ooit zo vaak brokken zien maken. Buiten was hij in botsing gekomen met bloempotten, had hij zijn knieën open gehaald en zijn hoofd, dat zo groot was dat hij voor Nefertiti door had kunnen gaan, tegen de paal van de waslijn gestoten. 'Sikuru! Sikuru!' riepen we, als we hem weer hoorden kermen. Na een tijdje klonken we als een stel duiven, of als een stel van die oude tantes op wie wij nooit zouden lijken. Zijn zus, Wura, zat bij ons, vijf jaar oud en met haar haren naar achteren in iets wat op een konijnenstaartje leek. Ze keek zo strak naar mijn buik dat ik er zenuwachtig van werd en haar vroeg wat ze wilde.

'Coca-cola,' zei ze.

'Op jouw leeftijd mocht ik geen coca-cola,' zei ik.

'Van mijn mama mag het. Van toen ik de waterpokken had.'

'Waterpokken?'

'Ja. En toen deed mijn nek pijn, daarom.'

Ze wees.

'Keel,' zei Sheri.

'Keel,' herhaalde ze. 'En allemaal pokken, pokken, pokken.' Ze kneep in haar arm en hief een waarschuwende vinger: 'Maar krabben mag niet. Krabben mag niet, dat is tegen de regels. En als je wel krabt, worden je pokken alleen maar groter, zo groot als een ballon.'

Ze spreidde haar armen wijd en hield mijn verbazing voor medelijden.

'Het was heel erg,' zei ze schor. 'Mag ik nou mijn coca-cola?'

Ik begon te ademen alsof ik persweeën had. Toen ik Wura frajon gaf, was het: 'Eh, ik hoef die frietjon niet.' 'Free-djon,' verbeterde ik haar. 'Mag ik wat vis?' vroeg ze. Ik gaf haar een schepje van de stoofpot die ik van de vis van mevrouw Williams had gemaakt. 'Eh, die vis is veel te heet,' zei ze. 'Tantetje, mag ik een koekje?'

Ik gaf haar een glas coca-cola. Ze dronk het in één teug leeg, boerde en ging op zoek naar haar broer, met van cafeïne glimmende ogen. Lieve Wura. 'Mag ik van de tafel af?' vroeg ze. Toen ik ja zei, zei ze: 'Bedankjewel.' Ik vergaf haar alles.

'Zijn alle kinderen zo?' vroeg ik aan Sheri.

'Bereid je maar voor,' zei ze.

Pierre kwakte het bestek in de gootsteen. Ik schoof mijn kom opzij. Ik had al twee porties frajon op en wat van Sheri's gestoofde krab, die zo lekker was dat ik hem voor de rest van het gezelschap had verstopt.

'Ik word vast een verschrikkelijke moeder,' zei ik.

Sheri rekte zich uit. 'Verheug je je er niet op?'

'Jawel. Ik heb alleen geen tijd gehad om erover na te denken.'

Helemaal op mijn gemak was ik niet, om met haar over het moederschap te praten, maar ik was me bewust van een aanwezigheid vanbinnen die al even oneindig was als God. Ik maakte me oprecht zorgen dat ik mijn kind tot in de grond zou verwennen.

'Het is hard werken.'

'Dat merk ik.'

Niyi kwam de keuken in. 'Pierre, een glas water. Vlug.'

Hij legde zijn hand op mijn schouder, en Sheri bekeek hem zoals ze altijd naar mannen keek, met opgetrokken wenkbrauwen en haar ogen op zijn middenrif gericht. Niyi wreef over mijn schouder en ging weer.

'Praat hij weer tegen je?' vroeg Sheri.

'Ja.'

'Je bent toch niet meer boos op hem?'

'Ik heb tijd nodig.'

Tijd hielp niet, dacht ik. Vergeten, dat wel.

Sheri leunde achterover in haar stoel. 'Het is goed dat je je broer hebt leren kennen.'

'Ik zou hem best aardig kunnen vinden.'

'Dat mag ik hopen,' zei ze.

'Ik hóéf hem niet aardig te vinden, Sheri.'

'Dat zeg ik ook niet.'

'Maar ik weet wat jij denkt. In jouw familie slaat iedereen de handen ineen...'

'Ik heb nooit gezegd dat we perfect zijn. Toevallig kunnen we elkaar lijden, en goddank, want ik weet niet wat er anders zou gebeuren in dat kleine dorp dat mijn vader heeft achtergelaten.'

'Wil je daar soms iets mee zeggen?'

'Als ze zich nou eens bij één vrouw hielden, dan was ons leven een stuk simpeler.'

'Ah.'

'Maar wij zijn net zo schuldig aan wat we elkaar aandoen. Ik ken geen man die vreemdgaat met zichzelf.'

'Nee.'

'Dus. Beide partijen hebben schuld. Ik zeg het steeds tegen mijn zussen. Zorg dat die jongens jullie niet zo slecht behandelen. En dan zeggen ze: "Maar wij zijn niet zo sterk als jij." Sterk. Ik weet niet eens wat dat woord betekent. Maar kijk naar de manier waarop we zijn opgevoed, met twee vrouwen in één huis en één man. Mama Kudi's beurt om voor papa te koken. Mama Gani's beurt om met papa te slapen. Een meisje zou niet met dat soort beelden moeten opgroeien. Maar zo zit mijn familie in elkaar. Ik heb het geaccepteerd.'

We accepteerden de wereld waarin we geboren werden, al voelden we vanaf het begin aan wat goed was en wat fout. De protesten en de haat konden naderhand komen, met de bevestiging dat ons leven beter had kunnen zijn, maar de acceptatie was er altijd.

Pierre liep de keuken uit met een fles water en ik waagde het om over een schreef te gaan.

'Ben je nieuwsgierig naar je moeder?'

'Hm.' Haar lippen werden een dunne streep.

'Nieuwsgierig genoeg om naar haar op zoek te gaan?'

'Niet op die manier.'

'Waarom niet?'

'Stel dat ze me niet wil kennen?'

'Stel dat ze denkt dat jij er zo over denkt?'

'Ik ben er niet klaar voor. Echt niet.'

'Ik sta achter je als je zover bent.'

Ik kon me niet voorstellen dat ik zo vervreemd zou zijn van mijn moeder. We luisterden een poosje naar het gepraat van de Franco's in de woonkamer.

'Kun jij jezelf als getrouwde vrouw zien?' vroeg ik.

Ze haalde haar schouders op. 'Als ik iemand met gezond verstand tegenkom. Maar wat ik tot nu toe heb gezien: de rijke man wil je toekomst hebben, de arme je verleden. Sommige mannen zijn gewoon slonzig, en je kent mij, ik kan niet tegen rommel. Andere willen per se kinderen, en tja...'

'Ben je nooit boos?'

'Waarop?'

'Als je terugkijkt.'

'Ik leef met de dag. Ik kan niet terugkijken. Ik heb mijn zaak, er hangen meer dan genoeg kinderen om me heen. Er zit altijd wel iemand achter me aan. Ik heb nog steeds een knap toetje. *Abi?*' Ze zoog haar wangen hol. 'Andere mensen maken zich zorgen om mij. Ik, ik heb geen zorgen, behalve als ik doodga.'

'Waarom dan?'

'Wie moet mij begraven?'

'Ik,' zei ik en ik prikte tegen mijn borstkas.

'En als jij nou eerst gaat?'

'Dan begraaft mijn kind je,' zei ik.

Sheri had twee moeders. Waarom zou mijn kind dat niet hebben?

'Wat ik graag zou willen,' zei ze. 'Echt heel graag, *sha*, is om voor kinderen te werken. Weet je dat ik erop heb geoefend om dat te zeggen, bij de Miss World-verkiezing? Ik had, serieus, een hele toespraak uit mijn hoofd geleerd, kinderen zijn onze toekomst, dat soort dingen. Een heleboel woorden, niet zomaar één. Ik was woest toen de jury me wegstemde voor ik de kans had gekregen om ze uit te spreken. En op een dag dacht ik er weer aan terug. Kinderen lopen hier op straat te bedelen en de mensen rijden er gewoon aan voorbij. Iedereen is ze beu. Sla de krant open en er vraagt iemand om een behandeling in een westers ziekenhuis voor zijn kind. Waarom geen geld inzamelen? En ik dacht bij mezelf...'

'Wat?'

'Een liefdadigheidsorganisatie. Ik ben er goed in om mensen om geld te vragen. Ik weet dat mensen en die fotografen altijd en overal kiekjes van me nemen. Waarom die niet gebruiken? Het enige wat me tot nu toe tegenhoudt, is dat ik het niet kan uitstaan als mensen mijn handel en wandel kennen. Maar daar raak ik wel aan gewend. Een kleinigheid.'

Het werk paste beter bij Sheri dan ze zelf dacht. Een liefdadigheidsorganisatie. Haar onvriendelijkheid was een voordeel. Ze intrigeerde mensen. Iedereen die ze benaderde, zou zich vereerd voelen. Ze zou het geweldig doen.

'Dat moet je doen,' zei ik. 'Je bent er goed in en je zult er nog van staan te kijken hoe erg je de aandacht hebt gemist. Het is niks voor jou om op de achtergrond te blijven. Wat, had je je dan voor de rest van je leven willen verstoppen omdat de mensen kletsen? Laat ze kletsen. Op een dag vragen ze zich af wat ze zelf met hun leven doen. Het maakt niet uit waarvoor, de mensen komen erop af of ze je zaak nou belangrijk vinden of niet. Ze kopen kaartjes, geven geld, als ze maar herkend worden. Je moet het echt doen, Sheri. Als je me dit eerder had verteld, had ik meteen mee gedaan.'

'Ik denk er serieus over, misschien aan het einde van het jaar. Ik moet een naam hebben en beheerders...'

'Neem mij. Wij regelen het papierwerk voor je op kantoor. Je wordt de beste liefdadigheidsorganisatie in heel Lagos.'

Haar geboortemoeder en het moederschap waren haar afgepakt, maar je zou haar niet zich de kleren van het lijf zien rukken en in haar blootje over straat zien gaan. Ze was sterker dan de sterkste mens die ik kende. Het woord 'sterk' had vaak de connotatie dat iemand emotioneel en fysiek te weinig wisselgeld kreeg en daarmee moest leven. Ik was altijd voortgedreven door angst, angst voor vernedering, voor pessimisme, voor falen. Ik was niet sterk.

Sheri maakte plannen voor de volgende bedevaart naar Mekka. Ik kon me haar niet voorstellen als een Alhadja. Ze moest op zijn minst een gouden tand laten zetten om aan mijn idee van een Lagosiaanse Alhadja te voldoen. Er kwamen nog meer gasten, en ze besloot dat het voor haar tijd werd om te gaan. Ik liep met haar mee naar haar auto en toen ik terugkeerde in de keuken, schepte mijn schoonmoeder borden vol frajon.

'Laat mij maar, ma,' zei ik en ik wilde de schaal naar me toe trekken.

'Nee, nee,' zei ze. 'Jij hebt meer dan genoeg gedaan.'

Ze trok op hetzelfde moment als ik aan de schaal, en de schaal werd zowaar een punt van strijd. Ik deed een stap terug terwijl zij zich erover boog. Het kwam in me op dat ze naar haar leven zocht, naar het ongeboren kind in haar dat iedereen behalve zichzelf ter wereld had gebracht. Ze was te sterk, zo sterk dat ze met een man kon leven die haar niet eens aankeek als ze iets tegen hem zei. Ze was een menselijk stootkussen.

Pierre kwam binnen met nog meer vuile vaat en rammelde wat met het bestek in de gootsteen.

Ik liep de zitkamer in. Niyi zat op de vloer aan de voeten van zijn oom Jacintho. Oom Jacintho leunde over hem heen en praatte op de gedempte toon van de Franco's. Alsof je je neus in een oliepomp stak, dacht ik. Oom Jacintho was een gepensioneerde professor in de rechten en de ongekroonde koning van de Latijnse frasen: *de jure, de facto, ex parte, ex post facto.* Hij mocht graag een glaasje drinken, al nam niemand met betrekking tot hem ooit het woord 'dronkaard' in de mond.

Niyi knikte beleefd. Als onze vrienden hier zaten, zou hij nu waarschijnlijk mensen gaan stangen, op eigen houtje of om mij te ondersteunen, door deze of gene te vertellen dat ik de baas in huis was. Zodra ze de voordeur achter zich hadden dichtgetrokken, was het Enitan-wil-je-even-dit-of-dat? Met zijn familie over de vloer begon het Enitan-wil-je-even-dit-of-dat al in hun aanwezigheid, en ik kon niet weigeren omdat zij dan een hekel aan me zouden krijgen, zei hij. Ik keek naar hem en voelde medelijden. Het was geen leugen: hij nam me in bescherming. Net zoals ik hem in bescherming nam. Ik wilde niet dat iemand hem een zwakke man noemde, zelfs al vond ik dat zijn familie beter zo snel mogelijk een hekel aan me kon ontwikkelen. Dan kon ik tenminste mijn gang gaan.

Ze waren met een man of twintig, en als er zoveel familieleden bijeenkwamen, moesten er wel eigenaardige types tussen zitten: oom Funsho, die elke keer als hij me omhelsde aan mijn bh frunnikte; tante Doyin, de schoonheid die zich in een kamer had opgesloten. Ze droeg nog steeds de pruiken en de lichtroze lippenstift die begin jaren zeventig in waren geweest. Mooi was ze niet meer, omdat de man om wie ze zichzelf had opgesloten, haar gezicht als boksbal gebruikte als een andere man naar haar keek. Dan had je haar dochter Simi, met vlechten tot op haar achterste, brutaal als de Braziliaanse samba. Te cool om te glimlachen of lief te doen. Wat was dat toch met die nieuwe generatie? Ik vond hun tartende houding geweldig. Simi liep rond in een t-shirt dat haar navel bloot liet. Nadat ze een neuspiercing had laten zetten, zeiden de Franco's dat ze zwanger zou raken, maar dat was niet gebeurd. Ze studeerde voor accountant, maar haar universiteit was gesloten na een studentenprotest. En Kola, haar broer, die er altijd even terneergeslagen uitzag omdat zijn familie hem zijn hele leven al een slome noemde. 'Verrekt het om te leren, blijft maar plaatjes schieten en denkt dat dat genoeg is,' zeiden ze. Ik wist dat hij dyslectisch was. En dan had je Rotimi, zijn neef. Rotimi, met zijn hoge stem. Niyi en zijn broers probeerden de mannelijkheid in hem te slaan met joviale klappen op de schouder, met speelse stompen in zijn magere ribbenkast. 'Spreek toch als een man! Spreek toch als een man!' Ik waarschuwde hen: 'Je vermoordt die jongen nog voor hij zijn seksuele voorkeur kent.' Nu had hij een vriendin, en zijn stem was nog steeds hoog.

Knoestig en plomp, die Franco's, dacht ik bij mezelf. De oudere én de jongere generatie. Bij tijd en wijle was ik jaloers op ze. Wanneer hadden wij ooit familie over de vloer gehad? Mijn moeders familie was haar kerk. Mijn vader meed de zijne omdat ze altijd geld van hem moesten hebben.

'Bigfoot,' zei ik. Dat was Niyi's jongste broer, de langste en magerste van het stel.

'Yep,' zei hij.

'In de benen,' zei ik.

Hij kwam naar me toe als een soort wilg. Bigfoot was mijn lieveling, zo onhandig als hij groot was, met schoenmaat vierenveertig.

'We kunnen hulp gebruiken in de keuken,' zei ik.

'Wie?'

'Je moeder, de vrouw die jou op de wereld heeft gezet.'

'Waarmee?'

'Eten opdienen.'

Hij fronste. 'Ik weet niet hoe dat moet.'

'Niemand weet hoe dat moet. Het is iets wat je leert. Dus ga die keuken in, anders zal ik die vriendinnen die je elke keer meebrengt en op wie je zo graag indruk maakt, eens wat over je vertellen.'

'Dat zou je niet doen.'

'Vraag je broer maar wat voor een gemeen mens ik ben.'

'Stelletje vrouwenemancipationalisten,' mompelde hij.

Hij nam de schaal uit zijn moeders handen. 'Ga zitten, vrouw,' beval hij haar.

Ze ging aan de keukentafel zitten kijken. 'Weet Bigfoot hoe dit moet? Bigfoot? Weet jij hoe dit moet? Ik dacht dat ik niks aan je had, net als aan de rest van mijn jongens.'

Bigfoot knoeide stoofpot op zijn overhemd en brulde.

Die avond vond ik een jurk in mijn kleerkast. Hij was niet van mij. Hij was van tiedye-stof en splinternieuw. Ik dacht dat ik op ontrouw was gestuit.

'Wat is dit?'

Ik hield de jurk op. Niyi lag op ons bed.

'Kan een man niet eens een vriendinnetje hebben?' mopperde hij.

'Van wie is hij?'

'Je had hem nog niet mogen zien. Hij is van jou.'

Ik hield hem voor. 'Van mij?'

'Voor Pasen.'

'Je hebt me nog nooit iets gegeven voor Pasen. Wie heeft hem gemaakt?'

Ik keek in de spiegel.

'Jouw naaister,' zei hij.

'Je bent bij mijn naaister geweest?' Ik boog me naar hem toe. 'Jíj bent bij mijn naaister geweest?'

Hij knikte. 'Nou weet ik waar onze centen naartoe gaan. Die vrouw heeft een grotere ventilator dan wij in dat hokje van haar.'

Niyi noemde me Jackie O. Ik rende vaker naar mijn naaister dan welke vrouw dan ook die hij kende, ondanks al mijn principes. Hij overdreef verschrikkelijk, maar het was waar dat het water me in de mond liep bij de gedachte aan nieuwe kleren. Ik snoof aan de jurk. Ik kon het zweet van de vingers van mijn naaister nog ruiken op de stof.

'Dankjewel,' zei ik, de jurk als een schild voor me houdend.

'Jij ook,' zei hij. 'Je hebt veel gedaan vandaag.'

'Dat weet ik,' zei ik.

Bovendien knipte ik zijn teennagels voor we naar bed gingen. Dat deed ik altijd, omdat hij het zelf niet deed en dan langs mijn benen kraste. Terwijl ik de strijd aanbond met drie maanden nagelgroei, kon ik hem eindelijk over de ontmoeting met mijn broer vertellen.

'Die mannen,' zei hij. 'Ik snap niet hoe ze het doen. Ik heb er niet eens voor gekozen om twee gezinnen te hebben, en toch voel ik me het grootste deel van de tijd maar een halve man.'

'Sinds wanneer voel jij je een halve man?'

'Kijken waar je knipt.'

'Wat moet ik met een halve man? Ik heb een man nodig die voor twee telt. Hoeveel jaren zijn we nou samen, met geruzie en al. Ik wil dat jij mijn grootste bondgenoot bent.'

'Ben ik ook.'

'Ben je niet.'

'Daar gaan we weer.'

'Stilzitten,' zei ik.

'Knip mijn voet er niet af!'

Hij schopte me niet en ik knipte verder. We spraken weer met elkaar.

'Mijn liefde voor jou,' zei hij, 'je weet niet half hoe groot die is.'

Baba kwam de volgende dag zijn maandelijkse loonzakje halen. 's Zondags verzorgde hij nog steeds mijn vaders tuin, en 's zaterdags werkte hij in de tuin van een huis vlakbij.

'Het is goed om u weer te zien,' zei ik. 'Hoe gaat het met u?'

Ik praatte met hem in het Yoruba en sprak hem met het formele 'u' aan, omdat hij van een oudere generatie was. Hij antwoordde al even formeel, omdat ik zijn werkgever was. Het Yoruba maakt geen onderscheid tussen de seksen – hij en zij en hem en haar zijn dezelfde woorden – maar respect tonen is belangrijk.

'Goed,' zei hij. 'Met u ook, hoop ik. Hebt u van uw vader gehoord?'

'Nog niets.'

'Ik ga er morgen werken.'

'Neemt u me niet kwalijk,' zei ik.

Hij wachtte bij de keukendeur terwijl ik zijn geld haalde. Toen ik terugkwam, voelde ik een lichte trek door de hordeur. Ik gaf hem het geld.

'Het is koud,' zei ik.

'Het gaat regenen,' zei hij.

'Regenen? Zo vroeg al? De regen gedraag zich raar tegenwoordig.'

'Ja,' zei hij.

'U kunt er maar beter niet door overvallen worden,' zei ik.

'Ik zal me haasten.'

Ik wreef over het kippenvel op mijn armen. Onderweg naar boven stelde ik me voor hoe Baba zich door de regen naar de dichtstbijzijnde bushalte haastte. Hij was zo oud geworden dat ik moeilijk kon geloven dat hij dezelfde was die me door de tuin had nagezeten toen ik klein was. Ik zei tegen Niyi dat ik hem een lift zou geven en daarna bij mijn moeder langs zou gaan. 'Ze voelt zich de laatste tijd wat minder,' zei ik.

'Alweer?' zei hij.

'Daar kan zij niks aan doen,' zei ik. 'Ze zou zich liever goed voelen.'

Ik had Niyi – de man die zonder geeuwen luisterde naar hoe zijn vader de loftrompet stak over zichzelf – gevraagd om niet altijd en eeuwig met een smoesje de deur uit te gaan als mijn moeder op bezoek kwam. Meestal zei hij dat hij naar kantoor moest. Mijn moeder maakte zich zorgen dat hij te veel hooi op zijn vork nam.

Ik trof Baba bij de hekken van onze compound aan en gaf hem een lift naar de dichtstbijzijnde bushalte. We reden langs een marktplein. De lucht was grijs geworden en de marktvrouwen waren zich aan het voorbereiden op de regen. Ze gooiden lappen plastic over hun houten kraam en legden die met grote keien vast. Kinderen liepen haastig weg met volle houten trays op hun hoofd. Sommige waren woeliger dan de wind, van pure opwinding. De trays waren felgekleurde paletten, met tomaten, rode pepers, rode uien, okra's en bananen. Een bord aan een van de kraampjes trok mijn blik:

wij speciaalizeren in
gonnereu
sifilis
Aid
waterige sperma

'Ik wist niet dat u op het vasteland woonde,' zei ik.

'Ik ben verhuisd,' zei Baba. 'Zo'n tien jaar terug. Ik woonde eerst in Maroko. Daar joegen ze ons weg en hebben ze onze huizen platgegooid. Uw vader liet me in de bediendevertrekken wonen tot we een nieuw huis hadden gevonden.'

'Dat wist ik niet.'

'U woonde bij uw moeder. Ze kwamen die dag met doodskisten naar ons toe. Ze zeiden dat we daarin terechtkwamen als we niet vertrokken.'

Als Baba 'ze' zei, bedoelde hij iemand in uniform; leger, politie, busconducteurs. Hij had machthebbers zien komen en gaan: de Britten, de Eerste en Tweede Republiek, de junta's.

Ik remde af om een groep ventsters te laten oversteken.

'Hebt u gestemd bij de verkiezingen?'

'Ja. Ze zeiden dat ik een x moest zetten, en ik heb een x gezet. Nou zeggen ze dat mijn x niks betekent. Ik snap het niet.'

Hij zei 'hiks' in plaats van 'iks'.

'Ze doen hetzelfde als hun voorgangers,' zei ik.

'Die?' zei hij. 'Ze zijn veel erger dan hun voorgangers. Het is nog nooit zo geweest. Ik kijk ernaar en ik zeg, het is net...'

Baba nam de tijd om zijn zin af te maken. Ik wachtte af.

'Het is net alsof ze ons haten,' zei hij.

Ik zette hem af bij de bushalte. Toen hij instapte, begon het te regenen. Dikke druppels sloegen een gordijn op mijn voorruit; de ruitenwissers konden het amper bijbenen. Ik reed langzaam en zag weer dat bord aan het kraampje:

wij speciaalizeren in
gonnereu
sifilis
Aid
waterige sperma

Mijn gezicht was nat, en de damp sloeg ervanaf. De goot voor mijn moeders huis was in een modderrivier veranderd. Mijn moeder kwam niet naar de deur op mijn aanbellen, dus haastte ik me achterom om te zien of haar keukendeur open was. Die was open. Ik liep naar boven terwijl ik de regen van mijn armen veegde, klopte op haar slaapkamerdeur.

Ik rook haar dood al voordat ik haar zelf zag.

'Mama!' schreeuwde ik.

Ze lag op de vloer, vlak voor een lege kandelaar. Ik greep haar bij de schouders en schudde zachtjes, boog me over haar heen om naar haar hartslag te luisteren. Er klonk geen geluid. Ik rende haar huis uit en slikte regen door.

Op de veranda voor het huis van mevrouw Williams stak Shalewa haar teen in een regenplas. Ze wierp één blik op mij en verstijfde. Ik rammelde aan het hek. 'Shalewa, waar is je moeder?'

'Boven.'

'Doe het hek open. Alsjeblieft.'

Shalewa rende de regen in.

'Zeg dat Enitan van hiernaast er is. Zeg dat ik haar moet spreken. Alsjeblieft.'

Ze haalde het hek van het slot, en ik volgde haar naar binnen.

Volgens mevrouw Williams was het niet verstandig om een ambulance te bellen. 'Misschien komen ze, misschien ook niet,' zei ze, alsof ze het over de winstmarge van die maand had. 'We zullen haar in mijn busje naar het ziekenhuis moeten brengen. Shalewa?'

'Ja, mama?'

'Haal de telefoon eens voor me, lieverd.'

'Ja, mama.'

Ze had om ons heen gehangen, geprobeerd onze fluisteringen op te vangen. Terwijl haar moeder in de eetkamer aan de telefoon was, zat ik bij Shalewa in de zitkamer. Ze trok een kleedje heen en weer over een bijzettafeltje en zong een popliedje; niet een dat ik kende, '*Treat me like a woman*', onder tersluikse blikken. Ze wist dat ik had gehuild.

Mevrouw Williams kwam de zitkamer weer in.

'Ik heb hulp gevonden,' zei ze. 'Ik kan nu maar beter het ziekenhuis bellen. Jij blijft hier, en ik kom je halen als we zover zijn.'

Wie zou mijn moeder dragen? dacht ik. Haar armen, haar benen. Ze zouden voorzichtig met haar moeten doen, alsof ze sliep, alsof ze wakker kon worden.

Zodra haar moeder de deur uit was, hervatte Shalewa haar spelletje met het kleedje. Ik wilde haar zeggen dat ze zich geen zorgen moest maken, maar kinderen wisten wanneer ze werden voorgelogen, en ze zou zich toch verantwoordelijk voelen voor mijn verdriet. Ze zong verder. '*Treat me like no other...*'

Haar moeder kwam terug.

'Shalewa,' zei ze, 'ga jij naar Temisan?'

Shalewa knikte.

'Goed zo, meisje. Ga naar boven en haal je schoenen. Haar moeder komt je zo halen.'

Shalewa rende naar boven, met een klein glimlachje. Ze struikelde op de trap en liep overdreven mank verder.

'Zal het wel gaan met haar?' vroeg ik.

Haar moeder knikte. 'Ik leg het haar straks wel uit. We kunnen nu beter gaan.'

Ik zag dat ze haar mobieltje in de hand had, maar mijn handen trilden zo dat ik niet kon bellen. Ik vroeg of zij het wilde doen.

Onderweg naar het ziekenhuis zat mevrouw Williams steeds in zichzelf te praten: 'Ik hoop dat de politie ons niet aanhoudt. Die controleposten, weet je...'

De ruitenwissers hypnotiseerden me. Keer op keer scheurden ze het regengordijn open en ik sloeg mijn armen om me heen, niet omdat ik het koud had, maar omdat mijn moeder achter in dit busje lag, gewikkeld in witte beddenlakens. Boven ons hoofd roffelde de regen zegswijzen op het autodak:

Laten onze tranen ons zicht verhelderen.
Hij die zijn moeder verloochent zal geen rust kennen.

Onder ons gutste de regen over de aarde.

'Ik wist dat er iets was,' mompelde mevrouw Williams. 'Er moest iets zijn. De regen, het giet gewoon, en zo vroeg al.'

Mijn moeder had al een dag dood gelegen. Toen ik later haar medicijnen bekeek, zag ik dat een aantal ervan opnieuw gedateerd waren. Ik wist niet waar ze ze vandaan had of hoe lang ze al over de datum waren. Ik nam aan dat ze ze had gekocht omdat ze goedkoper waren.

Mevrouw Williams waste haar. De assistent-verpleegster had het niet willen doen.

'Er zijn er meer,' zei ze. 'Zij zal moeten wachten.'

'Maar ze heeft al te lang gewacht,' zei Sheri.

Sheri maakte zich zorgen; moslims begroeven hun doden binnen een dag. De assistente had haar schouders opgehaald. Haar ogen waren als die van een dode vis, ingezonken en grauw. Te veel, zeiden ze. Ik heb al te veel gezien, snap je dat dan niet? Wat je verhaal ook is, het laat me koud.

'Is er iemand anders?' vroeg Sheri.

'Alleen ik,' zei de assistent-verpleegster. 'Alleen ik is d'r.'

Ergernis was in haar stem geslopen. Ze was van de ene voet op de andere gaan staan, had verder gewild met haar werk. Wie waren die mensen? Dat kwam het mortuarium maar binnen, liep maar in de weg.

Sheri wendde zich tot mevrouw Williams. 'Wat doen we nu?'

Ik stond in de deuropening met Niyi. Ik had boven drie uur

lang zitten wachten. Niyi was eerst gekomen, toen Sheri.

'Ik kan haar wel wassen,' had mevrouw Williams tegen mij gezegd.

Ik voelde Niyi's hand. Hij voerde me naar buiten, de gang op.

Een week later begroeven we mijn moeder op het kerkhof van Ikoyi, naast een engel met gebroken vleugels. Het kerkhof stond vol onthoofde standbeelden. De struiken groeiden er boven de grafzerken uit. Mijn broer lag hier ook begraven, maar de kavels naast hem waren al bezet. Ik betaalde het plaatselijke gemeentekantoor voor een kavel bij de ingang. Tijdens de begrafenis weigerden de ingehuurde dragers haar doodskist verder te brengen voor we hen hadden betaald.

'Daarvoor zul je branden in de hel,' zei onze priester.

'Meneer pastoor,' zei de gedrongen man die het geld uit Niyi's hand had gegrist, 'de hel of Lagos? Ik weet niet welke van de twee erger is.'

Met samengeknepen ogen telde hij de biljetten. Een van zijn maten geeuwde en krabde aan zijn kruis.

Na mijn moeders begrafenis kon ik twee dagen lang geen hap door mijn keel krijgen. Op de derde dag ging Niyi met me mee naar de prenatale controle, en aan het einde daarvan zei de arts: 'Wat ik zie, staat me niet aan. De baby groeit niet naar behoren.'

'Enitan eet de laatste dagen niet,' zei Niyi.

'Waarom niet?' vroeg de arts.

'Ze heeft geen trek,' zei Niyi.

'Dan moet ze trek krijgen,' zei de arts. 'Kan haar moeder niet wat lekkers maken?'

Het was een oude man en hij nam geen blad voor de mond. Normaal gesproken trok ik me daar niets van aan, omdat hij ook een van de beste gynaecologen van Lagos was. Niyi wilde het uitleggen, maar ik tikte op zijn arm. Mijn mond was zo droog dat ik de woorden nauwelijks gevormd kreeg.

'Mijn moeder is dood,' zei ik.

Bij onze thuiskomst dook Niyi de keuken in om een maaltijd te koken. Ik lag op bed toen hij het eten bracht. Gebakken pisangs.

Goudbruin en gaar, anders dan de verkoolde, vanbinnen nog rauwe brokken die ik hem altijd voorzette. Hij pakte er een en bracht hem naar mijn mond. Met wijsvinger en duim duwde hij mijn lippen vaneen. De pisang gleed mijn mond binnen, warm en zoet. Ik sloot mijn ogen toen hij aan mijn verhemelte bleef kleven, haalde hem met mijn tong omlaag en begon te kauwen.

Als ik als kind een malaria-aanval had gehad en de koorts week, lag er een bittere smaak in mijn mond. Ik had een hekel aan die bitterheid. Alles wat mijn mond in kwam smaakte ernaar, maar het betekende dat ik aan de beterende hand was: geen overstelpende misselijkheid meer, geen barstende hoofdpijn. De pisang in mijn mond smaakte me niet, maar vanaf dat moment begon ik weer te eten.

Mijn dochter Yimika werd op de ochtend van 3 augustus geboren. Tussen het moment dat de krekels gaan slapen en de hanen wakker worden, vertel ik haar. Nadat mijn vliezen waren gebroken, smeekte ik dat ze me als een vis zouden schoonmaken. Toen zag ik haar. Ik barstte in tranen uit.

'Ze is prachtig,' zei ik.

Als een parel. Ik had haar schoon kunnen likken. Ik had maar één wens voor haar: dat ze haar leven lang niet onterfd zou worden. Ik koos Sheri als haar peetmoeder. Ze zou begrijpen waarom. Volgens de Yoruba-traditie had Yimika 'Yetunde' kunnen heten, 'moeder is teruggekeerd', bij wijze van eerbetoon aan mijn moeders heengaan, maar ik besloot haar niet zo te noemen. Iedereen moet ongehinderd zijn levenspad bewandelen. Het hare zou niet makkelijk zijn, geboren als ze was in een moederland dat haar kinderen als bastaards behandelde, maar het bleef haar moederland. En ik maakte me er geen zorgen over dat ze niet op een wat meer bevoorrechte plek was geboren, zoals in Amerika, waar de mensen zo vrij waren dat ze de sterren uit de hemel konden kopen en ze naar hun kinderen konden noemen. Als je vanaf je geboorte al een ster in je bezit hebt, waar kun je dan nog naar reiken?

Mijn melk overviel me, trok aan mijn schouders en schoot verzengend door mijn borstkas. Ik ging rechtop in bed zitten en knoopte mijn nachthemd open. Yimika's kleine mondje zoog zich vast aan mijn ene tepel. Blauwwitte melk spoot uit mijn andere. Ik bedekte die met een tissue uit de doos op mijn nachtkastje. De airco blies koude lucht over mijn wangen; ik ging achteroverliggen.

Toen mijn borst zachter werd in haar mond, werkte ik hem voorzichtig los en legde haar aan de andere. Yimika zoog zich met dezelfde verbetenheid vast en ik zette mijn tanden in mijn lip om de pijn de baas te blijven. Haar handjes bewogen langs mijn ribben. Het enige wat haar ribben van de mijne scheidde, was een zacht, roze katoenen rompertje. Ik frummelde aan haar kleine tenen.

De nacht dat ze was geboren, was ik te moe om nog iets anders te doen dan haar vasthouden. De dag erna werd ik in mijn ziekenhuiskamer overweldigd door bezoek. De dag daarna trotseerde ik mijn hechtingen en ging naar huis. 'Het hoofdje van deze hoeven we niet in te drukken,' zei mijn schoonmoeder. 'Het is al rond.'

Ze stelde voor dat we haar op traditionele wijze zouden wassen, in een verstikkende sandelhoutwalm, en dat we haar benen zouden strekken. Ik sloeg het aanbod af en legde haar in een wieg naast mijn bed; ik gaf haar wel een kattenwas. Nadien bekeek ik aandachtig haar oren. Ze waren even donker als mijn handen, wat betekende dat ze op mij leek. Met mijn vingers volgde ik haar ruggengraat, waar mongolenvlekken haar huid bont en blauw hadden gekleurd. Ik verbond haar navelstreng, voelde de hartslag onder haar ribben. Ik stelde me haar hart voor, roze, vochtig, kloppend. Achter op haar hoofd zat een klein kaal plekje dat me zorgen baarde, al zei de arts dat het maar een moedervlek was. Ik zei hem dat hij maar beter zeker kon zijn van zijn zaak, want als haar iets overkwam, sloegen mijn verstandelijke vermogens op tilt en was ik niet meer te houden.

Ik dacht terug aan mijn moeder. Op sommige momenten kwam het verdriet in alle sterkte opzetten, en ik merkte dat het me troostte als ik Yimika dicht tegen me aan hield. Zo klein als ze was, lag ze zwaar als een presse-papier op mijn borst. Ik kon uren naar haar gezicht kijken. Ze had haar vaders ogen, als twee halvemanen. Ik wist dat ze zouden schitteren.

Niyi schuifelde in zijn pyjama naar binnen. Hij sliep in de logeerkamer omdat Yimika hem 's nachts wakker hield. Hij krabde aan zijn schouder. 'Hoe gaat het?'

'Het doet pijn,' zei ik. 'Mijn hele lijf doet pijn, alsof ze het merg uit mijn botten zuigt.'

'Waarom lach je dan?'

Ik had gehoord dat sommige vrouwen dagenlang huilerig waren na de geboorte van hun kind, omdat hun lichaam niet naar rede wilde luisteren. Ik had amper een traan gelaten. Als vrouwen huilden, kwam dat misschien omdat ze overweldigd waren door de macht die ons was geschonken.

Niyi kwam op bed zitten en aaide over Yimika's hoofdje.

'Ze is zo klein,' zei hij.

'Veel te klein,' zei ik en zachtjes strekte ik elk vingertje afzonderlijk.

'We moeten 'r vetmesten voor haar debuut.'

Ik drukte haar dichter tegen me aan. Het was nog vier dagen tot haar doopfeest. Ik streelde zijn wang. 'Ik kan het allemaal niet geloven. We moeten ons van nu af aan gedragen. We hebben een heerlijk gezin.'

Een poosje keek hij toe alsof hij overzicht hield.

'Komt Sheri vandaag weer?' vroeg hij.

'Ja,' zei ik.

'Ze is een geweldige hulp.'

'Ze is fantastisch met kinderen.'

'Ik voel me wel schuldig. Wat ik allemaal over haar heb gezegd.'

'Echt waar?' vroeg ik.

Hij schudde zijn hoofd. 'Nope.'

Hij moest naar zijn werk. Sheri kwam toen de kapster die mijn vlechten uithaalde, bijna klaar was. Ze had stoofpot van gemalen yam en okra bij zich uit haar familierestaurant.

'Je haar is lang geworden,' zei ze.

De kapster pakte een volgende vlecht en pulkte die los met een kam. Haar prijs was omhooggegaan sinds de laatste keer, maar de prijs van voedsel ook, had ze gezegd. De vloer van de veranda lag vol haarextensies. Yimika sliep in de kinderwagen naast Sheri. Zweetdruppels liepen langs mijn rug en ik plukte mijn nachthemd van me af. Ik bekeek mijn spiegelbeeld in de handspiegel. Het verbaasde me hoe lang mijn haar was geworden, hoe veel mijn gezicht was veranderd. Daar waar mijn huid donkerder was geworden, lag een schaduw over mijn wangen.

De kapster haalde de laatste vlecht uit. Ik hief de spiegel op om haar werk te inspecteren.

'O-o,' zei ik.

Sheri kwam wat naar voren. Ik liet de spiegel zakken toen ze mijn haarlijn inspecteerde.

'Je hebt grijze haren,' bevestigde ze.

'Ik ben pas vijfendertig.'

'Ik had ze al toen ik negenentwintig was. Verf ze.'

'Ik ga ze niet verven,' zei ik. 'Waarom zou ik?'

De kapster trok mijn haar naar achteren. Ze had geen woord gezegd sinds ze was begonnen, maar het was duidelijk dat ze van mijn onbehagen genoot.

Ik betaalde haar en ze vertrok. Yimika maakte een jammergeluidje in haar kinderwagen, en ik haastte me naar haar toe. Ze sliep nog, glimlachend zelfs. Ik ging er liever van uit dat ze een fijne droom had, maar Sheri vertelde me dat er een boertje dwarszat. Haar haar was vochtig van het zweet. Ik kon me er niet van weerhouden om haar op te pakken. Als ze sliep, miste ik haar. Haar armen hingen over mijn handen en haar mondje ging open.

'*Alaiye Baba*,' fluisterde ik. 'Meesteres van de aarde.'

Ze had zo'n plompe keizerin kunnen zijn, met slaven die de druiven voor haar pelden. Ik gaf haar een kusje. Haar wimpers fladderden open.

'Ons vriendinnetje is wakker,' zei ik.

Sheri kwam naar me toe en nam haar voorzichtig over. Ze

maakte klakkende geluidjes en wiegde haar. We stonden bij een bed wandelende joden en ik bekeek ze vorsend, alsof ik ze net had geplant. Een kolonistenagaam schoot over de verandavloer en verdween tussen twee potten vrouwentong door in de tuin.

'Gefeliciteerd, mama.'

Ik draaide me verrast om. Het was Grace Ameh.

Vanaf het moment dat ze mijn huis in stapte, keek ze haar ogen uit. 'Ik ben bij je kantoor langs geweest om je op te zoeken. Ze vertelden me over je moeder. Mijn condoleances. Ik vind het heel, heel erg voor je.'

Ik was in verlegenheid nu we ons op mijn territorium bevonden. Alsof we vreemden waren die gedwongen gebruikmaakten van dezelfde wc.

'Dat je de tijd hebt om hierheen te komen,' zei ik.

'Vorige maand zijn we dichtgegaan. Dat was ons laatste nummer.'

'Wat jammer,' zei ik.

'Ja,' zei ze, op haar gebruikelijke kalme manier. Ze bagatelliseerde haar worstelingen zo overtuigend dat je bijna zou geloven dat ze haar geen parten speelden.

'Eet met ons mee,' zei ik.

Het was een genoegen om haar te zien eten, hoe ze haar brood sopte, een stukje afbrak en in haar mond stopte. Tussen de happen door vertelde ze over journalisten en activisten die na de zogenaamde coup in maart waren veroordeeld. Hun werd medeplichtigheid aan hoogverraad ten laste gelegd.

'Een farce,' zei ze.

Ik legde mijn vork neer. 'Ze zeggen dat het Gemenebest sancties zou moeten opleggen.'

'Het Gemenebest,' snoof ze.

'Denk je dan niet dat dat iets zou uitmaken?'

'Het zijn onze problemen. Wij moeten ze oplossen en niemand anders. Ik ben niet iemand die het Westen te hulp roept. Zelf hebben ze hun zaakjes ook niet op orde. Vrijheid van meningsuiting, mensenrechten, democratie. Er zijn mensen die zeggen dat democratie te koop is. Trouwens, hun leiders zitten in een spagaat; ze kunnen ons niet helpen als ze daarmee hun kiezers benadelen. We zullen naar binnen moeten kijken, zelf oplossingen zoeken. Trouwens, ik heb wel vertrouwen in Afrika. Een continent dat iemand als Mandela voortbrengt? Alle vertrouwen.'

Als in tegenspraak daarmee zag ze er vermoeid uit. Ik was het niet helemaal met haar eens. Intellectuelen als zij hadden een hekel aan buitenlandse bemoeienis. Net zoals de Nigeriaanse elite een hekel had aan ontwikkelingshulp en er altijd over klaagde hoe bevoogdend die was, terwijl het de Nigerianen die om hulp zaten te springen echt niet uitmaakte uit welke hoek die kwam. Sheri ondervond tegenwoordig hoe moeilijk het precies was om geld los te peuteren bij rijke Nigerianen. Ze bezwoeren haar hun steun en verdwenen vervolgens van het toneel. Ik wist niet hoe ver de buitenlandse bemoeienis in onze plaatselijke politiek reikte – door de cia ondersteunde groeperingen en moordaanslagen inbegrepen – maar was het te veel gevraagd om te verwachten dat andere landen zich voor ons welzijn inzetten, als het merendeel van de van ons gestolen rijkdommen in hun economie werd geïnvesteerd?

'Economische sancties,' zei Sheri. 'Laten we realistisch blijven. Wie wordt daardoor geraakt: brigadier Dikbuik of de Mammy Market?'

'Precies,' zei Grace Ameh.

'Je weet dat er gevangenen zijn die helemaal niks van doen hebben met de politiek,' zei ik.

'Ik begrijp je niet.'

'De helft van wat er in de gevangenis zit,' verduidelijkte ik.

'Ik weet het,' zei ze. 'De meesten wachten er hun proces af. Sommigen gaan dood voor ze een rechtszaal vanbinnen hebben gezien.'

Ik vond dat ik haar genoeg had geplaagd.

'Wanneer beginnen we met de campagne?' vroeg ik.

'Zodra jij er klaar voor bent.'

Mijn hart begon sneller te slaan.

Grace Ameh bleef na het eten nog een poosje. Ze wilde de lunchspits vermijden. Nadat ze was vertrokken, ruimde ik de tafel af terwijl Sheri voor Yimika zorgde.

'Hier heb je me nooit iets over verteld,' zei ze.

'Och,' zei ik.

'Wat vindt Niyi ervan?'

Ik veegde de tafel schoon met ronde halen.

'Hij weet het niet.'

'Ga je het hem vertellen?'

'Vandaag.'

Ze lachte. 'Ga je de barricaden op, aburo?'

De ronde halen werden allengs kleiner.

'Stapje voor stapje,' zei ik.

Ik waste mijn haar en deed het in twee vlechten, en ging in een bak pekelnat zitten om van mijn hechtingen te genezen. Ik moest mijn best doen om de doezeligheid van me af te schudden die me na Yimika's geboorte in haar greep had gekregen. Tegen de tijd dat Niyi van zijn werk kwam, was ik er klaar voor.

Ik keek toe terwijl hij zich in onze slaapkamer uitkleedde. Hij stapte uit zijn broek, legde die over een stoel. Alsof het hem te binnen schoot dat ik hem had gevraagd dat niet te doen, pakte hij de broek van de stoel en legde hem op het bed. Het gebaar maakte me verdrietig. Wat waren we toch scherp tegen elkaar, en wat een tijd hadden we verspild aan wat we niet wilden, waar we niet van hielden. Was dat alleen maar omdat we donders goed wisten dat we niet moesten vragen om wat we toch niet zouden krijgen? Onze grappen hadden ons huwelijk staande gehouden, realiseerde ik me ineens. Zolang we die deelden, bevonden we ons in een veilige zone. Nu hadden we geen grap meer over, behalve die ene over die man die twee keer op rij de verkeerde vrouw had gekozen.

'Grace Ameh kwam vandaag langs,' zei ik.

'Wie?'

'Grace Ameh, de journaliste van de *Oracle*.'

'Wat wilde ze?'

'Ze wil me als voorzitter van een campagne voor mijn vader, Peter Mukoro en anderen.'

'Wat heb je gezegd?'

'Het is maar een kleine campagne.'

'Wat heb je haar gezegd?'

'Dat ik het zou doen. Dat ik het wil doen. Het is de kans waar ik op heb gewacht. Ik hoop dat we eens per maand bijeen kunnen komen...' Mijn stem liet me in de steek.

Hij maakte zijn stropdas los. 'Toch niet hier, hoop ik.'

'We kunnen in mijn moeders huis vergaderen. Het maakt niet uit.'

Hij liep naar het bed.

'We hebben het hier al eens over gehad.'

'Nee. We hebben het er nooit over gehad. We zijn het in elk geval nooit eens geworden. Trouwens, het is hier nergens veilig. Overvallers kunnen nu bij ons inbreken. De politie, het leger, of je er nu om vraagt of niet, zij brengen de problemen wel bij je thuis. Ik heb er goed over nagedacht. We richten ons tot de overheid. Er zijn vrouwen en kinderen bij betrokken. Yimika. Je weet dat ik geen risico neem met haar.'

Hij trok de stropdas onder zijn kraag uit. Yimika kermde even in haar wieg. Ik voelde de melk toeschieten. Ik rolde met mijn schouders. Ik was nog niet klaar om haar te voeden.

Niyi maakte zijn manchetknopen los.

'Het gaat mij om mijn gezin,' zei hij. 'Alleen om mijn gezin.'

'Zo dacht ik er ook over,' zei ik. 'Ooit. Maar dat is veranderd. Ik maakte me geen zorgen om mijn moeder. Wie houden we voor de gek? De situatie in ons land raakt iedereen.'

Hij gaf geen antwoord.

'Luister je?' vroeg ik.

'Nee,' zei hij.

'Wat, "nee"?' vroeg ik.

Yimika begon te huilen. Mijn melk sijpelde in mijn bh. Hij leek uit mijn oksels te druppen.

'Nee, ik kan het niet toestaan,' zei hij. 'Sorry.'

Geen nee was definitiever dan dat van Niyi, maar ik drong aan. Een compromis was niet genoeg. Hij moest van gedachten veranderen. Ik was wanhopig genoeg om hem te dwingen. Van kinds af aan hadden mensen me gezegd dat ik zus niet kon maken, zo niet kon doen, omdat niemand dan met me zou trouwen en ik nooit moeder zou worden. Nu was ik moeder.

'Ik ben niet dezelfde,' zei ik.

'Wat?'

'Ik ben niet dezelfde als vroeger. Dat moet je wel weten.'

Ik plukte mijn bloes van mijn borst. Mijn melk had natte plekken gemaakt.

Die avond luisterde ik naar heel veel stemmen. Eentje die me vertelde dat ik naar een van die verre gevangenissen gesleurd zou worden – Abakaliki, Yola, Sokoto – waar de wind van de harmattan mijn botten broos zou maken. Die bracht ik tot zwijgen. Een andere, die me vertelde dat ik Yimika nooit meer zou zien; dat ze, net als Sheri, zonder moeder zou opgroeien; dat Niyi me zou vervangen, dat mijn hart en ziel zouden breken en ik zou wegteren. Die liet ik praten en praten voor ik hem tot bedaren bracht. En toen de laatste stiltemaning was verstomd, luisterde ik.

Ik had, in mijn eentje, mijn gedachten verslagen. Niemand anders had dat gedaan. Ik, die geloofde in oneindige capaciteiten, tot op zekere hoogte; die vol zelfvertrouwen was, naar gelang de omstandigheden. Het was interne sabotage, net als een coup. Waar de kwade wil ook vandaan kwam, hij zou terug moeten treden. Yimika begon te huilen. Ik controleerde haar, maar haar luier was droog. Ik wiegde haar weer in slaap. Mijn ogen werden zwaar en ik sloot ze. Ik kon het gewoon eens zijn met Niyi; de vermoeidheid zou dan in elk geval wegtrekken.

'Iedereen heeft minstens één keuze,' had mijn vader gezegd, toen ik het had over vrouwen die gevangenzaten in hun eigen huis. Hij was verontwaardigd: hoe kon ik zo'n simplistische, manke vergelijking trekken? Een handjevol keukenmartelaressen vergelijken met mensen in een Nigeriaanse gevangenis? Sommige gevangenen zouden ervoor kiezen om in hun cel te blijven als je de deur openzette, betoogde ik. Het ging mij om de gemoedstoestand. Het grootste deel van de tijd maakte ik mijn keuzes al even bewust als ik ademhaalde. 'Ik heb je wel beter geleerd,' had mijn vader gezegd. 'Dat had je gedacht,' had ik geantwoord.

Yimika had haar witte doopkleed aan. Sheri wiegde haar op de arm. Ik hield mijn schoonvader een kalebas vol kolanoten voor. Hij pakte er een, brak hem doormidden en nam een hap. Mijn schoonmoeder zat naast hem en kauwde ook. Ik droeg traditionele kledij: een witkanten bloes, een rode wikkelrok van mijn middel tot mijn enkels. Een ketting van bloedkoraal hing om mijn nek, en om mijn hoofd zat een met gouddraad geborduurde rode sjaal.

Vanwege mijn moeders overlijden waren alleen familieleden uitgenodigd voor Yimika's doopfeest, maar onze woonkamer zat niettemin vol. Ik zette de kalebas op een lege kruk en nam een hap van mijn kolanoot. Het breken van de noten was een bevestiging van onze gebeden. In eerste instantie proefde ik alleen de bittere smaak van cafeïne, maar daarna, achter op mijn tong, een zweempje zoetheid.

Er stonden porseleinen kommen op tafel: met honing en zout voor zoetheid in Yimika's leven, met water voor kalmte, met peperbessen voor vruchtbaarheid, met palmolie voor vreugde. Ze had vier namen gekregen: Oluyimika, God omringt me; Omotanwa, het kind waarop we hebben gewacht; Ebun, geschenk; Moyo, mijn tweede naam, ik verheug me.

Niyi's oudtante hief een gebed aan in het Yoruba. Ze was de oudste in de familie, en de andere familieleden antwoordden steeds, *Amin*. Ik nam deel aan het gebed voor mijn dochter en voegde er een eigen gebed aan toe voor de plek waar ze terecht was gekomen, dat de leiders ervan hun weg zouden vinden naar de kinderen, en dat onze mores zachtmoediger zouden worden. Na ons laatste amen schonk Niyi's oudtante het plengoffer in en bracht het glas naar haar mond als een saluut aan haar voorouders. Haar magere lichaam verstrakte toen de alcohol brandend door haar keel gleed. Ze trok haar hoofddoek recht. Het was tijd om te eten.

In de keuken zat een van Sheri's koks op een stoel met een houten vijzel tussen haar knieën. Met een kalebaskwart schepte ze klodders gemalen yam op, die ze in cellofaan wikkelde. Blauwe vleesvliegen zwermden rond de gootsteen, waar iemand een blik mangosap had omgestoten. Een andere kok schepte gebakken vlees op kleine borden. Ze werkten samen als muzikanten in een bigband, geoefend en onaangedaan.

'Zijn jullie klaar?' vroeg ik.

'Klaar,' zei de eerste kok.

Dat waren ze niet. Toen ik de keuken uit kwam, schoot mijn schoonmoeder op me af.

'Hoe zit het met het eten?' vroeg ze.

'Ze zijn bijna klaar, ma,' zei ik.

'De gasten hebben honger.'

'Maak je geen zorgen, ma,' zei ik.

'Waar ga je heen?' vroeg ze.

'Naar boven, ma,' zei ik.

Ik kon niet meer wachten. Er waren baby's die te lang in de baarmoeder bleven. Tegen de tijd dat ze geboren werden, waren ze dood. Er waren mensen die pas op hun doodsbed hadden geleerd te praten. Tegen de tijd dat ze hun mond opendeden, bliezen ze hun laatste adem uit.

De trap in mijn huis was nooit zomaar een trap geweest. Vaak beklom ik hem en stelde ik me voor dat ik oprees, tot in de hemel zelfs. Ik rees nu uit boven een miskraam en mijn moeders dood, wierp malariakoorts af, razernij, schuldgevoel. De afkeuring van mijn schoonmoeder, die wierp ik ook af. De vrede die ik had gevonden, ging haar bevattingsvermogen te boven.

Niyi zwaaide even naar me toen ik bijna boven was. Hij was bezig iedereen van wijn te voorzien. Ik probeerde mijn glimlach te behouden. Wat voor verhaal moest ik hem opdissen, dat ik hem nog minder maakte dan een halve man? Over verhalen die van de rails raakten gesproken.

In mijn slaapkamer deed ik mijn hoofddoek af en legde hem tussen mijn potten pommade en flesjes parfum. Langs de scheiding tussen mijn vlechten waren grijze haren zichtbaar.

Sheri kwam binnen. 'Iedereen vraagt zich... Wat ben jij nou aan het doen?'

Ik vroeg me af hoe ik het haar moest vertellen. Beneden hief iedereen een danklied aan:

Ik loop over van vreugde
Elke dag zeg ik dank
Ik loop over van vreugde
Elke dag zeg ik dank
Jij ook?

De vrouwen kwamen later dan afgesproken op de eerste vergadering. Lagos herstelde zich van alweer een benzinetekort en het openbaar vervoer was nog maar net hervat. Sommigen zaten op het puntje van hun stoel, anderen alsof dit hun eerste kans van de dag was om te zitten. Een zwangere vroeg of ze haar voeten omhoog mocht leggen. We waren nu met zeventien: echtgenotes, moeders, zussen van journalisten.

We wezen een penningmeester en een secretaris aan. Ik nam mijn plaats te midden van het gezelschap in en kondigde aan dat diegenen die iets te zeggen hadden moesten spreken, en dat diegenen die gekomen waren om te luisteren, dat dan ook moesten doen. Onze gastspreker was Peter Mukoro's vrouw, degene die hem voor de leeuwen van de roddelpers had gegooid. Ze verzocht ons om haar geen tantetje, mevrouw of meer van die onzin te noemen. Haar naam was Clara, Clara Mukoro.

De rest had snel genoeg van Clara en haar geklaag. Ik probeerde er vriendelijk onder te blijven. Op een dag zei ze: 'Jij, word jij nou nooit eens kwaad?' En ik zei: 'Als we ons allebei kwaad maken, tante Clara, hoe ver komen we dan?'

Algauw konden Clara en ik het goed met elkaar vinden, goed genoeg om haar te vragen waarom ze vocht voor een man die haar had vernederd. Ze had een vierkant gezicht, met ogen die ik alleen verwachtte bij een vrouw uit het Verre Oosten, en als ze sprak, vernauwde ze die nog.

'Ik ken Peter al vanaf de lagere school,' vertelde ze. 'Mijn vader was het hoofd ervan, Peter zat bij mij in de klas. Hij hielp me mijn schoolboeken te dragen. Ik was erbij toen zijn vaders boerderij werd geruïneerd. Ik was erbij toen Peter de studiebeurs afwees. Toen hij naar Lagos ging, ging ik met hem mee. Mijn vader onterfde me. Peter heeft me onderhouden tijdens mijn studie. Dat is de Peter die mij bijstaat, niet de Peter die rondrent als een klein jochie in een snoepwinkel. Hij is wél de vader van mijn kinderen. En trouwens, als íemand Peter mag opsluiten, ben ik het.'

We schreven brieven naar onze president waarin we hem vroegen om onze familieleden vrij te laten, of hij ze nu las of niet. We gingen door tot onze familieleden vrij waren. Er waren meer campagnegroepen als de onze, die vaak in de pers verschenen. Sommige vroegen om de vrijlating van vrouwelijke journalisten. We putten kracht uit hun stem. De dreiging van de veiligheidsdienst hing ons boven het hoofd, maar wonderbaarlijk genoeg is die nooit werkelijkheid geworden.

Als we het niet hadden geprobeerd, waren we het nooit te weten gekomen.

Als we het niet hadden geprobeerd, waren we het nooit te weten gekomen, daar ben ik nog steeds van overtuigd.

Ik ben geboren in het jaar dat mijn land onafhankelijk werd, en ik heb gezien hoe die onafhankelijkheid tegen zichzelf tekeerging. Vrijheid was nooit bedoeld om zoet te smaken. Die was van het begin af aan een verantwoordelijkheid waar je als volk, als individu voor diende te vechten en waarin je je vast moest bijten. In mijn nieuwe leven betekende dat dat er rekeningen lagen die ik zelf moest betalen, herinneringen die gewiegd en te bed gelegd moesten worden, spijt die opkwam en moest worden bedwongen, en tranen die nooit aflieten om mijn zicht te verhelderen.

Tegenwoordig besloeg ik meer ruimte. Ik hing met mijn benen wijd over de bank, spreidde mijn armen over de leuning. Als een vacht lag ik breeduit in mijn bed, dan op mijn rug, dan op mijn buik. Niyi was zo lang; ik had altijd gevonden dat hij meer ruimte verdiende. De krimping die ik meemaakte, had er nooit tegen opgewogen. Vrijwel elke dag kwam hij Yimika opzoeken en vrijwel altijd smeet hij mijn voordeur achter zich in het slot, waardoor ik hem steeds minder miste. Maar ik rekende het hem niet aan. Hij vocht alsof we wedijverden om de zuurstof in een en dezelfde tank: hoe meer adem ik haalde, hoe minder er voor hem was. Evenmin bleef ik lang bij zijn familie, zelfs niet bij mijn zwagers. Het was geen kwade wil van me; daar had ik de energie niet voor. Maar ik wist dat ze, als ze de kans kregen, me met hun adviezen in de war zouden brengen, en dat er dan niets overbleef van mijn oorspronkelijke idee.

Op een ochtend vond ik een oude foto van mijn moeder en mij. Ze had me op de arm; ik was een maand of zes oud en droeg een jurkje met pofmouwtjes. Zij had een mini-jurk aan, en haar benen waren al even mager als de mijne. Mijn moeder had me ooit gezegd dat ze me leidraden in mijn oor fluisterde toen ik pas geboren was. Ze heeft me nooit verteld wat ze dan precies zei. Ze zei wel dat ik me haar woorden had herinnerd. Zo fluisterde ik ook mijn dochter in haar oor, in mijn moeders huis. Ik zei: 'Ik hou van je. Als je dat maar in gedachten houdt.'

Sheri zeurde later die dag steeds aan mijn hoofd dat ik haar moest voeden. 'Dat kind heeft honger! Ze moet nu eten.'

'Je maakt me hartstikke gek,' zei ik uiteindelijk. 'Het is míjn baby.'

Ik rende heen en weer en probeerde flesvoeding klaar te maken. Yimika schreeuwde zo hard dat ze ons allebei in paniek bracht. Sheri wiegde haar. Het leed geen twijfel dat de kleinste, zwakste persoon in huis de controle had over de situatie.

'Je hebt haar er alleen maar uitgeperst,' zei Sheri.

'Een moeder wordt nooit op haar volle waarde geschat.'

'Iemand heeft jou op de wereld gezet.'

'Ik schat mijn moeder op waarde. Ik schat haar op haar volle waarde sinds ik door de hel van de weeën ben gegaan.'

'Overdrijf niet zo. Die weeën van jou duurden net zeven uur. Geef mijn kind te eten.'

'Jouw kind had anders geen zin om geboren te worden, al neem ik het haar niet kwalijk. Hoor je me? Ik neem het jou niet kwalijk, kind van me. Het enige wat jij hebt gedaan, is op deze wereld komen. Sindsdien heerst er chaos. Je krijgt je melk niet eens op tijd.'

'Hoezo chaos? Zij weet wat er te weten valt. Schiet op met die fles.'

'Shit, de dop wil niet dicht!'

Als mensen het over de keerpunten in hun leven hebben, verwonder ik me daar weleens over. Ik kan niet één moment aanwijzen waarop ik een voorvechtster werd voor gevangenen in mijn land. Telkens als ik tevoren de gelegenheid had om actie te ondernemen liep het erop uit dat ik deed wat ik gewend was, en altijd en eeuwig waren het dan dezelfde frustraties die de kop opstaken, omdat ik bij voorbaat wist hoe ik me zou voelen: onrechtvaardig behandeld, hulpeloos, opgesloten in een dag dat ik veertien was. Maar dit keer was het zo gelopen: de veranderingen voltrokken zich nadat ik ze had gemaakt, stapje voor stapje. Ik liep een trap op. Een makkie. Ik deed een hoofddoek af. Nog gemakkelijker. Ik pakte een koffer, droeg hem de trap af, legde hem achter in mijn auto. Naarmate de situatie lastiger werd, werd mijn aandeel kleiner. Mijn man vroeg waarom ik hem verliet. 'Omdat het moet,' antwoordde ik. Drie woorden; ik kreeg ze over mijn lippen. 'Wat ben jij voor een vrouw?' Geen antwoord. 'Zou jij dan niet proberen om mij tegen te houden?' vroeg hij. Waarschijnlijk wel, maar hij zou mij niet hoeven te verlaten om te doen wat hij wilde. Mijn buurvrouw op Sunrise Estate, Busola; een glimlach voor haar toen ze me toefluisterde: 'Iedereen heeft het over je. Ze zeggen dat je geen reden had om weg te gaan. Hij heeft je nooit geslagen, hij is nooit vreemdgegaan. Ik weet dat hij chagrijnig is, maar god nog aan toe, hij wérkt tenminste. Stel dat je met die lapzwans van mij getrouwd was!' En Sheri: 'Wacht maar. Wacht jij maar. Als je vader straks vrijkomt, is het eerste wat hij vraagt: "Waarom heb jij je man verlaten?"'

Mijn man, ons huis en een kleine, voorsteedse gemeenschap als een bemoeizuchtig verlengstuk van onze familie; dat waren mijn redenen om te blijven. Ik had het geluk dat ik datgene had overleefd waarvan ik nooit had gedacht dat ik het zou overleven, de lucht van mijn moeders overlijden. Ik kon daarna niet dezelfde blijven, anders zou mijn herinnering aan haar vergeefs zijn geweest en mijn overleven zinloos. Iedereen die een dergelijk trauma heeft meegemaakt, zou me begrijpen. De nasleep ervan kon een hergeboorte betekenen. Eén leven was heengegaan, en ik kon me onderdompelen in rouw óf aan het volgende beginnen. Wat beangstigend en tegelijk subliem om als een god jezelf een nieuw leven te geven. Voor die optie heb ik gekozen.

Het zou nog twee maanden duren voor ik iets van mijn vader vernam. Tien maanden zat hij nu gevangen, en ons land stond in het middelpunt van een internationale oproer omdat negen milieuactivisten uit de Nigerdelta waren opgehangen, inclusief de schrijver Ken Saro-Wiwa. Greenpeace, Friends of the Earth, Amnesty International, allemaal tekenden ze bezwaar aan tegen deze moorden. Onze overheid bleef onbewogen. Ik was de wanhoop nabij. Een van de gezinnen in onze campagne dreigde op straat gezet te worden, een ander had nieuw leven verwelkomd in afwezigheid van de vader.

Die middag was mijn buurmeisje Shalewa bij me om voor Yimika te helpen zorgen. Ik was mijn moeders zitkamer aan het opruimen, opgelucht dat Yimika eindelijk in slaap was gevallen, toen mijn mobieltje ging. Ik stortte me erop, maar het was te laat. Yimika begon weer te huilen. Ik pakte haar op, greep toen de telefoon.

'Enitan?'

Het was mijn vader.

'Papa? Papa, ben jij dat?'

Zijn stem brak. 'Ik ben vrij.'

De tranen schoten in mijn ogen.

'Ze hebben me vandaag laten gaan. Mukoro en de anderen ook. Ik moest jou eerst bellen. Hoor ik de baby daar? Is het een jongen of een meisje? Een geluid als een misthoorn. Hoe is het met iedereen, je man, je moeder? Fatai? Neem de baby mee hierheen. Waar ben je? Ik heb je zo veel te vertellen. Enitan? Enitan, je zegt niks. Ben je er nog?'

'Ja,' zei ik.

Ik veegde de tranen uit mijn ogen.

'Waar ben je?' zei hij. 'Wat ik allemaal heb gezien... Ik ben dezelfde niet meer.'

'Ik ook niet,' zei ik.

Ik moest het iemand vertellen. Sheri was de eerste die in me opkwam. Er hing een vochtige hitte die middag. Mijn rug was nat van het zweet, en mijn voorruit zat onder het stof en de verdorde muggenpoten. De zon brandde er dwars doorheen.

Mijn broer had me eens verteld, toen we eenmaal aan de praat waren geraakt, dat hij het inwendige van mensen zag voor hij ook maar iets anders opmerkte. Als hij een roker ontmoette, zag hij zwarte longen. Als hij een vrouw ontmoette met zulke grote borsten dat zijn vrienden er scheel van keken, zag hij het gelige vetweefsel onder haar huid. Als hij kinderen zag, zag hij hun hart, roze. Ik vond dat hij er maar een raar wereldbeeld op na hield. Hij zei dat hij geen verbeeldingskracht had. Hij droomde al evenmin, en het kostte hem de grootste moeite om vrouwen te begrijpen, al was hij opgegroeid in een huis vol. Maar hij hield van auto's. Toen hij me op een gegeven moment vroeg hoe ik me voelde, zei ik dat het was alsof iemand kilometerslang boven op mijn bumper had gezeten en me god-wist-waarheen had gedreven. Plotseling was ik de auto achter me kwijtgeraakt, en ik mocht dan nog steeds verdwaald zijn, stukje bij beetje vond ik de weg terug naar huis. Hij zei dat hij het begreep.

Mijn hart borrelde over. Ik moest stoppen; het verkeer ging me te langzaam. Vlak bij de kruising van twee woonstraten zette ik mijn auto aan de kant. Een stel All right-Sirs dat er op een bankje had gezeten, meende dat ik hun hulp nodig had bij het inparkeren. Ze dirigeerden me met tegenstrijdige handgebaren. 'Naar links. Rechts. Kom maar, kom maar, achteruit, achteruit, zachtjes, zachtjes. Stop.'

Het leek alsof ze vliegen wegsloegen. Ik deed alsof ze onzichtbaar waren. Ik had geen geld te vergeven. Een automobilist achter me drukte op zijn claxon. Ik draaide mijn raampje omlaag en zag dat hij aan het stuur zat van een danfo, zo'n privétransportbusje.

'Wat moet je?' riep ik. 'Kan een mens niet eens in vrede gelukkig zijn?'

Hij duwde nog eens op zijn claxon. Ik keek in mijn achteruitkijkspiegel. Hij moest maar wachten. Ik danste op mijn stoel. Het eerste wat in me opkwam, was een Yoruba-liedje: 'Dans nooit de *palongo*. Die brengt je het hoofd op hol.'

Ik zong het hardop. Het busje kroop naar voren tot het naast me stond. Ik kon de passagiers zien zitten. Hun gezichten glommen van het zweet. De bestuurder spreidde zijn vingers: 'Uit de weg!'

Ik stapte uit en zong hem toe.

'Dans nooit de palongo. Die brengt je het hoofd op hol.'

De passagiers klapten ongeduldig in hun handen. 'Sistah, wat mankeert je?', 'Doe niet zo raar!', 'Op zo'n hete middag', 'Een volwassen vrouw nog wel', 'Je stelt je aan als een kind'.

Ik hief mijn vuist. 'Onze mannen zijn vrij!' riep ik.

De bestuurder van de danfo knipperde met zijn ogen. 'Wat? Waar heeft ze het over?'

Iemand verhaspelde mijn mededeling: 'Onze mannen zijn te vrij met vrouwen.'

'Er wacht jou niks goeds!' zei de bestuurder.

'Zeg hem,' zei ik, 'zeg het hem, *a da*. Alle goeds. Alle goeds wacht me nu.'

De passagier herhaalde mijn woorden, maar de bestuurder leek ze al verstaan te hebben. Hij sprong uit zijn busje.

'Misschien is ze gek geworden,' opperde iemand.

Een ander liet zijn hoofd hangen. Nog meer vertraging.

'Ben je gek geworden?' vroeg de bestuurder. 'Of denk je dat ík gek ben? Ben je wel goed bij je hoofd? Ik zei dat je je auto aan de kant moest zetten.'

Mijn handen gingen omhoog. Swingend zakte ik ver door mijn knieën, en ik zong het liedje weer.

'Dans nooit de palongo. Die brengt je het hoofd op hol.'

De All right-Sirs keken met open mond toe. De bestuurder nam me van top tot teen op.

'Jij moet wel een heel domme vrouw zijn,' zei hij.

'Dat wás ik,' zei ik.

'Misschien heb je me niet goed gehoord,' zei hij, druk gebarend.

Ik had hem wel gehoord. Ik danste de palongo, zonder ook maar één moment voor mijn verstand te vrezen. Ik deed er wat buitenlandse danspassen bij om de ontstemde meute te desoriënteren: de flamenco, de cancan, zijwaartse passen uit een Ierse volksdans. Niets kon mijn blijdschap nog van me afpakken. De zon zond haar zegening. Ik werd gedoopt in mijn zweet.